TIGER HOUSE

www.editions-jclattes.fr

Liza Klaussmann

TIGER HOUSE

Traduit de l'anglais
par Sabine Boulongne

Roman

JC Lattès

Titre de l'édition originale :
TIGERS IN RED WEATHER
Publiée par Picador, un département de Pan Macmillan

Maquette de couverture : Bleu T
Photo : Paul Popper / Popperfoto / Getty Images

ISBN : 978-2-7096-4234-7

À ma grand-mère, pour la bravoure.
Et aux autres membres de ma famille,
pour tout le reste.

NICK

.

Septembre 1945

— Je ne sais pas si c'est une aubaine ou une malédiction, dit Helena.

— Ça change au moins, souligna Nick. Fini ces fichues cartes de rationnement, les sempiternels trajets en bus. Hughes a acheté une Buick, paraît-il. Alléluia !

— Dieu sait où il est allé la dénicher ! Chez un garagiste véreux, probablement.

— Peu importe, dit Nick en étirant mollement les bras vers le ciel nocturne de la Nouvelle-Angleterre.

Assises dans le jardin de la maison d'Elm Street, en combinaisons, elles buvaient du gin sec dans de vieux bocaux à confiture. De mémoire d'homme, c'était l'été indien le plus chaud qu'ait connu Cambridge.

Nick porta son regard sur le tourne-disque, en équilibre instable sur le rebord de fenêtre. L'aiguille sautillait.

— Il fait trop chaud pour faire quoi que ce soit à part boire, gémit-elle, appuyant sa tête contre la chaise de jardin rouillée, tandis que la voix de Louis Armstrong grésillait, répétant qu'il avait le droit de chanter le blues. Dès mon arrivée en Floride, je prierai Hughes de m'acheter un stock de bonnes aiguilles.

— Ah, cet homme ! soupira Helena.

— Je sais. Qu'est-ce qu'il est beau ! Une Buick en plus et de bonnes aiguilles à tourne-disque. Que demander d'autre ?

Helena pouffa de rire dans son verre.

— Je crois bien que je suis ivre, dit-elle en se redressant.

Nick posa brutalement son verre sur le bras de son fauteuil, faisant trembler le métal.

— On devrait danser.

Le chêne qui trônait dans le jardin découpait la lune en fragments. Le ciel était déjà d'un bleu nuit intense, en dépit de la touffeur. Des senteurs estivales flottaient encore dans l'air, à croire que personne n'avait signifié à la nature que c'est déjà la mi-septembre. Nick prêtait une oreille distraite aux élucubrations nocturnes de la femme d'à côté dans son pavillon à deux étages. En train de savourer le cocktail en vogue.

Elle dévisagea sa cousine qui la faisait valser sur la pelouse. Helena aurait pu devenir ce genre de femme, pensa-t-elle, avec un corps semblable à un violoncelle et des idylles de temps de guerre. Pourtant, tout en boucles blond roux et peau lisse, elle avait réussi à conserver une certaine fraîcheur. Elle n'avait pas le teint terreux de celles qui avaient couché avec trop d'étrangers ayant sauté sur des mines ou criblés de balles de Schmeisser. Nick les avait vues se faner dans les files de rationnement, sortir en tapinois de la poste, menaçant de se dissiper dans le néant.

Helena, elle, était sur le point de se remarier.

— Tu vas convoler à nouveau, s'exclama Nick d'une voix un peu avinée, comme si cette pensée venait de lui traverser l'esprit.

— Je sais. Tu te rends compte ? soupira Helena, une main chaude posée sur le dos de Nick. Mme Avery Lewis. Tu trouves que ça sonne aussi bien que Mme Charles Fenner ?

— C'est charmant, mentit Nick en se dégageant.

À ses oreilles, Avery Lewis collait parfaitement au propriétaire dudit patronyme, un arriviste hollywoodien, vendeur d'assurances, qui prétendait avoir eu les faveurs de Lana Turner ou de toute autre créature dont il n'avait de cesse de vous rebattre les oreilles.

— Fen l'aurait sûrement apprécié, tu sais.

— Oh non ! Fen l'aurait détesté. Fen était un gamin. Un gentil gamin.

— Ce cher Fen.

— Ce cher Fen. (Helena arrêta de se trémousser pour aller récupérer le verre de gin qui l'attendait sur sa chaise.) Mais maintenant j'ai Avery, reprit-elle avant de boire une gorgée. Je vais vivre à Hollywood et j'aurai peut-être un enfant. Comme ça au moins, je ne deviendrai pas une vieille fille, folle comme un chapelier avec des verrues sur le pif. Je n'aurai pas à tenir la chandelle au coin du feu, à côté de Hughes et toi. Que Dieu m'en préserve !

— Ni chandelle ni verrues, et un Avery Lewis, qui plus est.

— Oui, désormais nous aurons chacune quelqu'un à nous. C'est important, commenta Helena d'un air songeur. Je me demande juste…

Elle laissa sa phrase en suspens.

— Quoi donc ?

— Eh bien… si ça sera la même chose avec Avery. Tu sais, comme c'était avec Fen.

— Au lit, tu veux dire ? (Nick se tourna promptement vers sa cousine.) Mince alors ! Je n'en reviens pas. La virginale Helena a-t-elle vraiment fait allusion à l'acte ?

— Tu es méchante !

— Je sais.

— Je suis ivre, ajouta Helena. Tout de même, je m'interroge. Fen est le seul garçon que j'aie véritablement aimé ; avant Avery, je veux dire. Or, Avery est un homme.

— Eh bien si tu l'aimes, ça sera fabuleux, j'en suis sûre.

— Évidemment. Tu as raison, approuva Helena avant d'écluser son verre. Oh, Nick, je n'arrive pas à croire que tout soit sur le point de changer. Nous avons été si heureuses ici, en dépit de tout.

— Cesse de larmoyer. Nous nous verrons chaque été. À moins que ton nouvel époux ne soit allergique à la côte Est.

— Nous irons à Martha's Vineyard. Comme nos mères. Nous serons voisines.

Nick sourit en songeant à Tiger House, ses pièces spacieuses, la vaste pelouse qui s'évanouissait dans le bleu du port. À la charmante petite maison voisine que son père avait fait construire pour en faire cadeau à la mère de Helena.

— Nos maisons, nos maris, nos soirées tardives arrosées au gin, lança Nick. Rien ne changera. Pas vraiment. Tout restera comme ça l'a toujours été.

Le train en provenance de Boston était en retard et, à Penn Station, Nick dut se frayer un passage dans la foule pressée d'arriver à destination, au milieu d'un tourbillon de bagages, de chapeaux, de baisers et de billets égarés. Entre-temps, Helena avait dû traverser la moitié du comté, se dit-elle. Nick avait fermé l'appartement elle-même et donné ses dernières instructions à la gardienne quant aux expéditions : les caisses de romans et recueils de poèmes partaient pour la Floride, les valises remplies de corsets, pour Hollywood.

Quand elle monta finalement à bord, le train dégageait une odeur d'eau de Javel et d'excitation. Le Havana Special couvrait tout le trajet de New York à Miami ; ce serait le premier voyage de nuit qu'elle ferait toute seule. Elle n'arrêtait pas de sentir l'intérieur de son poignet pour humer son parfum au muguet comme s'il s'était agi d'un flacon de sels. Dans toute cette agitation, elle en oublia presque de donner un pourboire au portier.

Une fois dans son compartiment, elle hissa sa valise en cuir sur le porte-bagages et l'ouvrit afin d'en vérifier une fois de plus le contenu et de s'assurer qu'elle n'avait rien oublié. Une chemise de nuit pour le train (blanche), une autre pour quand elle serait avec Hughes (verte, avec la robe de chambre assortie). Deux combinaisons en soie ivoire, trois culottes et soutiens-gorge coordonnés (qu'elle pourrait laver un jour sur deux jusqu'à ce que le reste de ses affaires arrive à Saint Augustine), sa trousse de toilette (renfermant un flacon de parfum de voyage, un rouge à lèvres, la précieuse crème Floris que Hughes lui avait rapportée de Londres, une brosse à dents, du dentifrice, un gant de toilette et un savon Ivory), deux robes en coton, deux chemisiers en coton, un pantalon en gabardine (le modèle Katharine Hepburn), deux jupes en coton et un bon tailleur d'été en lainage léger (couleur crème). Outre trois paires de gants en coton (deux blanches, une crème), sans oublier le foulard en soie rose et vert de sa mère.

Sa mère raffolait de ce foulard. Elle le portait toujours lors de ses voyages en Europe. Il appartenait à Nick maintenant et, même si elle ne s'aventurait pas aussi loin que Paris pour le moment, le fait de retrouver Hughes après si longtemps lui donnait l'impression de s'embarquer pour la Chine.

— Bienvenue en *terra incognita*, dit-elle, s'adressant à sa valise.

En entendant un coup de sifflet, elle s'empressa de rabattre le couvercle de sa valise et de s'asseoir. Maintenant que la guerre était finie, la scène qui se déroulait sous sa fenêtre – les femmes agitant leurs mouchoirs, les enfants aux yeux rougis – était moins bouleversante. Personne n'allait mourir, ils allaient tous chez une vieille tante ou à un ennuyeux rendez-vous professionnel. Pour elle, toutefois, c'était grisant. Un monde nouveau. Elle allait voir Hughes. Hughes. Elle murmura son nom, comme un talisman. À vingt-quatre heures de leurs retrouvailles, elle avait l'impression que l'attente allait lui faire perdre la tête. C'était si étrange. Six mois avaient passé, mais les dernières heures paraissaient insoutenables.

Ils s'étaient vus pour la dernière fois au printemps. Hughes avait eu une permission, car son navire d'escorte avait été mis en cale dans le port de New York pour réparations. Ils étaient restés à bord du *U.S.S. Jacob Jones*, dans une des chambres réservées aux officiers mariés. L'endroit était infesté de puces et, au moment où Hughes avait glissé sa main sous sa jupe, elle avait commencé à avoir une sensation de brûlure autour des chevilles. Elle avait essayé de se concentrer sur le bout de ses doigts en train de l'explorer, ses lèvres sur son cou, mais n'avait pu retenir un cri.

— Il y a quelque chose dans le lit, Hughes !

— Je sais. Nom de Dieu !

Ils s'étaient précipités ensemble sous la douche, pour s'apercevoir qu'ils avaient les jambes couvertes de piqûres rouges. L'eau qui s'engouffrait dans la canalisation était une mare de poivre. Hughes avait maudit le navire, la guerre. Nick s'était demandé s'il prêtait attention à sa nudité, mais il lui avait tourné le dos et avait entrepris de se savonner.

Pour finir, il l'avait emmenée au Club 21 et cela avait été l'un de ces moments où l'on aurait dit que le monde entier conspirait à leur bonheur. La paie de sous-lieutenant de Hughes, qui n'aurait jamais accepté de l'argent de ses parents – pas plus qu'il n'aurait admis que Nick dépense le sien –, ne lui permettait pas de s'offrir un dîner dans un lieu pareil. Cependant, il savait combien elle aimait les histoires de gangsters aux costumes satinés qui y avaient fait la fête avec leurs poules sensuelles durant la Prohibition.

— Nous devrons nous contenter de deux martinis et d'un bol d'olives et de céleri, lui avait-il précisé.

— Nous ne sommes pas obligés d'y aller si nous n'en avons pas les moyens, lui avait-elle répondu en scrutant son visage.

Où elle avait lu de la tristesse. De la tristesse et quelque chose d'autre qu'elle ne parvenait pas à définir.

— Nous pouvons nous offrir ça. Ensuite nous nous en irons.

Dès qu'ils avaient pénétré dans le bar aux lambris sombres avec sa panoplie de jouets et d'articles de sport suspendus au plafond, Nick avait tout de suite perçu l'attrait de sa jeunesse et de sa beauté. Elle sentait le regard des hommes et des femmes installés aux petites tables glisser sur sa robe en shantung rouge, effleurer son épaisse chevelure noire coupée court. Parmi les choses qu'elle appréciait au plus haut point chez son mari, c'était qu'il n'avait jamais voulu qu'elle soit comme les pin-up blondes placardées dans les chambres de tous les garçons du pays. Ce n'était pas elle. Elle avait la mine un peu trop sévère, des traits légèrement trop pointus pour être considérée comme belle. Elle avait parfois l'impression de mener un éternel combat pour prouver au monde que, par sa différence, elle était spéciale, discrète. Pourtant, là, dans ce club raffiné, elle se sentait à sa place. L'endroit était rempli de femmes joliment carénées, au regard intelligent. Et puis il y avait Hughes, blond comme le miel, avec ses mains élégantes, ses jambes interminables dans son uniforme bleu.

Le serveur les installa à la table vingt-neuf. Un couple était assis à leur droite. La femme fumait tout en suivant du bout d'un doigt des lignes dans un mince carnet.

— Dans cette réplique-là, je vois vraiment tout le film, dit-elle.

— Oui, répondit l'homme avec une pointe d'incertitude dans la voix.

— Et c'est tellement Bogart, d'une certaine manière.

— C'est vrai que c'était fait pour lui.

Nick se tourna vers Hughes, désireuse de lui confier à quel point elle lui était reconnaissante de l'avoir emmenée là, d'avoir dépensé trop d'argent rien que pour prendre un

cocktail, de la laisser être elle-même. Elle essaya de transmettre tout cela dans un sourire, préférant garder le silence
pour le moment.

— Et tu sais quoi ? ajouta la femme, sa voix prenant
soudain une intonation stridente. Nous sommes à leur table.
Tu te rends compte que nous sommes assis à leur table en
train de parler d'eux ?

— Vraiment ?

L'homme but une gorgée de scotch.

— Oh, c'est tellement Club 21 ! s'esclaffa sa compagne.

Nick se pencha vers son mari.

— De qui parlent-ils, à ton avis ? chuchota-t-elle derrière
sa main gantée.

— Pardon ? demanda distraitement Hughes.

— Ils ont dit qu'ils étaient assis à la table de quelqu'un.
De qui ?

Nick s'aperçut que la femme les dévisageait. Elle l'avait
entendue, elle l'avait vue essayer de dissimuler sa curiosité
derrière sa main. Nick piqua un fard et baissa les yeux sur
la nappe à carreaux rouges et blancs.

— C'est la table de Humphrey Bogart et Lauren Bacall,
voyons, ma chère, expliqua gentiment la femme. Leur premier rendez-vous a eu lieu ici. L'une des fiertés de l'établissement.

— Oh ! Vraiment ?

Nick tenta de feindre à la fois la politesse et la nonchalance. En lissant ses cheveux de ses mains gantées, elle
sentit la douceur du daim dissiper la laque.

— Allons, Dick, donnons-leur notre table. (La femme
éclata à nouveau de rire.) Êtes-vous amants, vous deux ?

— Oui, répondit Nick, se sentant audacieuse, sophistiquée. Mais nous sommes aussi mariés.

— Exceptionnel, gloussa l'homme.

— Assurément, renchérit la femme. Et cela mérite bien
la table de Bogart et de Bacall.

— Nous ne voudrions pas vous déranger, protesta Nick.

— Ne dites pas de bêtises, reprit l'homme en prenant son verre de scotch et le cocktail au champagne de sa compagne sur la table.

— Vraiment, intervint Hughes, vous vous êtes laissé charmer par mon épouse. Nick...

— Ce fut un plaisir, dit la femme. Elle est adorable.

Nick leva les yeux vers Hughes qui lui sourit.

— C'est vrai, reconnut-il. Allez viens, chérie. Nous nous déplaçons tous pour toi.

Le martini qu'on lui servit rappela à Nick le bord de mer, leur maison sur l'île de Martha's Vineyard : cristallin, salé, familier.

— Hughes, c'est peut-être le meilleur souper que j'aie jamais eu. À partir de maintenant je ne veux plus que des martinis, des olives et du céleri.

Hughes porta une main à son visage.

— Je suis navré.

— Comment peux-tu dire ça ? Regarde où nous sommes.

— Nous devrions demander l'addition, dit-il en faisant signe au serveur.

— Tout va bien, monsieur ?

— Très bien. Puis-je avoir la note, je vous prie ?

Hughes avait les yeux rivés sur la porte et non pas sur Nick, sa robe rouge, ses cheveux brillants qu'elle avait protégés d'un filet pendant tout le trajet de Cambridge à Penn Station.

Le serveur s'éclipsa.

Nick tripota son sac à main pour éviter d'avoir à regarder son mari. Le couple qui avait changé de place avec eux s'en était allé mais, au moment de partir, la femme lui avait pressé l'épaule en lui faisant un clin d'œil. Nick ne pouvait s'empêcher de se demander à quoi Hughes pensait. Il y avait tellement de choses qu'elle ignorait à son sujet mais, bien qu'elle souhaitât depuis toujours l'affronter, le fendre en deux d'un geste habile pour jeter un coup d'œil à l'intérieur, un instinct presque animal lui soufflait que ce n'était pas le bon moyen de traiter avec lui.

— Monsieur, madame.

Nick releva les yeux. Un homme aux allures de morse avait surgi à leur table.

— Je suis le gérant. Quelque chose ne va pas ?

— Non, non, répondit Hughes en jetant des coups d'œil autour de lui, vraisemblablement à la recherche du serveur. J'ai juste demandé l'addition.

— Je vois, répondit le Morse. Eh bien, il est tout à fait possible que vous ne le sachiez pas, monsieur, mais le dîner... (Il marqua un temps d'arrêt, laissant sa moustache en guidon de vélo faire tout son effet.) Le dîner est offert par la maison ce soir pour la marine.

— Je vous demande pardon ? s'exclama Hughes.

— Que puis-je vous servir, fiston ? ajouta le Morse en souriant.

Nick éclata de rire.

— Un steak, oh, s'il vous plaît, un steak, s'écria-t-elle, et tout le reste s'évanouit.

— Un steak pour la dame, lança le Morse sans quitter Hughes des yeux.

Hughes sourit jusqu'aux oreilles et Nick vit tout à coup le garçon qu'elle avait épousé transparaître derrière l'homme impassible qui lui était revenu. Un garçon vêtu d'un uniforme bleu impeccable, portant un col en carton rigide. Elle comprit aussi qu'ils n'étaient pas les seuls à connaître une situation précaire.

— Un steak, si vous arrivez à en trouver un dans cette ville. Ou ce pays, d'ailleurs, dit Hughes. Je ne suis même pas sûr que ça existe encore.

— Ça existe au Club 21, monsieur, si je puis dire. (Le Morse claqua des doigts pour attirer l'attention du serveur.) Deux autres martinis pour le marin.

Plus tard, ils furent à nouveau assaillis par les puces. Et puis Hughes était fatigué, à cause du steak, expliqua-t-il. Nick plia sa robe rouge avant d'enfiler la chemise de nuit noire qu'il ne verrait pas dans l'obscurité. Elle s'allongea sur le lit en écoutant le vacarme des réparateurs qui s'activaient sur le navire en cale sèche. Le martèlement vide de l'acier.

Juste après Newark, Nick décida de se rendre dans la voiture-salon. Elle avait emporté trois œufs durs et un sandwich au jambon pour éviter d'avoir à dépenser trois dollars au wagon-restaurant. Difficile cependant de résister à l'attrait du bar qui servait, selon la réclame, de « nouvelles boissons », d'autant plus qu'elle avait mis cinquante cents de côté en vue d'éventuels frais supplémentaires.

Le Havana Special. Ni mari, ni mère, ni cousine. Elle pouvait être n'importe qui. Elle lissa sa jupe grise, remit du rouge à lèvres puis s'examina dans la glace. Une mèche sombre lui tombait sur l'œil gauche. Elle était sur le point de se glisser dans le couloir quand elle se rendit compte qu'elle avait oublié ses gants. En les enfilant, elle huma son poignet une fois de plus avant de claquer la porte derrière elle.

Alors qu'elle pénétrait dans la voiture-salon avec son bar en bois arrondi et ses sièges bas, bordeaux, Nick sentit quelques gouttes de sueur perler entre ses seins. Elle passa sa main gantée au-dessus de sa lèvre supérieure, un geste qu'elle regretta aussitôt. Un serveur s'approcha d'elle et lui désigna une table libre. Elle commanda un martini avec des olives en plus, se demandant si on les lui ferait payer. Puis elle écarta le rideau en feutrine et contempla la nuit. Son reflet lui rendait son regard. Derrière elle, elle aperçut un homme en blazer bleu marine en train de l'observer. Elle essaya de déterminer s'il était beau, mais un train venant dans l'autre sens oblitéra son image.

Elle s'adossa à la banquette et croisa les jambes, sentant le frôlement de ses bas entre ses cuisses. Le serveur lui apporta son drink. Quand elle lui tendit sa cigarette pour qu'il l'allume, il fouilla dans ses poches en quête d'un briquet, mais l'homme assis de l'autre côté de l'allée s'interposa et ouvrit d'une chiquenaude son Zippo en argent. Tous les jeunes gens de retour du front en possédaient un, à croire qu'on leur en fournissait en même temps que l'uniforme.

— Merci, dit-elle sans quitter sa cigarette des yeux.

— Je vous en prie.

Le serveur disparut derrière une cloison en verre dépoli.

— Puis-je me joindre à vous ? demanda l'inconnu avec assurance.

Les yeux baissés, Nick désigna le siège en face du sien.

— Je ne reste pas longtemps, dit-elle.

— Où descendez-vous ?

— À Saint Augustine.

Il avait les cheveux noirs, gominés. Il était beau, supposait-elle, dans le style Palm Springs. Un peu trop d'eau de Cologne, peut-être.

— Moi, je me rends à Miami, dit-il. Je vais voir mes parents.

— Vous devez être content.

— Je le suis. (Il lui sourit.) Et vous ? Pourquoi Saint Augustine ?

— Mon frère est là-bas, mentit-elle. On est en train de retirer son navire du service. Je vais lui rendre une petite visite.

— Il en a de la chance !

— Oui, fit-elle en lui rendant son sourire cette fois-ci.

— Je m'appelle Dennis, annonça l'homme en lui tendant la main.

— Helena, répondit-elle.

— Comme le mont.

— Comme le mont. Très original !

— Je suis un original. C'est juste que vous ne me connaissez pas encore très bien.

— Me sentirais-je différemment si je vous connaissais mieux ?

— Allez savoir ? lança-t-il avant de finir son verre. Je vais en reprendre un. Un autre cocktail vous ferait-il plaisir, Helena ?

— Je ne pense pas.

— Je vois. Il me faut boire seul. Comme c'est triste.

— Qui sait, si vous vous attardez assez longtemps, vous trouverez peut-être quelqu'un d'autre pour vous tenir compagnie.

Le martini lui donnait des ailes.

— Je ne veux pas d'une autre compagnie, soupira Dennis. J'éprouve toujours un grand sentiment de solitude quand je suis dans un train.

Nick s'imprégnait de la nuit qui défilait, de la plainte de l'acier cognant l'acier.

— C'est vrai, dit-elle, on s'y sent seul. (Elle prit une autre cigarette.) Je crois que je vais accepter un autre verre.

Dennis fit signe au serveur. Le martini ne comportait qu'une seule olive cette fois-ci. Curieusement, elle en fut embarrassée.

— Comment est-il, votre frère ?

— Il est charmant, répondit-elle. Très blond.

— Vous ne vous ressemblez pas, alors.

— Non.

— En tout cas, il a de la chance d'avoir une sœur comme vous.

— Vous pensez ? Pour tout vous dire, je n'en suis pas si sûre.

— J'aimerais bien avoir une sœur comme vous, ajouta Dennis avec un grand sourire.

Nick n'aima pas la manière dont il formula la chose, ni sa manière de lui sourire comme s'il y avait une complicité entre eux. Il était trop près d'elle, elle s'aperçut qu'il avait des poils bruns qui lui sortaient des narines.

— Je dois y aller à présent, dit-elle, se dressant sur ses pieds en veillant à ne pas perdre l'équilibre.

— Mais qu'est-ce qui vous arrive ?

— Ne vous donnez pas la peine de vous lever.

— Ne montez pas sur vos grands chevaux. Je plaisantais.

Elle sortit de la voiture-salon. Il n'aurait qu'à régler ses deux consommations.

— Chaque fois que le besoin d'amour fraternel se fera sentir..., l'entendit-elle crier après elle en s'esclaffant avant que la porte ne lui coupe la parole.

De retour dans son compartiment, elle faillit déchirer son chemisier en l'ôtant. Elle avait des battements dans les tempes. Elle enleva sa jupe et, en soutien-gorge et culotte, s'aspergea le cou et la poitrine au-dessus du petit lavabo. Puis elle éteignit le plafonnier et baissa un peu la vitre pour laisser entrer de l'air frais. L'employé des wagons-lits avait ouvert son lit pendant qu'elle était au bar. Elle s'y assit et alluma une cigarette. Quand elle l'eut finie, elle en alluma une autre en appuyant la tête contre la vitre. L'obscurité défilait sous ses yeux. Au bout d'un moment, elle s'allongea, l'odeur de fumée flottant toujours autour d'elle.

Il était 5 heures du matin quand le train entra en gare de Richmond. Le bruit des voyageurs entrant et sortant des voitures la réveilla. Elle avait omis de tirer les rideaux et la fenêtre était restée ouverte.

— Bon sang ! bougonna-t-elle en se redressant sur le lit, consciente que, toujours en sous-vêtements, elle s'exposait aux regards des passagers qui montaient à bord.

Le rideau le plus éloigné étant hors de sa portée, elle tira sur l'autre et se cacha derrière. Debout, à l'abri d'un simple pan de feutrine verte, elle jeta un coup d'œil dehors. Elle crut flairer l'odeur terreuse de James River. L'air était plus doux ici, dans le Sud. Pas comme à Tiger House où la mer le prenait de force. Elle sentait aussi le parfum pénétrant des pins qui chassait les derniers effets des martinis de la veille. Elle ferma l'autre rideau, noua la ceinture de sa robe de chambre autour de sa taille, ouvrit la porte et commanda un café à l'employé des wagons-lits.

Ce soir-là à 23 heures, elle serait à Saint Augustine. Auprès de Hughes. Avait-elle rêvé de lui ? Elle essaya de s'en souvenir. L'employé arriva avec du café fumant. Elle le but en regardant les passagers somnolents s'embarquer pour la Floride. Helena n'allait pas tarder à arriver à Hollywood. Nick se demanda à quoi ressemblait la maison d'Avery Lewis. Pauvre Helena. Très tôt au cours des combats, on avait appris que Fen avait péri. En l'espace de deux mois à peine, il s'était marié et avait trouvé la mort. Dieu sait l'existence qu'ils auraient menée s'il avait survécu. C'étaient tous les deux des enfants, sans le sou ni l'un ni l'autre.

Tante Francis, la mère de Helena, n'avait pas fait un mariage très réussi elle non plus. Pourtant, elle n'avait pas semblé malheureuse d'être obligée de se contenter de peu. Nick ne l'avait jamais entendue se plaindre que sa sœur aînée eût hérité de Tiger House ou qu'elle eût épousé un homme qui gagnait des masses d'argent en vendant bobines et canettes alors qu'elle ne possédait pratiquement rien. Il n'était pas venu à l'esprit de Nick que sa tante aurait peut-être voulu que les choses se passent autrement. Mais, en pensant au fol empressement de Helena à se remarier, à son besoin d'avoir « quelqu'un à elle », selon son expression, Nick se demanda si sa tante Francis n'avait pas regretté de ne pas occuper elle-même la grande maison.

Cela n'avait peut-être pas vraiment d'importance, au fond. Après tout, Nick avait le souvenir que chaque été sa tante et sa mère ne se quittaient pas d'une semelle. Même après la mort du père de Helena, durant la Dépression. Y compris quand son propre père était décédé, quand sa mère allait si mal. Nick interrompit le cours de ses pensées. Elle ne voulait pas revenir sur tout ça maintenant.

Elle sortit deux œufs du sac en papier brun et les tapota sur le rebord de la fenêtre, révélant leur peau blanche étincelante. Tout était nouveau désormais, ne demandait qu'à être découvert. Et elle allait s'y atteler. Hughes et elle, ensemble, s'y attelleraient. Elle avait envie de tout dévorer. Elle allait engloutir le monde tout entier, y mordre à pleines dents.

Décembre 1945

Nick était allongée sur le ponton quand elle entendit Hughes arriver dans sa vieille Buick. Elle tenta de se concentrer sur la musique qui flottait depuis la véranda au bout du jardin, pour faire abstraction des toussotements du moteur, du claquement de la porte moustiquaire quand son mari entrerait dans la maison.

Count Basie au piano. Le bois usé de l'embarcadère plantait de minuscules échardes dans le dos de son maillot de bain jaune. Son gros orteil effleurant la surface du canal, elle attendit.

Voyant que Hughes ne sortait pas la rejoindre, elle se sentit soulagée. Elle entendit la douche s'enclencher dans la maison alors qu'il s'apprêtait à se débarrasser de la poussière et de la peinture dont il était maculé après avoir aidé à remiser le navire à Green Cove Springs. Elle imagina son corps, les poils blonds de ses bras enduits d'une fine couche de ce qui avait été la coque du *U.S.S. Jacob Jones*. Elle le voyait en train de lisser ses cheveux en arrière sous l'eau, de lever son visage vers le jet, ses cils pareils à des toiles d'araignée capturant de fines gouttelettes. Pensait-il à elle ? Cette idée ne fit que lui traverser l'esprit. Elle savait que ce n'était pas le cas.

La maison diffusait sa mélodie nocturne : le bruit de l'eau s'écoulant dans la tuyauterie, des notes de jazz éraillées. Nick détestait cette demeure, sa banalité. Un préfabriqué en location, semblable à tous ceux qui l'entouraient : un cube, avec une cuisine et une chambre côté façade, un grand salon et une salle à manger à l'arrière dont les fenêtres s'ouvraient sur la véranda.

Les maisons du quartier, séparées par leurs petits terrains, s'alignaient de part et d'autre d'une allée poussiéreuse. Toutes les cuisines donnaient sur le devant et on voyait en permanence des épouses de militaires en train de guigner dehors. Nick avait pris l'habitude de s'aventurer jusqu'à l'allée en maillot de bain au moins une fois par jour, rien que pour voir leurs têtes coiffées d'un fichu disparaître à la hâte, l'une après l'autre, sous ses regards appuyés. C'était devenu une sorte de jeu, histoire de surprendre un crâne à pois pris dans le faisceau de son élégant maillot, coupé haut sur les cuisses, selon le style français. Cela égayait ses journées.

De son côté, toutes les maisons avaient un jardin d'une bonne taille descendant jusqu'au canal qu'empruntaient les pêcheurs de Saint Augustine, ainsi que les gamins qui venaient y batifoler de temps à autre dans leurs canots.

Leur jardin à eux avait un atout de plus que les autres : un ponton arrimé à la berge limoneuse qui se balançait sur les flots. Contrairement au reste du lotissement, il ne laissait pas entrevoir un avenir plus radieux, une nouvelle vie démarrant dans des petits cubes. Le bois gris était érodé par les intempéries, vestige d'un vieux mur peut-être, ou d'une passerelle. Nick adorait ce ponton, plus que toute autre chose dans cette ville de Floride. Parfois, lorsqu'elle était couchée là, les yeux clos, elle arrivait presque à se convaincre que les planches s'étaient libérées de leur fragile ancrage et qu'elle flottait le long du canal, vers la mer, pour retourner chez elle sur son île du Nord. Elle rouvrait alors les yeux et, en voyant la vilaine bicoque à l'autre bout de la pelouse, elle se rendait compte que c'était juste le passage d'un bateau de pêcheur qui avait fait osciller l'embarcadère.

Elle passait ses journées allongée sous le soleil de Floride à écouter les disques arrivés de Cambridge dans une malle tapissée de vieux journaux et à choquer ses voisines. Parfois elle testait de nouvelles recettes tirées d'un livre acheté en ville, *The Prudence Penny Regional Cook Book*. Il était divisé en plusieurs chapitres : cuisine hollandaise de Pennsylvanie, cuisine créole, cuisine de la vallée du Mississippi, cuisine scandinave du Minnesota et cuisine cosmopolitaine, qui requéraient des ingrédients dont la liste la laissait pantoise.

Avant de quitter Elm Street, sa cousine et elle avaient fait un petit feu de joie pour brûler leurs carnets de rationnement expirés. Helena avait toujours eu du mal à déterminer quel ticket allait avec telle ou telle denrée, de sorte qu'il lui arrivait de revenir avec une conserve d'épinards à la place d'un poulet parce qu'elle s'était trompée de jour. Si Nick avait apprécié le défi qui consistait à se serrer la ceinture pendant quelque temps, cela avait fini par devenir assommant, comme vouloir faire un puzzle dont il manque une pièce. Désormais, elle cuisinait ce qui lui faisait plaisir sans avoir à trouver un ersatz. Cependant, elle peinait à se concentrer sur les recettes et abandonnait parfois la partie en pleins préparatifs d'un jambon au miel ou d'huîtres Rockefeller pour aller lézarder sur le ponton. Plus tard, elle mélangeait les ingrédients restants pour concocter une sorte de ragoût.

Hughes ne disait jamais rien, mais elle savait qu'il était consterné par le chaos des repas. À cet instant, tout en prêtant une oreille discrète au bruit de la douche, elle essaya de ne pas penser au dîner, laissé en plan une fois de plus. Elle s'efforça aussi de ne pas trop penser à son mari, quelque peu rationné par la force des choses.

Quand les cuivres de l'orchestre attaquèrent, elle se mit à taper du pied en cadence contre la marée montante, faisant jaillir de petites éclaboussures sur son mollet. Elle avait les yeux fermés et son maillot avait perdu la chaleur qu'il avait absorbée au cours du bain de soleil de l'après-midi. Une brise soufflait sur le canal, Nick entendit passer une petite barque.

Dans la maison, l'eau arrêta de couler. Silence, en dehors de la musique et de voix d'enfants, quelques maisons plus bas, rechignant d'aller à table. Nick orienta son visage vers l'ouest pour capter les derniers rayons sur sa joue.

— Bonjour.

Surprise, elle releva la tête. En mettant sa main en visière, elle vit Hughes sur la pelouse, vêtu de la chemise blanche qu'elle avait repassée plus tôt.

— Veux-tu que je te prépare un drink ? demanda-t-elle sans bouger pour autant.

— Je vais le faire moi-même.

Hughes s'approcha du tiki bar en bambou, sortit une bouteille de gin du placard et en versa deux doigts dans un gobelet.

— Il n'y a pas de glace là-dehors, il fait trop chaud, dit Nick avant de reposer la tête sur les planches chaudes et de fermer les yeux.

— Tu te rappelles que Charlie et Elise viennent dîner ?

Il y avait une note de résignation dans sa voix, comme s'il savait que ça lui était sorti de la tête, comme s'il ne pouvait en être autrement. À croire qu'elle passait son temps à ne pas se souvenir, à oublier.

Nick se raidit, mais garda les yeux fermés.

— Qui ça ? Ah oui, tes amis. Non, je n'avais pas oublié, mentit-elle. J'ai acheté des crevettes au bateau des crevettiers.

Elle entendit Hughes soupirer dans son verre.

— Écoute, je sais que tu en as un peu assez des crevettes, mais à un dollar le seau, c'est ce qu'on peut s'offrir de mieux jusqu'à ta prochaine paie. (Elle se leva, s'épousseta.) Surtout si nous avons des invités.

— Je croyais que les dîners te manquaient ? répondit-il posément.

Il se dressait devant elle, son verre à la main. Ses cheveux blonds avaient foncé sous la douche et le soleil couchant l'éclairait en contre-jour. Nick eut l'impression que ses épaules carrées la mettaient au défi, tel un boxeur.

— C'est vrai, reconnut-elle. J'ai dit ça, effectivement. Mais, chéri, c'est juste que je ne les connais pas, et toi...

Elle s'interrompit en le voyant la dévisager comme s'il avait affaire à une enfant retardée.

Elle éprouva cette étrange juxtaposition d'émotions qui lui était désormais si familière. Elle eut envie de lui arracher sa boisson, de la lui jeter à la figure, de broyer le verre contre sa peau. En même temps, elle voulait le supplier de lui pardonner, se sentir pardonnée comme lorsqu'elle était petite et que les froids châtiments de sa mère se changeaient en clémence.

— Peu importe, dit-elle. Je vais préparer le repas. À quelle heure leur as-tu dit de venir ?

— À 20 heures précises.

Plantée dans la cuisine, une cigarette à la main, elle laissa l'air frais du réfrigérateur s'échapper pendant qu'elle inspectait les légumes. Une salade de concombre, décida-t-elle. Avec les crustacés, ça irait très bien. Elle ferma la porte du frigo, s'y adossa. Contempla ses jambes que des doses quotidiennes de soleil commençaient à brunir. Elle avait dû aller s'acheter un maillot de bain en ville, qui lui avait coûté les yeux de la tête. Elle ne s'était pas rendu compte que la chaleur serait encore si intense en hiver. Sur son île dans le Nord, le soleil aurait déjà des tons ternes, délavés, et son maillot serait rangé depuis belle lurette dans une malle en cèdre pour sa période d'hibernation.

En entendant Hughes éteindre le tourne-disque et se diriger vers la cuisine, elle s'attaqua aux crevettes, pelant et déveinant les croissants de lune roses. Autrefois, elle en raffolait. Désormais, ils en mangeaient pratiquement un jour sur deux.

— Pourquoi n'allumes-tu pas la radio ? demanda Hughes.

Elle brandit ses mains poisseuses.

— Fais-le, toi. Je ne veux pas la salir.

La semaine précédente, il lui avait acheté cette radio envers laquelle elle nourrissait un vague sentiment d'animosité. Il était parti seul en voiture un samedi après-midi, pour revenir avec un carton. Elle ne lui demandait jamais pourquoi il sortait sans elle le week-end, où il se rendait. Il contemplait le ciel à travers la porte moustiquaire quelques instants avant de s'emparer de ses clés. La première fois, elle n'avait même pas compris qu'il s'en allait, jusqu'à ce qu'elle entende la voiture démarrer. À la porte d'entrée, elle avait sondé à son tour le ciel sans nuages, l'allée poussiéreuse, la route au-delà, dans l'espoir de déterminer ce qui, dans tout ça, avait bien pu inciter son mari à partir. Or, aussi loin que son regard portait, il n'y avait rien. Rien que la vieille Buick verte avalant le ruban de macadam rectiligne au cœur de la Floride.

Et puis un beau jour, la radio avait fait son apparition, tel un espion en provenance de l'endroit où Hughes allait prendre l'air, où que ce soit.

— J'ai pensé que tu aurais envie d'écouter autre chose que tes disques, lui avait-il expliqué. Tu arriveras peut-être même à capter les programmes de Londres.

— De Londres ? s'était-elle étonnée, se demandant ce qui lui faisait croire qu'elle y attacherait de l'importance.

Mais il était parti prendre une douche, si bien que sa voix avait fait écho dans la cuisine vide.

Nick détacha son regard des crevettes. Il n'avait pas allumé la radio, il était en train de tripoter les boutons argentés. Il avait des doigts élégants, des ongles carrés, bien nets. Ses mains, propres et soignées, de la couleur du pin, étaient à l'image de tout son être. Elle le regarda scruter les cadrans, effleurer du bout des doigts le cache marron du haut-parleur. Elle avait envie de le manger, tant il était beau. De pleurer, de fondre, de grincer des dents. À la place, elle éplucha une autre crevette.

— Elles ont l'air bonnes, dit Hughes en posant une main au creux de son dos.

En sentant son odeur, le savon Ivory, son parfum, Bay Rum, sa main si près de sa peau sans pourtant la toucher, l'effleurant à travers le tissu de son maillot de bain, elle dut se cramponner au comptoir pour ne pas perdre l'équilibre. Elle avait envie que cette main glisse sur son cou, son bras, entre ses jambes.

— Ça va être délicieux, j'en suis sûr, ajouta-t-il.

Il regrettait d'avoir eu la dent dure à propos des crevettes.

— Écoute, dit-elle, d'humeur plus légère tout à coup, nos repas sont terriblement répétitifs, j'en conviens. Je me lève trop tard pour aller faire le marché. C'est un peu à cause de ça. Regrettes-tu d'avoir une femme si paresseuse ?

— J'ai une femme charmante, répondit-il.

Elle était sur le point de se retourner lorsqu'il retira sa main de son dos. Elle s'en serait emparée, l'aurait attiré vers elle, peut-être même supplié, mais il s'éloignait déjà.

Elle le suivit des yeux alors qu'il se dirigeait vers la véranda, ses longues jambes se mouvant comme celles d'un somnambule. L'empreinte invisible de sa main la brûlait.

Lorsqu'elle en eut fini avec les crevettes qu'elle mit à rafraîchir au réfrigérateur, elle alla dans sa chambre et ôta son maillot avec un soin méticuleux. Puis elle prit une douche dans la petite salle de bains attenante. Quand elle ouvrit la penderie, un cafard gros comme un moineau en jaillit, dix fois plus grand que ceux qu'elle avait vus dans le Nord. Des créatures aquatiques, comme disait l'une des femmes de militaires. Nick ne cria même pas. Leur présence ne la surprenait plus.

Elle parcourut d'une main ses tenues pour s'arrêter sur une robe d'été à motifs de cerises, avec une encolure en forme de cœur. Elle l'enfila et se regarda dans la glace, puis elle alla chercher une paire de ciseaux de couture pour couper les bretelles. Sans elles, sa poitrine se mettait au garde-à-vous, le bord du décolleté frôlant presque ses tétons. Elle brossa en arrière ses cheveux toujours brillants malgré l'excès de soleil. Elle avait l'air forte, en pleine santé, et un peu moins sévère grâce à ce hâle noisette qui faisait ressortir les reflets jaunes de ses yeux. Elle en concevait une certaine fierté. Elle appliqua une touche de parfum sur ses poignets et dans le creux entre ses seins, avant de retourner dans la cuisine, pieds nus.

Elle sortit une bouteille de vin du frigo et la porta dans la véranda, où Hughes était en train de contempler le canal.

— Tu veux bien me l'ouvrir, chéri ?

Il lui prit la bouteille et le tire-bouchon des mains et se mit à la tâche.

— C'est pour le moins décolleté, commenta-t-il, s'adressant à la bouteille.

— Je portais cette robe quand tu m'as emmenée danser au Yacht Club, tu ne te souviens pas ?

Il releva les yeux, un petit sourire aux lèvres qui n'atteignait pas tout à fait son regard.

— Non, je suis désolé, Nick, je ne m'en souviens pas.

— Allons ! s'exclama-t-elle. Il y avait ce drôle de petit bonhomme moche comme un pou qui dirigeait l'orchestre et se prenait pour Lester Lanin. Il a fait un commentaire à propos des cerises et tu as failli le frapper.

— Vraiment ?

Nick inspira à fond.

— Eh bien, je l'ai un peu modifiée. En coupant les bretelles. Ça fait plus sophistiqué, je trouve.

Hughes ôta le bouchon de la bouteille, après quoi il entreprit de l'extraire du tire-bouchon.

— Ne risques-tu pas d'avoir froid ?

Nick le dévisagea, sentant ses tempes battre à une vive cadence, à l'instar des trompettes courroucées de l'orchestre de Count Basie.

— Bon sang, Hughes ! s'exclama-t-elle. On est en Floride, nom de Dieu ! Comment veux-tu que j'aie froid !

Il ne releva pas la tête, ne tressaillit même pas, se bornant à lui tendre la bouteille. Sans se donner la peine de chercher un verre, elle but une gorgée au goulot et s'en alla sur la pelouse.

Elle n'aurait pas su dire depuis combien de temps elle était allongée quand elle entendit frapper à la porte. La bouteille était à moitié vide, sa robe tout humide à cause de l'herbe. Elle se releva, non sans efforts, et remonta d'une démarche mal assurée vers la véranda. En traversant la maison, elle vit Hughes, dans l'entrée, échangeant des poignées de main avec leurs invités. Elle oublia qu'elle n'avait pas mis de chaussures jusqu'à ce qu'elle les rejoigne.

— Bonjour, s'exclama-t-elle en riant, les yeux baissés sur ses pieds. Eh bien, vous avez une hôtesse sans souliers. J'ose espérer que vous n'y verrez pas un manque de considération. J'étais dans le jardin. C'est trop humide pour qu'on se chausse.

— J'ai toujours pensé qu'une hôtesse aux pieds nus était le signe de la plus haute estime, répondit l'homme en lui tendant la main. Charlie Wells. Et voici mon épouse, Elise.

Il avait les yeux ronds et noirs, semblables aux perles de jais dont sa mère se parait jadis quand elle allait au théâtre. Sa main brune était chaude, bien qu'un peu rugueuse au toucher. C'était la faute du bateau, les mains de Hughes aussi s'étaient durcies à cause du décapage et des travaux de peinture nécessaires à l'apprêtement du *Jacob Jones*, avant sa mise au rebut. Les cals de Charlie lui rappelèrent aussi qu'il avait fait l'armée. Il avait d'ailleurs fini par prendre du galon, même s'il avait démarré au bas de l'échelle. Contrairement à son mari. Un mustang, les appelait-on, selon Hughes. « L'un des hommes les plus brillants qu'il m'ait été donné de servir, lui avait-il déclaré. Ils ont bien fait de le promouvoir. »

Si l'homme était mince et brun, sa femme, elle, arborait une blondeur digne d'une albinos. Elle portait une robe rose pâle qui, de l'avis de Nick, ne lui allait pas. Il émanait néanmoins d'elle une douce féminité qui provoqua une pointe d'envie.

— Que puis-je vous offrir à boire ? demanda Hughes.

— Venez dans la véranda, suggéra Nick. Nous avons une espèce de bar dehors afin que Hughes ne soit pas obligé de faire des kilomètres pour aller vous chercher le scotch. (Elle entraîna ses invités à l'autre bout de la maison.) En réalité, c'est ici que nous passons le plus de temps. C'est ce qu'il y a de merveilleux en Floride. Avez-vous une véranda, Elise ?

— Oui, mais je n'y vais presque jamais. Je ne suis pas vraiment… enfin, disons que je ne raffole pas de la vie en plein air.

— C'est dommage, répliqua Nick en levant les yeux au ciel en son for intérieur. Aimez-vous Count Basie ? Je fais une obsession sur lui en ce moment.

— Je ne saurais vous dire. C'est Charlie qui s'y connaît en musique, chez nous.

— Avez-vous *Honeysuckle Rose* ? demanda ce dernier.

— Absolument, répondit Nick en sautillant jusqu'au tourne-disque. Êtes-vous amateur de blues ? Hughes trouve que c'est trop mélancolique.

— La vie est mélancolique. Pourquoi enfoncer le clou ? lança Hughes qui revenait avec les boissons. De toute façon, ce n'est pas du blues, mais du swing.

Dans la lumière déclinante, Nick vit qu'il avait ramassé la bouteille abandonnée sur l'herbe.

— Oh, tu te crois si intelligent, s'exclama-t-elle en riant.

— Tu dois le penser toi aussi, vu que tu m'as épousé, répliqua Hughes, lui rendant son sourire tout en lui tendant un martini.

— Avez-vous entendu parler de Robert Johnson ? demanda Charlie. Ça, c'est du vrai blues. Du blues du Sud. Pas pour le grand public.

— Qu'avez-vous contre le grand public ? s'enquit Nick en se tournant vers lui, contente de mordre à l'hameçon, contente qu'il se passe enfin quelque chose dans les parages.

— Je n'ai rien contre, si ce n'est peut-être ses goûts musicaux, répondit-il en la gratifiant d'un sourire serein.

Sur le point de riposter, Nick se ravisa, préférant le dévisager tout en se demandant à quel point elle était ivre. Elle entendait les criquets chanter dans l'obscurité, le bruissement du palmier à l'angle de la pelouse. Son parfum au muguet se mêlait à l'air doux de la nuit. Hughes parlait de la ville natale d'Elise, quelque part dans le Wisconsin. Les cuivres retentirent.

Dans le fauteuil couvert de chintz à côté d'elle, il y avait cet homme qui l'enveloppait d'un regard évocateur de doux jazz et de chambres de motel.

— Excusez-moi un instant, dit-elle en se levant, la main posée sur l'accoudoir de son fauteuil pour se stabiliser. La cuisine m'appelle.

— Je vais vous donner un coup de main, proposa Charlie.

— Ce n'est pas nécessaire, répondit-elle, attrapant son martini qu'elle tint contre elle comme une armure.

— Je suis un fin cordon-bleu. Demandez à Elise.

Sa femme le dévisagea, imperturbable. S'abstenant, comme Nick ne manquait pas de le remarquer, d'offrir son aide à sa place.

Nick n'osa pas se retourner quand il lui emboîta le pas dans la maison. Elle ouvrit le réfrigérateur et en sortit le concombre.

— Pourriez-vous le couper en dés ? demanda-t-elle en le tendant à Charlie.

— Les couteaux ?

— Dans le tiroir sous l'évier, indiqua-t-elle en récupérant les crevettes.

— Elles viennent du bateau du crevettier ? s'enquit-il en jetant un coup d'œil dans le bol.

— Oui, répondit-elle en riant.

— Lequel ?

— Comment ça, lequel ?

— Celui de 17 heures ?

— Oui. Y en a-t-il un autre ?

— Le bateau du matin, dit Charlie en tranchant le concombre, un peu trop épais au goût de Nick. À 7 heures précises. C'est le meilleur et on vous donne plus de crevettes.

— Comment diable le savez-vous ? s'exclama-t-elle, un sourire moqueur aux lèvres.

— C'est toujours moi qui achète les crevettes. Elise n'aime pas le canal.

Nick prépara une sauce au citron en battant un jaune d'œuf dans une mare de jus au fond du bol.

— Je vous le montrerai un matin, si vous voulez, suggéra Charlie. Le concombre est prêt.

La planche à découper à la main, il se planta derrière elle. Nick arrêta de fouetter.

— Avez-vous des disques de Robert Johnson ? demanda-t-elle.

— Oui, répondit Charlie. Voudriez-vous les écouter ?

— Volontiers. Et pour le bateau crevettier aussi. Je suis curieuse.

— Entendu.

Elle se remit à battre sa mixture qui épaississait en virant au jaune pâle.

— Votre concombre, dit-il.

— Je les aime bien, déclara Nick alors qu'elle débarrassait la table.

— C'est un bon travailleur, répondit Hughes, les yeux rivés sur son scotch. Certains de nos camarades ont l'air de se soucier comme d'une guigne que le boulot sur le bateau soit fini ou pas. Ceux qui n'ont pas d'enfants principalement.

— Ils ont perdu leurs repères, je suppose, commenta Nick en ouvrant le robinet, puis elle jeta un coup d'œil à son mari. Charlie m'a bien plu en tout cas. Il m'a promis de me montrer le bon bateau crevettier.

— Vraiment ? Elise n'a pas l'air de trop apprécier le plein air, hein ?

— Un peu timorée sur les bords.

— Mais charmante.

— Tu trouves ? J'ai redouté qu'elle ne se confonde avec le mur et qu'on ne soit obligés de la chercher toute la soirée. (Elle gratta une assiette.) Lui est plutôt séduisant en revanche.

— Tu n'es pas la seule à le penser, crois-moi. Il a de nombreuses admiratrices à la cantine.

— Ça ne doit pas être facile pour elle.

— Oh, je ne sais pas. Il lui est tout dévoué, semble-t-il.

— Ah bon ?

— Tu as eu l'air de bien t'amuser, enchaîna Hughes en faisant tourbillonner le reste de son drink dans son verre. Ça me réjouit. Je ne voudrais pas que tout cela te paraisse assommant.

— C'est notre vie. Pourquoi trouverais-je ça assommant ?

— Notre vie, répéta Hughes en détachant ses mots, laissant échapper un soupir presque imperceptible. Tu as raison, je suppose.

— Comment ça, tu supposes ?

— Je ne sais pas trop ce que j'ai voulu dire. J'ai sans doute un peu trop bu.

— Eh bien moi je suis ivre, répliqua Nick en se tournant vers lui, et je tiens à savoir ce que tu entends par « tu as raison, je suppose ».

— Effectivement, riposta Hughes en lui rendant son regard, tu es ivre.

— Et alors ! J'en ai par-dessus la tête de tout, si tu veux savoir, nom d'un chien !

— J'aimerais bien que tu jures un peu moins.

— Et moi j'aimerais que tu sois l'homme que j'ai épousé.

Elle tremblait. Elle se rendait compte qu'elle en avait trop dit, mais c'était comme se jeter dans un précipice.

Lorsqu'elles étaient petites, Helena et elle allaient souvent mettre leur courage à l'épreuve à l'ancienne carrière avec d'autres enfants. Il n'y avait plus de granite depuis des années et la carrière, abandonnée aux eaux souterraines, était d'une profondeur insondable. Chacun à leur tour, ils s'élançaient depuis la vieille souche de chêne qui leur servait de marqueur et couraient sans s'arrêter jusqu'à se laisser tomber le long de la falaise. Les garçons, morts de peur, glissaient comme des billes en arrivant au bord mais Nick, elle, sautait toujours.

Cela dit, elle connaissait bien les lieux.

Hughes éclusa son scotch en une gorgée et s'en servit un autre.

— Je suis désolé de t'avoir déçue.

— Je ne veux pas que tu sois désolé.

— Va te coucher, Nick. Nous reparlerons de tout ça quand tu auras retrouvé tes esprits.

— C'est toi qui es censé... (Elle s'interrompit, hésitante.)
Tu es mon mari.

— J'en suis parfaitement conscient, Nick, répliqua-t-il
d'un ton courroucé, pour ne pas dire méprisant.

— Ah bon ? Tu n'as pourtant pas l'air conscient de
grand-chose ces jours-ci.

— Tu serais peut-être mieux toute seule. Je ne suis sans
doute pas digne d'être le mari de qui que ce soit.

— J'essaie au moins, balbutia-t-elle, apeurée tout à coup.
Tu...

Hughes se leva et, l'espace d'un instant, il la domina de
toute sa taille, sa paume pressée sur la table, ses jointures
blanches autour de son verre vide.

— Tu ne penses pas que j'essaie moi aussi, Nick ? Que
crois-tu que je fais chaque seconde, jour après jour ? Ce
bateau, cette maison, cette vie : tu t'imagines que c'est ce
que je souhaite ?

Elle leva les yeux vers lui puis, d'un geste rapide, arracha
la prise de la radio. Une minute, elle garda le poste entre
ses mains et, la suivante, il fendait l'air.

Hughes ne tressaillit même pas. Il resta planté là, le regard
vide, ses paroles flottant autour de lui.

La radio le manqua de peu et alla s'écraser dans l'angle
de la pièce.

— Et alors ? Tu crois que... (Elle désigna les ressorts
et le plastique entassés dans le coin.) Tu crois que c'est ce
que je veux, moi ?

— Je vais me coucher, annonça Hughes.

— À quoi bon ? riposta-t-elle en se passant la main dans
les cheveux. Tu dors déjà.

Quand Hughes partit de bonne heure le lendemain
matin, Nick fit semblant de dormir. Les rideaux étaient
fermés, l'atmosphère dans la chambre, étouffante. Ils pré-
féraient dormir avec la fenêtre ouverte mais, en montant

finalement se coucher la veille, elle l'avait laissée fermée sciemment, refusant de s'octroyer ne serait-ce que le plaisir d'un peu d'air frais. Elle obtint l'effet escompté : ce fut horrible, étouffant.

Dès qu'elle entendit le moteur tourner, elle se leva, sans prendre la peine d'enfiler une robe de chambre. Assise à la table de la cuisine, les yeux rivés sur son café noir, elle caressa l'idée de jeter ses affaires dans une valise, d'appeler un taxi et de rentrer chez elle. Toutefois, en s'imaginant arriver à Cambridge, elle se sentit perdue, l'avenir s'ouvrant tel un fossé béant devant elle. D'autant qu'il continuerait à exister quelque part, ailleurs, sans qu'il soit à elle. Aussi se borna-t-elle à regarder fixement son café.

Elle essaya de réfléchir au mariage de ses parents, mais ça ne servait à rien. Elle ignorait ce qui se passait derrière les portes closes, dans les cages d'escaliers obscurs, dans les soirées quand elle restait à la maison, durant leurs promenades nocturnes pendant que le monde dormait. Ils paraissaient heureux. Mais son père était mort alors qu'elle était encore très jeune et elle n'avait que des souvenirs fragmentés du couple qu'ils formaient : une broche en diamants offerte à Noël dans un coffret en cuir vert, sa mère passant sa main sur la moustache paternelle, les effluves mêlés du tabac Royal Yacht et de l'Heure Bleue.

Sa mère s'était opposée à leur mariage. Elle les trouvait trop jeunes. Elle l'avait forcée à sortir avec d'autres garçons, au gré de bals ennuyeux en compagnie d'un voisin aux mains moites qui essayait de saisir la sienne sous la table. Lorsqu'elle avait compris que Hughes et elle se voyaient en secret, elle avait fini par céder. Mieux valait qu'elle soit mariée s'il arrivait quelque chose, avait-elle dit.

La cérémonie avait eu lieu sur l'île, dans la petite église aux magnifiques vitraux où elle avait été baptisée. À la réception organisée à Tiger House, ils avaient bu du punch trop fort, mangé des canapés et un bon gâteau blanc décoré de violettes confites.

Toute chamboulée, Nick s'était réfugiée au salon à l'étage. Assise dans le canapé Sheraton en soie grise, elle avait entrepris d'enlever les fleurs d'oranger qu'elle avait dans les cheveux en se demandant si elle arriverait à trouver le courage de redescendre. Peut-être dépérirait-elle sur ce sofa comme une sorte de Miss Havisham. Les fleurs allaient faner, se pétrifier ; les chocolats posés sur la table basse se changeraient en vieux cailloux bruns.

Et puis Hughes était apparu sur le seuil, en queue-de-pie. Sans un mot, il s'était approché et assis à côté d'elle. Elle avait continué à tripoter les brindilles parfumées, n'osant pas le regarder tant elle avait honte. Il lui avait saisi le menton pour tourner son visage vers lui. Et dans ce geste il y avait tout, tout ce qui n'était pas mort, vicié, confiné.

Il lui avait pris la main et l'avait entraînée vers la chambre de bonne au fond. La fenêtre était ouverte, le vent du port agitait les rideaux à carreaux jaunes. Après avoir soulevé sa jupe et son jupon volumineux, il s'était agenouillé et avait plaqué son visage contre elle, la humant, sans bouger. Plusieurs minutes avaient dû s'écouler avant qu'ils n'entendent des bruits de pas dans le couloir. Hughes avait tourné la tête vers la porte restée ouverte en continuant à se presser contre elle. La bonne du rez-de-chaussée était passée et s'était immobilisée, comme pétrifiée, s'empourprant face au tableau qu'elle avait sous les yeux. Hughes l'avait dévisagée crânement, comme s'il se réjouissait qu'elle les ait vus, qu'elle ait constaté ce qui était en train de changer entre eux. Après quoi il avait poussé le battant d'un coup de pied.

Il était 10 heures, le soleil grimpait vers son zénith et Nick était toujours en chemise de nuit. Son café refroidissait près de sa main inerte sur la table du petit déjeuner. Elle crut sentir les relents des crevettes de la veille au soir, à moins que ce ne fussent celles du mercredi ou du dimanche précédents.

Elle avait trouvé les vestiges de la radio devant l'entrée, soigneusement enveloppés dans un tissu, tel un bébé abandonné sur le pas d'une porte. Elle s'attendait presque à voir un petit mot épinglé dessus, disant : « Mal aimé, indésirable. »

Maudit soit-il. Qu'il aille au diable.

Ils étaient censés être différents, différents de tous les pauvres hères qui ne désiraient rien, ne faisaient rien, n'avaient rien de spécial. Ils étaient censés faire partie de ces gens qui envoyaient tout promener, qui expédiaient leurs verres dans la cheminée, sautaient de la falaise. Qui faisaient fi de la prudence.

Si seulement il n'était pas si beau. Si elle pouvait avoir moins envie de lui.

En entendant un grondement de moteur dehors, elle se leva lentement et s'approcha de la fenêtre de la cuisine.

Une pile de disques calée sous le bras, Charlie Wells claqua la portière de sa voiture. Nick courut dans la chambre, ferma la porte. La sensation de la veille au soir – sa main contre l'intérieur doux de sa cuisse sous la table, intruse silencieuse – lui revint en mémoire. Comment avait-elle pu oublier ça ?

Le cœur battant, elle enfila sa robe de chambre et vérifia son reflet dans la glace. Elle se trouva maigre, l'air misérable. Bon sang, pensa-t-elle, je suis donc maigre et misérable. Et alors ?

Charlie frappa à la porte moustiquaire. Elle redressa l'échine et alla l'accueillir.

— Bonjour, dit-elle en le regardant à travers le grillage.

— Bonjour, répondit-il en lui souriant. Je vous prie de m'excuser de passer ainsi à l'improviste. Je me demandais que faire de ma matinée et il m'est venu à l'idée de la passer à écouter Robert Johnson. J'ai pensé que ça vous ferait peut-être plaisir à vous aussi. Je fais l'école buissonnière.

— Oh, et Hughes qui disait que vous étiez un travailleur hors pair.

Sa main la cherchant tandis qu'elle triturait sa serviette.

— Votre lieutenant est un homme très sérieux.

— Absolument.

Il resta planté là, à gesticuler avec ses disques sous le bras. Il portait un pantalon beige, une chemise en batiste, des chaussures bateau et arborait son sourire de matou.

Nick gratouillait la crasse dont le grillage était maculé.

— Écoutez, dit-il au bout d'un moment, j'ai peut-être eu tort d'agir sur un coup de tête. Vous êtes sans doute occupée et je vous dérange.

Nick le considéra d'un air songeur.

— Je ne fais rien de particulier qu'un peu de musique n'agrémenterait pas. (Elle ouvrit la porte et s'effaça.) Je vous en prie.

Charlie entra et posa ses disques sur la table.

— Mettez-vous à l'aise. Je vais enfiler quelque chose d'un peu plus décent. La musique exige du sérieux après tout, ajouta-t-elle en le gratifiant finalement d'un sourire.

Dans la chambre, elle mit sa robe dos nu à rayures vertes et un peu de rouge à lèvres écarlate. Elle retourna dans la cuisine et refit du café, puis, adossée au comptoir, elle regarda Charlie étaler ses disques sur la table du petit déjeuner. Certaines pochettes étaient abîmées, toutes cornées. Hughes n'admettrait jamais qu'un objet auquel il tenait soit aussi peu soigné. Il nettoyait scrupuleusement ses outils et les rangeait dans leurs boîtes quand il n'en avait plus usage. Il plaçait même sa brosse à dents dans un étui spécial avant de la remettre dans le placard de la salle de bains. Cela la touchait, cette attention portée à un tournevis, à une brosse à dents.

— Nous allons commencer votre formation avec celui-ci, annonça Charlie.

Installée dans un des fauteuils en chintz, Nick serra sa tasse dans ses mains quand Charlie posa l'aiguille sur le vinyle. La mélodie était plus âpre que le blues auquel elle était habituée, mais elle avait un effet apaisant. Elle eut une vision d'un bois flottant tout usé, couleur de boue. Avec le soleil qui inondait la pelouse, les palmiers ployant sous la brise, cette musique ne pouvait la rendre triste. Elle se sentait même légère, comme si à tout instant elle allait s'envoler avec les notes.

L'humidité qui montait de l'herbe semblait l'attirer. On aurait dit que la véranda se soulevait, flottait loin de la maison, au-dessus du canal. Sa robe se souleva ; elle appuya sa tête contre le dossier du fauteuil. L'appel solitaire d'une tourterelle retentit quelque part dans la brume matinale.

Nick n'aurait pas su dire depuis combien de temps elle dérivait ainsi mais, quand la musique se tut, elle se força à rouvrir les yeux. Assis en face d'elle, Charlie Wells l'observait, comme s'il cherchait à la cerner.

— Ça vous a plu ?

— Oh, oui. Ça a un effet plutôt tonifiant, n'est-ce pas ?

Ce fut tout ce qu'elle trouva à dire sans révéler ce qu'elle avait vraiment sur le cœur. Son envie de fuir cet horrible pavillon, la radio cassée, la main de Hughes au creux de son dos.

Charlie, qui s'inspectait les ongles, s'abstint de répondre. Au bout d'un moment, il releva les yeux, comme si les pensées qui lui occupaient l'esprit s'étaient dissipées.

— Avez-vous faim ? demanda-t-il. Moi, je suis affamé.

— Je pourrais nous préparer des sandwiches. Cela dit, l'état de notre garde-manger est assez déplorable. J'ai tendance à faire les courses de manière sporadique.

— Oubliez les sandwiches. Je vous emmène déjeuner en ville.

— Quelle fabuleuse proposition ! s'exclama Nick. Un peu trop fabuleuse, en fait.

— Ne vous inquiétez pas, je connais un restaurant espagnol dans la vieille ville. On y sert des tapas. C'est assez bon marché. En avez-vous déjà mangé ?

— Je ne sais même pas ce que c'est, répondit-elle en s'esclaffant.

— C'est délicieux. On peut goûter à toutes sortes de petits plats, expliqua-t-il. J'ai mangé du calamar en Espagne une fois, avant la guerre. Je n'en avais jamais vu de vivant et voilà que j'en avais dans mon assiette. Il se trouve qu'une chose comme ça, qu'on n'a jamais imaginée, passe étonnamment bien.

La Clipper rouillée que Charlie avait dit avoir empruntée à « un des garçons » roulait sur le ruban d'asphalte plat en direction de la ville. Le canal le long de la route s'élargissait peu à peu en une voie navigable émaillée de barques et de cabanes de pêcheurs.

L'habitacle était petit, presque intime. Nick s'aperçut qu'elle serrait ses chevilles l'une contre l'autre, genoux collés, comme sa mère lui avait appris à le faire lorsqu'elle était en compagnie d'un membre de la gent masculine. Elle lissa ses cheveux en arrière en s'adjurant de ne pas le regarder. Tout en écoutant distraitement le ronronnement des pneus sur la chaussée, elle repensa au dîner de la veille.

Il ne lui avait pas fait des avances maladroites et grossières comme l'homme dans la voiture-salon du Havana Special. Silencieuse, sa main s'était glissée sous sa jupe et lui avait écarté délicatement les genoux. Son pouce lui avait effleuré l'intérieur de la cuisse, y décrivant des petits cercles concentriques.

En fermant les yeux, elle aurait pu imaginer que c'était la main de son mari, discrète mais insistante, telle qu'elle s'en souvenait. Elle avait resservi du vin à tout le monde, se levant un peu de sa chaise pour atteindre les verres. Quelques gouttes étaient tombées sur la nappe en lin blanc de sa grand-mère. Pendant ce temps-là, sans quitter Hughes des yeux, Charlie avait continué à déblatérer à propos de la triste pitance à la cantine et riait aux blagues de son mari. Ça l'avait rendue triste de voir ce dernier hocher la tête, ses yeux bleus se plisser aux coins sous l'effet d'un sourire. Mais, en même temps, ça lui avait coupé le souffle, avec l'impression d'être plus ivre encore, plus puissante.

Elle n'avait pas pu s'empêcher de jeter un coup d'œil dans la direction d'Elise qui regardait fixement son époux. Elle s'était demandé si elle avait des doutes, si elle s'y était habituée comme on s'habitue, paraît-il, à la sirène des raids aériens. On attend, sachant que ça va venir, et puis on se couvre les oreilles jusqu'à ce que ça prenne fin et qu'on puisse maudire la situation en toute sécurité.

Elle resserra encore les genoux. Elle aurait mieux fait de rester chez elle, allongée sur le ponton à écouter Count Basie en réfléchissant à ce qu'elle apporterait au pique-nique des officiers ce soir-là.

Et puis elle repensa à la radio soigneusement emballée, au gros livre de recettes regorgeant d'ingrédients qu'elle n'avait pas achetés, posa la tête contre la vitre et ferma les yeux.

Elle essaya de se souvenir de la dernière fois que Hughes l'avait emmenée déjeuner. C'était un peu avant la guerre. Toujours la même histoire à propos de leurs finances, comme s'ils étaient vraiment sans le sou. Elle ne se préoccupait pas tant que ça de l'argent, mais elle supportait mal qu'il faille systématiquement tout discuter, peser le pour et le contre alors qu'il finissait toujours par décider lui-même, lui donnant l'impression qu'elle aurait aussi bien pu être un mur. C'était épuisant. Du coup, elle s'enhardissait. Lorsqu'elle avait eu envie de ce maillot de bain jaune, elle avait adressé un télégramme en secret à l'administrateur de ses biens pour requérir la somme nécessaire. Elle avait menti à Hughes sur le prix, après avoir pris soin d'arracher l'étiquette sur le trajet du retour et d'en avoir éparpillé les fragments sur le bas-côté de la route. Tout ça pour un fichu costume de bain. Elle y était d'autant plus attachée. Tout de même, l'argent, c'était l'argent. Au moins ils en avaient. Elle pensa à Helena et à son dernier coup de fil. Elles avaient correspondu régulièrement ces derniers mois. Un échange de lettres joyeuses, pour ne pas dire terre à terre, et un tant soit peu enjolivées – tout au moins de son côté. Cependant, quand Helena avait appelé la semaine précédente de Hollywood, Nick avait tout de suite compris que quelque chose n'allait pas. Il semblait que le mariage de sa cousine eût encore aggravé sa situation déjà précaire. Elle souhaitait, ou plutôt Avery Lewis, en manque de liquidités, souhaitait vendre la petite maison sur l'île. Cette nouvelle confirma les soupçons de Nick qui l'avait toujours considéré comme un charlatan. Elle en informa sans détour sa cousine, ce qui provoqua des sanglots au bout de la ligne pleine de fritures. Helena expliqua qu'Avery voulait investir dans une production cinématographique – un film de série B quelconque. Nick lui rappela que, sans la générosité de son père, elle ne posséderait même pas cette propriété, dans l'espoir que la honte l'inciterait à renoncer à ce projet. Helena avait fini par abandonner la partie en disant qu'ils n'auraient qu'à trouver les fonds ailleurs, que Nick avait raison, bien sûr. Furieuse, Nick avait raccroché. Elle avait confié à Hughes que, à son avis, ils avaient intérêt à se rendre à Hollywood pour voir ce qui s'y tramait. Son mari n'avait pas manqué de souligner à quel point les billets pour la côte Ouest étaient onéreux. Nick avait sombré dans la mauvaise humeur et refusé pendant des jours de faire les courses.

— À quoi pensez-vous ?

La voix de Charlie Wells la ramena dans la voiture où l'air chaud s'engouffrait par les fenêtres.

— Je rêvassais, répondit-elle. Je suis un peu fatiguée à cause de tout le vin que j'ai bu hier soir.

— Garons-nous ici, suggéra-t-il en se rangeant au pied du vieux fort espagnol qui servait jadis de poste de guet. Nous pouvons continuer à pied.

Le restaurant se trouvait dans un des édifices coloniaux délabrés qui bordaient les étroites rues pavées de la vieille ville de Saint Augustine. Il faisait sombre à l'intérieur, sous le plafond bas. Nick se demanda combien de femmes Charlie avait déjà amenées là.

— Je vais choisir pour nous deux, si vous vous voulez.

Elle esquissa un vague geste.

— Je vous en prie. Je ne saurais même pas par où commencer.

Lorsque le serveur apporta le vin, Nick couvrit son verre.

— Je ne pense pas en prendre.

— Il le faut, protesta Charlie. Impossible de manger des tapas sans boire de vin.

— Un tout petit peu alors, répondit-elle en écartant sa main.

La table était petite. Leurs genoux se touchaient presque en dessous, mais Charlie ne lui avait pas fait la moindre avance, ce qui la plongea dans un certain trouble.

Les petits plats de poisson et de viande étaient tout à la fois salés, épicés, huileux et acides. Ils avaient le menton luisant de sauce et Nick fut contrainte de se lécher les doigts.

— Je me sens tellement… indigène, s'exclama-t-elle d'un ton enjoué.

Il avait eu raison pour le vin. Elle inclina son verre dans sa direction pour en redemander.

— Avec ce teint hâlé, vous en avez un peu l'apparence, s'esclaffa-t-il en la resservant.

— C'est la première fois que je suis bronzée en hiver, dit-elle. Je me suis donnée beaucoup de mal.

— Eh bien, ça valait le coup, je dirais. Tous les gars du bateau ont le béguin pour vous.

— Ah bon ? Je les ai à peine vus.

— Une fois suffit, répondit Charlie. On m'en avait touché un mot, mais il fallait que je voie ça de mes propres yeux.

Il mentait, elle le savait. Elle n'était pas le genre de femmes qui faisait se pâmer les marins, ce qui ne l'empêcha pas de piquer un fard.

— Ne soyez pas gênée, dit Charlie en lui décochant un grand sourire.

— Je ne le suis pas. C'est juste que je ne vois pas... (Elle hésita.) Bon, je crois que je suis un peu gênée quand même.

— Votre veinard de mari ne vous fait-il pas de compliments ?

Elle ne répondit pas, les yeux rivés sur sa serviette souillée.

— D'accord, d'accord. Je cesse de vous taquiner. Commandons du café.

Le serveur leur apporta un épais breuvage dans des petites tasses ébréchées. Nick n'en avait jamais goûté de tel.

— C'est du marocain, lui expliqua Charlie. Ils le filtrent à deux reprises et ajoutent de la cardamone. C'est ce qui donne cette saveur.

Ils sirotèrent leurs cafés en silence en écoutant les assiettes s'entrechoquer à la cuisine.

— Je me sens tellement lasse, dit Nick en remuant le fond de sa tasse. J'ai l'impression que je pourrais dormir pour toujours.

— Voudriez-vous rentrer ?

— Ce serait préférable, je pense. Sinon je risque de finir comme Rip Van Winkle, endormie à cette table pendant cent ans.

— Je doute qu'ils y voient un inconvénient, plaisanta Charlie.

— Il y aurait pire endroit. Au moins j'aurais quelque chose de bon à manger à mon réveil.

— Je voulais vous montrer où s'amarre le bon bateau crevettier, dit Charlie, mais j'imagine que ça peut attendre.

— Il faudrait déjà que j'arrive à me lever suffisamment tôt, répondit Nick. Une leçon suffit peut-être pour aujourd'hui.

Nick tendit le cou par la fenêtre de la voiture dans l'espoir que le vent rafraîchisse ses joues en feu à cause du vin. Si elle avait été toute seule, elle aurait englouti l'air à grandes goulées, pour laisser le souffle salé la purifier. Mais, devant Charlie, elle préférait s'abstenir.

Consciente des coups d'œil que Charlie lui glissait, elle sentit qu'il avait envie de la toucher.

Il s'engagea bientôt dans son allée et coupa le contact. Le moteur cliqueta en refroidissant. Nick s'appuya contre la portière, prêtant l'oreille aux stridulations des criquets dans les joncs aux abords des maisons. Son décolleté était humide de sueur ; l'arrière de ses genoux collait au vinyle du siège. Charlie posa une main sur sa cuisse. Elle leva les yeux vers lui. Il glissa sur la banquette et contourna le levier de vitesse pour l'atteindre. Elle ne bougea pas. Sentant qu'il scrutait avidement son visage, elle se demanda ce qu'il y voyait. Il s'approcha encore, cherchant à la prendre dans ses bras, mais son pantalon s'accrocha au levier de vitesse. Il dut s'interrompre pour se libérer.

Nick faillit éclater de rire à la vue de ce contorsionniste maladroit. Il essaya de l'attirer vers le milieu, mais elle ne bougea pas. Il respirait fort. Pour finir, il réussit à passer une jambe par-dessus le levier et se jeta sur elle, l'acculant dans le coin. Ils devaient faire une drôle d'impression aux fouineuses qui les observaient à n'en point douter de la fenêtre de leur cuisine. Elles allaient enfin avoir quelque chose à raconter.

Sa bouche lui dévorait le cou, laissant une traînée humide sur sa clavicule. Nick avait trop chaud, à cause du vin, du soleil, des criquets dont la mélodie lui donnait tout à coup mal au cœur. Elle repoussa Charlie, mais il s'acharna, pesant sur elle de tout son poids, une main sous sa robe, l'autre agrippée à ses bretelles.

— Arrêtez, dit-elle. Il fait trop chaud.

Il ne l'écoutait pas ou il n'avait pas entendu, si bien qu'elle se demanda si elle avait vraiment protesté à voix haute. Elle le repoussa encore, avec davantage d'énergie, en vain. Il tira violemment sur le haut de sa robe, envoyant valdinguer une dizaine de minuscules boutons recouverts de tissu.

Nick saisit la poignée de la porte dans son dos et l'actionna. Ils culbutèrent tous les deux dans l'allée.

Elle se retrouva allongée par terre, la robe en éventail, en proie à une irrésistible envie de rire. Elle couvrit sa poitrine exposée d'une main en s'efforçant de se contenir, plaqua sa main libre sur sa bouche. Trop tard. Les larmes commencèrent à lui inonder les joues tandis qu'elle essayait de reprendre son souffle, étouffant à demi contre le sol poussiéreux avec la sensation qu'elle allait se déchirer de l'intérieur. Assis à côté d'elle, Charlie avait l'air fâché, à cran, ce qui ne fit que redoubler son hilarité. Il se releva non sans peine et la fusilla du regard, le visage cramoisi, ruisselant de sueur.

— Je suis désolée, c'est juste... Oh mon Dieu !

Ce fut tout ce qu'elle parvint à balbutier avant d'exploser à nouveau.

— Garce, siffla-t-il, rien qu'une allumeuse.

D'un coup de pied, il lui envoya de la terre à la figure avant de remonter dans sa voiture et de claquer la portière. Quand il démarra en trombe, elle resta vautrée là à se tenir les côtes en regardant les particules de poussière flotter dans les rais de soleil.

Elle passa le reste de l'après-midi à confectionner l'aspic à la tomate qu'elle avait promis d'apporter au pique-nique des officiers ce soir-là, à Green Cove Springs. Ça lui était complètement sorti de la tête jusqu'à ce qu'elle aperçoive la recette écrite à la main sur la desserte de la cuisisne – requérant le bouillon de sa mère et une pincée de gélatine Knox. Cet aspic lui avait paru extrêmement important tout à coup, peut-être ce qu'il y avait de plus important au monde, si bien qu'elle s'était jetée à corps perdu dans les préparatifs.

Elle fit rôtir les os qu'elle avait mis de côté, éplucha les légumes, surveilla attentivement le consommé jusqu'à ce qu'il réduise. Elle fit bouillir les tomates, les égoutta. Pour finir elle versa sa mixture dans le moule à poisson en cuivre expédié du Nord avec le reste de ses possessions. Avant d'aller se préparer, elle mit l'aspic au réfrigérateur pour qu'il prenne.

Elle avait pris soin de jeter sa robe déchirée dans le panier à linge. Elle était en train de mettre ses boucles d'oreilles en perles quand elle entendit la Buick remonter vers la maison en hoquetant. Une touche de poudre. Elle s'examina dans la glace. Une bonne épouse de lieutenant lui rendit son regard. Des cheveux lisses, bien en place, un chandail en coton jaune lui couvrant les épaules, boutonné devant. Un peu de rouge à lèvres, pas de fard à joue. En retournant à la cuisine, elle faillit percuter Hughes. Ils sursautèrent tous les deux.

— Bonjour, dit-elle en lui jetant un rapide coup d'œil avant de fixer son regard sur le plancher.

— Bonjour, répondit-il à voix basse. Je vais prendre une douche et me changer. Il ne faut pas que nous soyons en retard.

— J'ai préparé l'aspic et je vais mettre des chaussures, cette fois-ci. (En relevant les yeux, elle vit son expression s'adoucir.) Ça pourrait bien être le meilleur aspic que j'aie jamais fait.

— Merci, dit-il.

Ils se dévisagèrent un instant puis il se tourna vers la chambre et le cœur de Nick se serra dans sa poitrine. En entendant la douche, elle s'en approcha sur la pointe des pieds. Il avait laissé la porte de la salle de bains entrouverte pour laisser la vapeur s'échapper. Dans l'entrebâillement, elle regarda son mari s'étirer, se savonner, shampouiner ses cheveux blonds. Il était vraiment doré de part en part, constata-t-elle, consciente tout à coup qu'il y avait longtemps qu'elle ne l'avait pas vu nu en plein jour. Elle était tout près de lui, pourtant il ne sentait pas sa présence. Elle eut envie de pleurer. Elle préféra retourner dans la cuisine voir si l'aspic avait pris.

Elle le sortit avec précaution du réfrigérateur pour ne pas risquer de le briser, s'émerveilla de sa couleur, pareille à une piscine rouge tomate. Elle posa un doigt délicat sur la surface afin de s'assurer qu'il était bien ferme. En le voyant rebondir, elle laissa échapper un soupir de satisfaction. Elle choisit un plat, retourna prudemment le moule, le souleva. Le poisson en gélatine parfaitement sculpté étincelait et lui fit un beau clin d'œil. Elle prit son torchon préféré, avec des petits Hollandais imprimés dessus, et couvrit le plat. Après quoi elle le saisit avec mille précautions pour le porter dans la voiture.

Elle ne saurait dire si elle avait trébuché ou si le plat lui avait échappé. Toujours est-il que, avant qu'elle n'ait le temps de réagir, il basculait, l'aspic se répandant en une pluie de minuscules cubes irréguliers sur le lino vert et blanc.

Elle en écrabouilla un entre ses orteils, fixa son pied, ses sandales vernies jaunes, souillées, les éclaboussures rouges qui se liquéfiaient dans la chaleur. Ses jambes cédèrent sous elle, elle s'effondra et, le visage contre ses genoux, elle pleura à chaudes larmes, ses sanglots s'arrachant à elle en hoquets douloureux.

Hughes sortit précipitamment de la chambre, sa chemise blanche déboutonnée, les cheveux mouillés. Elle leva les yeux vers lui, haletante, toute tremblante, et désigna d'un geste le gâchis autour d'elle.

— L'aspic est fichu, gémit-elle. Il est fichu et je ne sais même pas comment c'est arrivé. Je n'ai pas dû faire assez attention.

— Chuut, fit-il en s'accroupissant près d'elle, puis il la prit dans ses bras et enfouit son visage dans ses cheveux. Ça n'a pas d'importance, chérie, nous allons arranger ça. Ne pleure pas, nous allons arranger ça.

Il la saisit par la taille, l'aida à se lever et l'entraîna vers la table de la cuisine.

— Assieds-toi, mon cœur. Je m'occupe de tout. (Après avoir recueilli dans un bol tous les morceaux qui n'avaient pas encore fondu, il s'exclama :) C'est parfait ! Regarde, Nick.

— Oh mon Dieu ! geignit-elle en jetant un coup d'œil dans le bol. C'est immonde.

— Absolument pas. C'est le plus bel aspic du monde. Les autres vont être verts de jalousie en voyant que j'ai une épouse aussi créative, répondit-il en souriant. Chérie, s'il te plaît, ça va aller.

— Ça n'ira pas du tout, Hughes, pas du tout du tout, bredouilla-t-elle en se cachant le visage dans les mains.

— Ça ira, insista-t-il, en lui écartant les mains et en lui saisissant le menton pour lever son visage vers lui. Je te demande pardon. Nous avons une belle vie. Tu es charmante et désormais je serai un meilleur mari. Je vais prendre soin de toi, mon amour, je te le promets.

— Hughes, Hughes, je t'en supplie, je veux rentrer à la maison.

— Je vais te ramener chez toi, Nick, répondit-il, et tout ira bien.

Février 1947

Nick fumait une cigarette dans la cuisine en prêtant une
oreille distraite à l'émission sur les oiseaux qui passait à la
radio. Elle frictionna son ventre rebondi et jeta un coup
d'œil vers le jardin, aussi dur et endormi que son abdomen.
Ici et là, un moineau plein d'espoir grattait la terre stérile.
Après une publicité pour le Bromo Seltzer, le présentateur
reprit la parole :

*Nous voilà de retour en compagnie de Mlle Kay Thompson
qui nous lit un extrait de l'ouvrage incontournable de Winfrid
Alden Stearns,* La vie des oiseaux de la Nouvelle-Angleterre,
*une merveille pour les amoureux de l'ornithologie depuis plus
de soixante ans.*

Une voix féminine, un peu rauque, avec un accent pro-
noncé de la Nouvelle-Angleterre, prit le relais sur les ondes.

*L'engoulevent d'Amérique du Nord appartient à une
famille d'oiseaux singulière, aux habitudes très particulières.
Son comportement est si mystérieux qu'il suscite toutes sortes
de superstitions sinistres, et parfois grotesques. Il présente des
caractéristiques tout à fait admirables, en commençant par la
fidélité conjugale et l'affection des parents pour leurs petits.*

Nick alla vérifier les meringues en train de cuire dans
le four. Hughes ne jurait plus que par ce dessert depuis

un récent déjeuner d'affaires dans un restaurant français. Étranges, ces tocades qui le prenaient quand il était loin d'elle. Elle s'étonnait toujours de lui découvrir une nouvelle passion alors que, le matin même, quand il avait quitté la maison, elle avait l'impression de savoir à peu près à quoi s'en tenir à son sujet. Malgré ces lubies, elle estimait mieux le connaître. Mieux connaître leur couple, en tout cas. Elle prenait conscience peu à peu que ce n'était pas la même chose. Le compromis. Quel vilain mot, pensa-t-elle. Mais la situation s'était assouplie, à l'instar d'une porte grinçante dont on aurait finalement graissé les gonds. Elle avait payé pour ça, par le compromis.

Assez vite après leur retour à Cambridge, il lui avait acheté une maison. Elle estimait qu'ils auraient pu s'installer à Tiger House, ne serait-ce que temporairement, le temps d'oublier l'air chaud et confiné de la Floride. Mais Hughes avait catégoriquement refusé.

— Je ne peux pas travailler là-bas, Nick, avait-il déclaré alors qu'ils dînaient dans leur appartement de Huron Avenue, où ils logeaient provisoirement. Et il est hors de question que nous demandions de l'argent à mes parents.

Il avait décroché un emploi d'avocat associé au cabinet Warner & Stackpole auquel son père appartenait. Et, en février, il lui avait annoncé qu'il avait trouvé une maison. « Construite par la première femme architecte diplômée du MIT. » Ce détail était censé l'inciter à adorer l'endroit. Elle se voyait à travers le regard de son mari : difficile, pugnace, non sans ressemblances avec cette architecte pionnière, perturbatrice, probablement lesbienne.

À la manière dont il l'avait guidée de pièce en pièce – effleurant au passage les encadrements de porte, déployant les bras dans la cuisine pour lui désigner l'emplacement du plan de travail –, elle avait compris qu'il comptait l'installer là. Un écrin parfait pour elle, où ses bizarreries seraient bridées, tout au moins occultées. Rien qu'à cette pensée elle avait eu la nausée.

Tandis qu'elle défaisait ses cartons, époussetait l'argenterie de son mariage, pendait les chemises de Hughes, elle s'était imaginée fuir en Europe, louer un appartement sur les Champs-Élysées ou la via Condotti, boire des petits cafés serrés et danser jusqu'à l'aube dans les bistros. Mais, à part acquérir une parure de lingerie française, elle n'avait pas pris la moindre initiative en ce sens, si ce n'est dans sa tête. Elle se savait piégée, mais elle était consciente aussi de l'aimer, de l'avoir dans la peau, comme une fièvre. Où qu'elle aille, elle l'aurait dans la peau. Sans qu'elle sût précisément comment cela s'était produit, elle avait cessé de lutter. Et subitement, comme si sa capitulation avait rompu le barrage, il avait commencé à la voir, à la voir vraiment.

— Tu es une femme extraordinaire, lui avait-il dit un jour en rentrant, découvrant la table mise avec la belle nappe en lin et l'argenterie, tandis qu'elle était en train de tapoter une pièce de bœuf ronde, rose achetée bon marché chez le boucher.

Un autre soir, il lui avait caressé le genou sous la table alors qu'elle venait de servir un repas irréprochable – composé d'une soupe de concombres, de côtes d'agneau accompagnées de pommes de terre rôties, suivies d'îles flottantes – à un de ses associés qu'il désirait impressionner.

— Vous en avez de la chance d'avoir une épouse qui sache cuisiner, avait commenté ce dernier. Un homme comme vous ira loin.

Quand Hughes l'avait emmenée danser au Spring Ball, à Boston, il l'avait étroitement enlacée en la serrant contre lui.

— Je pourrais m'enivrer rien qu'en respirant ton odeur, lui avait-il chuchoté à l'oreille. Auprès de toi, je me sens chez moi.

Lorsqu'il lui faisait l'amour, il scrutait son visage en le tenant entre ses mains.

— Dis-moi que tu es heureuse. Je veux entendre que je te rends heureuse.

Ainsi s'écoulait la vie. Bien rodée. Elle lisait, elle écoutait de la musique et échafaudait des projets pour eux deux. En se disant que peut-être, lorsqu'il aurait le sentiment que tout était comme il le fallait, il se réveillerait et aurait envie d'être libre à nouveau, avec elle.

Et puis il fut question d'un bébé.

— Je n'en veux pas, Hughes, déclara-t-elle un soir devant les vestiges d'une côtelette de porc au poivre. Pas pour l'instant.

— Tout le monde veut un bébé, s'était-il étonné.

— C'est grotesque. (Elle chassa quelques grains de poivre éparpillés sur la nappe.) D'ailleurs, nous ne sommes pas comme tout le monde, ajouta-t-elle à voix basse.

— Je sais que ce n'est pas ainsi que tu envisageais les choses, Nick. Moi aussi je pensais que ça tournerait autrement. Seulement, il y a eu la guerre.

— La guerre, la guerre, j'en ai par-dessus la tête ! explosa-t-elle en se levant pour débarrasser la table. Ça n'excuse pas tout.

Il lui saisit le poignet.

— Je suis sérieux, Nick. J'ai vraiment envie de fonder une famille.

— Eh bien, j'ai une nouvelle à t'annoncer, Hughes Derringer, riposta-t-elle en libérant brusquement sa main. Moi aussi je suis sérieuse.

— Je veux que nous vivions notre vie. Pleinement. Juste ça, ajouta-t-il en sondant son visage. Es-tu capable de le comprendre ?

— Ne me parle pas comme si j'étais une enfant.

— Cesse de te comporter comme telle alors.

De passionné, son ton s'était fait glacial tout à coup et un silence – dangereux, Nick le savait d'expérience – les sépara.

— Je ne cherche pas à te contrarier, sache-le, reprit-il finalement. C'est juste que j'aimerais une existence... peut-être pas exactement comme tout le monde, mais pas compliquée non plus.

— Un bébé, ça va compliquer les choses.

— Je veux que nous construisions quelque chose. Quelque chose de réel, de bien.

— C'est déjà fait. Tu ne le vois donc pas ?

Il avait l'air si las. Elle s'efforça de contenir le bouillonnement qui l'envahissait, le sentiment de désespoir qui la faisait vaciller sur ses jambes.

— C'est juste... (Elle se rassit, posa une main sur la sienne.) Oh, Hughes, il nous faudrait être tellement prudents avec un enfant. Notre vie deviendrait... la prudence même.

— Il s'agirait d'être prévoyants, voilà tout.

Nick songea au soin avec lequel il rangeait ses boutons de manchettes dans leur coffret au lieu de les déposer dans le vide-poche sur son bureau, à la minutie avec laquelle il gardait les étuis de ses couteaux suisses, contrairement à la plupart des gens qui les perdaient à la minute où ils les rapportaient chez eux. À tous ces petits détails qu'elle avait toujours trouvés si attendrissants. Hughes était méticuleux, il en tirait du plaisir. Il voulait que la vie soit juste à la bonne température, ni trop chaude ni trop froide. Elle n'était pas certaine de pouvoir survivre à ce lissage systématique.

— Je ne sais pas, Hughes, dit-elle finalement. Nous sommes encore jeunes. Nous pourrions faire des tas de choses avant d'avoir un bébé.

Alors même qu'elle prononçait ces mots, elle sentit le poids de la maison qu'il avait achetée pour elle et comprit qu'il était sans doute déjà trop tard.

— Quoi ? Voyager ? Je suis allé à l'étranger. Le monde n'est pas meilleur ailleurs qu'ici. Et puis rien ne nous empêche de bourlinguer en famille.

Nick pensa à l'Europe, aux balcons ouvragés, aux grandes fenêtres, à la sensation des mots étrangers sur ses lèvres.

— Je ne suis pas sûre d'être capable de prudence, de circonspection, quel que soit le terme que tu veux employer, dit-elle.

Elle sortit les meringues du four et les mit à refroidir. Elle dut tendre les bras au maximum pour les disposer sur la grille en prenant garde de ne pas heurter son gros ventre contre le plan de travail. Elle prit du recul pour admirer son œuvre : des amas neigeux, hérissés de piques, ondulés le long des crêtes. Ravissant, certes, mais elle préférait les macarons, plus croquants avec leurs morceaux de noix de coco.

Après cette conversation, Hughes s'était gardé de remettre sur le tapis la question du bébé. Mais, en apprenant un mois plus tard que Helena était enceinte, il avait offert de lui payer un billet de train pour qu'elle vienne leur rendre visite.

— Vous aurez plaisir à vous revoir toutes les deux, avait-il dit à Nick. En outre, j'ai des doutes sur cet Avery.

— Je ne te le fais pas dire.

Il devait penser que, en voyant Helena comblée par sa grossesse, elle changerait peut-être d'avis. Peu importait. Elle n'avait pas vu sa cousine depuis qu'elles avaient quitté la maison d'Elm Street, cinq mois plus tôt. Elle lui manquait. Et puis elle se faisait du souci à son sujet. Helena semblait si lasse, si abattue chaque fois qu'elle évoquait Avery et les projets qu'il avait pour eux deux.

Helena arriva à Cambridge en mai, alors que le muguet déployait son tapis mêlant vert foncé brillant et blanc délicat sur le jardin. Nick cueillit un petit bouquet à emporter quand elle irait chercher sa cousine à la gare.

— Helena, bon sang ! Tu n'as pas du tout l'air enceinte, s'esclaffa Nick en la serrant dans ses bras sur le quai.

— Vraiment ? J'ai l'impression d'être énorme.

Helena portait un tailleur bleu nuit en laine légère, à moins qu'il ne s'agisse de ces fibres artificielles si en vogue.

— Tu es superbe. Ne me dis pas que tu fais du cinéma toi aussi.

— Ma chère Nick, répondit Helena en souriant, tu n'as pas changé. Tu continues à mentir comme un arracheur de dents.

Nick sortit une pièce de son sac en cuir rouge et la tendit au portier avant de prendre sa cousine par la main.

— Hughes a eu la bonté de nous donner de l'argent pour un taxi. La grande classe !

— Oh, ça fait du bien d'être de retour ! s'exclama Helena. Tu ne peux pas savoir comme je suis contente.

— Je sais à quel point je le suis moi-même. (Nick héla un taxi qui passait au ralenti.) Je me suis presque transformée en parfaite ménagère. Je vais avoir besoin que tu te penches sur mon cas. Allons, rentrons. Le déjeuner nous attend, ainsi qu'une bonne bouteille de vin.

En arrivant à la maison, Helena alla se rafraîchir dans la chambre d'amis. Pendant ce temps, Nick dressa la petite table ronde dans la pièce donnant sur le jardin. Puis elle prépara une salade de thon. Helena la rejoignit. Elle avait ôté son petit chapeau bleu ; ses boucles blondes lui tombaient sur les épaules. Elle avait les joues roses, rebondies. On aurait dit une publicité de Noël.

— Eh bien, la grossesse te sied à ravir, ma foi, commenta Nick. Ça fait combien, trois mois ?

— Quatre, rectifia Helena en s'installant au comptoir en Formica vert. C'est ce que le médecin m'a dit en tout cas. Je ne suis pas certaine de pouvoir lui faire confiance. Je le soupçonne d'être un peu charlatan sur les bords. (Elle poussa un soupir.) Mais toutes les grandes actrices vont le consulter, selon Avery, alors...

— Les grandes actrices se font avorter, oui, rétorqua Nick. Tu devrais revenir ici pour ça. Tu pourrais voir le docteur Monty.

— Je croyais qu'il était mort, répliqua Helena en riant.

— Non, m'dame. Il est bien vivant et continue à pincer le popotin des infirmières. (Nick observa sa cousine avant de disposer sa salade sur les assiettes.) Hughes en veut un.

— Un popotin ?

— J'aimerais bien que ce soit juste ça. Non, un bébé.

Helena sourit.

— Ce n'est pas une condamnation à mort, tu sais. C'est plutôt agréable, en fait.

— À ce qu'il paraît. Oh, Helena, tu m'imagines plongée jusqu'au cou dans les couches ? Il m'a déjà enchaînée au fourneau. Que veut-il de plus ?

— Cesse de prétendre que tu ne l'aimes pas, la rabroua Helena en déployant les bras pour englober la cuisine. Avec tout ça !

— Évidemment que je l'aime. J'espérais juste que ça serait un peu plus excitant.

— Le mariage est un refuge, dit Helena à voix basse. Tu ne seras plus jamais seule.

— Je ne te parle pas du mariage, mais de la vie. (Elle regarda par la fenêtre avant de se retourner vivement vers sa cousine.) C'est vrai, pense à Elm Street. On faisait exactement ce qui nous chantait et personne n'attendait rien de nous. Même ces horribles carnets de rationnement me manquent. J'aimerais que ce soit comme ça maintenant, pour Hughes et moi. Moins confiné, moins respectable. Il y a des moments où j'ai envie d'arracher mes vêtements et d'aller hurler toute nue dans la rue. Rien que pour changer de rythme.

— C'était la guerre, pas la vraie vie, souligna Helena. Et tout n'était pas si rose.

Nick soupira au souvenir de Fen.

— Tu as raison. Je suis une bécasse. (Elle se força à sourire.) Assez parlé de tout ça. Si tu nous servais à boire, ma chérie. La bouteille est juste à côté de toi sur ce drôle de comptoir que Hughes a dessiné.

— Il t'a acheté une très jolie maison, dit Helena en remplissant les deux bocaux à confiture que Nick avait sauvegardés de l'appartement.

— Une jolie maison pour une bonne épouse, railla Nick en abattant son couteau sur une branche de céleri. Je ne devrais pas dire ça, c'est méchant. N'empêche, maudits soient les hommes !

— Tu es vraiment impossible, Nick. Tu en demandes trop. Tu défies le bon Dieu, comme disait ma mère.

— Et Avery, alors ? riposta Nick, froissée par le stoïcisme de sa cousine. Te satisfait-il ? Dieu est-il à ce point content de vous deux ?

— Nous sommes en location, répondit Helena d'un ton songeur. J'aimerais bien avoir une maison à moi. Cela dit, nous habitons un charmant petit pavillon avec une chambre en plus pour le bébé.

— Ce que tu peux être bête parfois, lança Nick en posant son couteau sur la planche à découper. Je veux que tu me parles de ton mari, pas de ton logement !

— Oh ! s'exclama Helena en se soustrayant légèrement à son regard. Euh, je ne sais pas. C'est comme d'habitude, je suppose.

— Seigneur, Helena, viens-en aux faits ! (Elle eut envie de lui flanquer sa branche de céleri sur la tête.) Qu'est-ce qui est comme d'habitude ?

— Il n'est pas comme les autres hommes, Nick. C'est un artiste, tu comprends.

— Qu'est-ce que tu me racontes ? Avery n'a rien d'un artiste. Il vend des assurances !

— Oui, pour gagner de l'argent. Mais sa vraie passion, c'est le cinéma, insista Helena en plongeant son regard dans son verre comme si elle y cherchait quelque chose. Il possède une collection, vois-tu, dont il prend grand soin.

Nick alla s'asseoir à côté d'elle.

— Une collection ?

— En réalité, il avait une amie, tu comprends, une actrice, très belle, bourrée de talent. Ils devaient faire des films ensemble, elle allait être la vedette et lui, trouver les fonds. Et puis quelqu'un l'a tuée, figure-toi, et Avery a eu le cœur brisé. Ça a tout chamboulé.

— Je vois. (Nick songea qu'elle commençait à comprendre de quel bois Avery Lewis était fait.) Tout cela est terriblement dramatique.

— Je ne te le fais pas dire. Il a cru ne jamais pouvoir s'en remettre. Jusqu'au jour où il m'a rencontrée. Il a alors compris qu'il n'était plus tout seul. Il est déterminé à montrer au monde entier le talent qu'elle avait. C'est pour ça qu'il a démarré cette collection. Sur elle.

Nick n'en croyait pas ses oreilles. Helena pouvait être candide parfois, mais elle n'était pas complètement idiote.

— Comment s'y prend-il ? Pas facile de faire valoir le talent d'une ex-maîtresse.

— Tu ne comprends pas. J'en étais sûre, répliqua Helena en redressant le menton. Comme la plupart des gens, d'ailleurs. C'est une œuvre d'art reflétant toute la vie d'un être cher. Comme si j'amassais un maximum d'objets t'appartenant afin de rendre ton essence. Avery va faire un film. Voilà ce qui l'accapare tant.

— « Essence », tu parles ! (Nick tenta de capter le regard de sa cousine mais celle-ci se déroba.) Franchement, Helena, poursuivit-elle en secouant la tête. Je savais qu'Avery avait quelque chose de pas très catholique mais je ne pensais pas qu'il avait réussi à te convaincre que c'était de l'art.

— Je te trouve injuste. C'est peut-être un original, mais quel mal y a-t-il à ça ? Il m'aime, il me comprend, Nick. Il mérite mon soutien.

— Financier, tu veux dire.

En voyant Helena s'empourprer, Nick sentit sa hargne se dissiper. La main posée sur l'épaule de sa cousine, elle ajouta d'une voix douce :

— Je suis désolée. Je ne devrais pas être aussi sévère. Mais vraiment, chérie, c'est bidon, tu le vois bien, non ?

— Il est question de mon mari, Nick. Mon second mari, qui plus est. Je n'ai pas envie de divorcer et de passer au numéro trois.

Nick la prit dans ses bras et posa sa joue contre ses cheveux tout doux.

— Nous pourrions demander conseil à quelqu'un au cabinet de Hughes.

— Je vais donner naissance à ce bébé.

Nick recula un peu pour scruter son visage, puis elle hocha lentement la tête.

— Bien sûr. Tu as raison.

L'engoulevent est peut-être dans les taillis où il est resté caché toute la journée, ou bien il se sera rapproché de la maison. Il pourrait même s'être posé sur le toit sans qu'on s'en aperçoive et se mettre soudain à chanter avec véhémence au cœur de la nuit, glaçant le sang de ceux qui se laissent émouvoir par les menaces apparentes ou par la superstition.

Nick sentit le bébé lui donner un coup de pied, comme un petit éclair lui parcourant le ventre. Elle entreprit de trier le courrier, empilant les factures à part afin que Hughes y jette un coup d'œil en rentrant du travail. De l'autre, elle entassa sa correspondance personnelle à laquelle elle répondrait le lendemain, après le repassage.

— Seigneur, que la vie est ennuyeuse ! lança-t-elle à la cuisine vide.

Hughes voulait une fille, mais un garçon n'aurait pas à se coltiner toutes les corvées triviales de l'existence. Il serait son propre maître, agirait à sa guise. Il serait fort, déterminé, indépendant, il ne serait pas obligé de demander pardon ni de confectionner des pâtisseries dont il n'aurait même pas envie.

Elle interrompit le cours de ses pensées. Pour l'amour du ciel ! Haut les cœurs ! se dit-elle. Ces derniers temps, elle était de plus en plus la proie d'humeurs sombres. Le docteur Monty lui avait expliqué que c'était normal de ne pas se sentir dans son assiette pendant la grossesse.

— La plupart des femmes enceintes sont un peu déprimées, lui avait-il dit, laissant sa main un peu trop longtemps sur son genou. C'est un grand changement pour n'importe quelle femme, madame Derringer, mais un changement bienvenu.

La semaine précédente, il lui avait recommandé des lectures plus réjouissantes en lorgnant d'un air soupçonneux son exemplaire des *Observations sur les sentiments du beau et du sublime* de Kant.

— Un grand nombre de mes patientes ont trouvé du réconfort dans la couture. De l'activité, voilà ce que je préconise, avait-il ajouté d'une voix débordante d'assurance.

Elle était donc allée s'acheter un livre de patrons, pour des robes de jour. Il était toujours dans son emballage en papier brun, sur une étagère dans sa penderie.

Elle tâta les meringues du bout du doigt. Elles avaient refroidi. Elle entreprit de les transférer délicatement dans une boîte en fer-blanc tapissée de papier sulfurisé en prenant soin de ne pas casser les pointes. Elle se demandait ce que Helena faisait en ce moment, comment elle s'en sortait avec le bébé. Ed avait quatre mois maintenant, et Nick n'arrêtait pas de se dire que sa cousine devait être terriblement occupée. Au cours de leurs brèves conversations téléphoniques, elle lui avait paru de plus en plus lointaine, comme si elle était sous l'eau.

Nick regrettait un peu – quoique, pas vraiment – la manière dont elles s'étaient quittées à la fin du séjour de Helena. Après cette première discussion houleuse à propos d'Avery, elles s'en étaient tenues à des sujets plus gais. La veille du départ de sa cousine pour Los Angeles, Nick n'avait pas pu s'empêcher de remettre la question sur le tapis.

— Tu n'es pas obligée de retourner auprès de lui, tu sais.

Hughes était monté se coucher et elles étaient en train de finir la bouteille de vin, bien qu'elles eussent déjà assez bu.

— J'en ai envie, avait répondu Helena en évitant son regard.

— Tu ne lui dois rien. C'est ce que tu penses, je sais, mais tu as le droit d'être heureuse toi aussi.

— À mon avis, tu n'es pas très bien placée pour donner des conseils conjugaux.

Pour la première fois, Nick avait perçu dans la voix de sa cousine quelque chose qui s'apparentait à du mépris. Cela la déstabilisa.

— Je ne veux que ton bonheur, avait-elle insisté malgré la colère qui la gagnait.

— Tu n'y comprends rien, avait répliqué Helena en plantant ses yeux dans les siens. Toi, rien ne te rend heureuse à part ce que tu n'as pas. Tu n'as jamais rien su faire si ce n'est prendre, prendre et en demander encore. Tu as tout ce qu'on peut désirer et tu te comportes comme si ce n'était rien. Comment pourrais-tu savoir ce qui me comble, moi ou qui que ce soit d'autre, d'ailleurs ?

Nick n'en revenait pas.

— Je me félicite qu'on se dise enfin la vérité, toutes les deux, avait-elle répondu, un goût amer dans la bouche. Puisque nous avons décidé de mettre cartes sur table, c'est ton indigence qui te rend égocentrique, ma chère, au point que tu ne voies pas plus loin que ton misérable petit monde. Je suis censée être heureuse parce que j'ai plus que toi ? Pour l'amour du ciel, écoute-toi !

— Écoute-toi toi-même, avait répliqué Helena en se levant. Je vais me coucher.

Elles s'étaient fait des excuses le lendemain matin et s'étaient embrassées avec effusion à South Station mais, après cet épisode, Nick s'était demandé à quel point, au fond, elle connaissait sa cousine.

Les oiseaux s'égosillent surtout pendant la saison des amours, après quoi on les entend rarement, voire jamais. Le chant étant la principale indication de la présence de l'engoulevent, il est difficile de déterminer précisément à quel moment il s'en va, tant il quitte notre milieu furtivement.

Nick glissa le coupe-papier en argent de sa mère sous le rabat de la première lettre en haut de la pile. L'adresse de l'expéditeur n'y figurait pas et ce fut d'une main tremblante qu'elle ouvrit l'enveloppe. Ce n'était sans doute qu'une invitation à un cocktail organisé par l'épouse d'un collègue de Hughes ou un petit mot d'une de ses voisines sur l'île rendant compte de l'état de ses hortensias. Il n'empêche qu'elle avait la bouche sèche. Depuis la Lettre, comme elle l'appelait, la même terreur l'envahissait chaque fois qu'elle avait affaire à un expéditeur inconnu.

Ne sois pas ridicule, se dit-elle d'un ton ferme sans réussir à se calmer pour autant.

Elle dut poser la carte et regarder un instant par la fenêtre avant de s'enhardir à prendre connaissance du message.

Chère Nick,
Thé mercredi ?
16 heures.
Un baiser,
Birdie

Soulagée, elle éclata de rire. Rien qu'un thé. En compagnie de Birdie. Tout allait bien. Elle se sentit transportée de joie. Hughes n'allait pas tarder à rentrer, elle lui avait préparé son dessert préféré, ils allaient avoir un bébé. C'était parfait. Tout allait parfaitement bien.

La Lettre était arrivée un mardi, cinq mois plus tôt, au cours d'un mois de septembre particulièrement frais. Elle hésitait entre sortir le bœuf braisé du freezer et foncer chez le boucher chercher des côtelettes d'agneau avant le retour de son mari, mais penchait plutôt pour le bœuf parce que cela lui laisserait le temps d'aller s'acheter une nouvelle paire de gants à Harvard Square.

Je vais d'abord ouvrir le courrier, avait-elle décrété. Je déciderai après. C'était la troisième lettre du tas. Une enveloppe brune, volumineuse. Presque un paquet. Destinée à Hughes, mais l'adresse étant écrite à la main ça ne pouvait pas être une facture. Comme elle avait été réexpédiée de la base de Green Cove Springs, Nick redoutait qu'elle ne provienne de Charlie Wells, désireux peut-être de se venger du comportement qu'elle avait eu avec lui après leur déjeuner en ville.

À la seconde où sa main effleura le papier à lettre luxueux, elle comprit que ça ne pouvait pas venir de lui. Les initiales en tête lui sautèrent aux yeux. E.L.B. Les sourcils froncés, elle parcourut le message rédigé d'une écriture penchée, élégante.

J'avais dit que je n'écrirais pas, je le sais.
Le monde n'est plus à feu et à sang, mais je continue à t'aimer.
Où que tu sois, je tiens à ce que tu le saches.
Nous méritons tous d'être heureux.

Elle replongea la main dans l'enveloppe et en sortit un passe-partout argenté, attaché à une plaquette en cuivre où on lisait : « Claridge. Chambre 201. »

La clé était assez lourde, la plaquette toute lisse. En frottant le cuivre brillant avec son pouce, Nick y laissa une trace graisseuse. Elle examina son doigt qui lui parut épais, sale, quelconque. Des mains communes, c'est rédhibitoire pour une femme, disait sa mère quand elle les lui massait, le soir, avec du beurre.

Nick relut la carte ligne par ligne, pour essayer de définir les mots qui avaient une portée, ceux qui avaient été ajoutés pour les lier.

Elle en conclut que la plupart avaient une signification. « Que » et « être » étaient les seuls en trop, mais on n'aurait pas pu faire sans. *Nous méritons tous d'être heureux.*

— Oh mon Dieu, s'exclama-t-elle, prenant soudain conscience du poids de ces mots, du papier à en-tête, de la lourde clé en cuivre. Oh mon Dieu !

Elle posa la tête sur le comptoir, essaya de pleurer, mais rien ne vint. Elle regarda son souffle embuer le Formica puis se dissiper.

Au bout d'un moment, elle se redressa, passa à nouveau la main sur la Lettre. Abandonnant la clé sur le comptoir, elle emporta l'épais carton couleur crème au bar du salon d'été où elle se prépara une vodka-martini. Elle le but d'une traite.

Après en avoir englouti un deuxième, elle relut le message. *Le monde n'est plus à feu et à sang. Mais je continue à t'aimer.* Elle se fit un troisième cocktail, avec trois olives dans le verre ce coup-ci. Puis, la missive dans une main, son verre dans l'autre, elle alla dans le salon où le feu couvait encore en crépitant de temps à autre.

Elle s'assit sur le petit banc au coussin brodé devant la cheminée pour parcourir la Lettre une dernière fois.

J'ai dit que je n'écrirais pas, je le sais.

Elle la jeta sur les bûches affaissées et l'observa se recroqueviller avant de se réduire lentement, très lentement, en cendres.

Nick resta là, hypnotisée par les braises, à tourner le pied de son verre entre ses doigts. Pour finir, elle se leva et se dirigea vers la bibliothèque. Là, elle sortit son carnet d'adresses et appela sa cousine à Hollywood.

En attendant que l'opératrice la mette en communication, elle prit une cigarette dans le coffret près du téléphone. Après l'avoir allumée, elle regarda fixement dehors par la petite baie vitrée qui faisait de la bibliothèque sa pièce préférée dans la maison. Les branches basses du frêne grattaient la vitre.

L'opératrice la pria de patienter.

Nick termina son verre.

Bœuf braisé, décida-t-elle.

Quand la voix de Helena se fit enfin entendre au bout du fil, Nick se sentait tout engourdie.

— Nick ?

Elle semblait enrouée.

— Oh ! fit-elle, surprise de lui parler tout à coup.

— C'est bien toi ?

— Oui, oui, c'est moi.

Elle avait de la peine à articuler. *Mais je continue à t'aimer.*

— Comment vas-tu ? Tout se passe bien ?

— Non, ça ne va pas bien du tout, répondit Nick. Je... Tout me manque subitement. Te souviens-tu de notre petite maison d'Elm Street ? Comme il a fait chaud ce premier été ?

— Oui, fit Helena d'un ton hésitant. Qu'est-ce qui t'arrive, Nick ? Hughes, ça va ?

— Fidèle à lui-même. Je regrette notre vie d'antan, c'est tout. Je donnerais cher pour être de retour dans cette maison, à laver nos bas dans cette horrible salle de bains minuscule. Te rappelles-tu quand ma dernière paire s'est désintégrée sur le cintre au-dessus de la baignoire ? On n'a retrouvé qu'un petit tas de poussière brune et on a organisé des funérailles dans le jardin.

— Je m'en souviens très bien. On avait mis la *Sonate au clair de lune.*

— C'est vrai ! dit Nick en se passant la main dans les cheveux. J'avais oublié.

— Et puis j'ai dessiné une ligne sur tes jambes avec ton crayon à sourcils, mais elle était tout de travers.

— Oui, et j'ai mis un temps fou à l'effacer.

Nick alluma une autre cigarette. Le vent cognait contre la vitre.

— Chérie, est-ce que tu as bu ?

— Oui, une vodka-martini. Ou trois. (Nick s'esclaffa, mais on aurait cru entendre une fourchette raclant un gobelet en fer-blanc.) Je suis désolée. J'avais juste envie de t'entendre, de parler d'autrefois.

— Tu es sûre que ça va ?

— Oui, oui. Il faut que je raccroche maintenant. Au revoir, Helena.

— Au revoir, Nick. Écris-moi bientôt, conclut Helena avant de raccrocher.

— Au revoir, dit-elle à la pièce silencieuse et au vent qui s'engouffrait en sifflant dans le frêne.

Ce soir-là, elle alla se coucher de bonne heure, se plaignant d'un mal de tête, et s'endormit en pleurs pendant que Hughes mangeait de la soupe tout seul dans la cuisine. Quand il rentra à la maison le lendemain soir, elle était prête.

Elle était allée se faire coiffer à Harvard Square et avait mis sa robe en shantung rouge, celle qu'elle portait lorsqu'ils avaient dîné au Club 21 pendant la guerre. Elle avait préparé le repas – des steaks, de la purée et des haricots verts au poivre – et de la vodka-martini. La carafe transpirait sur le plateau en marbre du bar quand son mari poussa la porte d'entrée.

Elle alla à sa rencontre dans le vestibule et le déchargea de sa mallette.

— Tu te sens mieux ? demanda-t-il en lui déposant un baiser sur le front.

— Beaucoup mieux, répondit-elle. Va t'installer dans le salon. Les cocktails sont prêts.

Hughes remarqua sa coiffure, la robe.

— En quel honneur ?

— Une grande occasion, répondit-elle avant de s'éclipser pour se rendre au bar en emportant le porte-documents lourd comme du plomb.

Elle servit deux verres d'une main tremblante, dut essuyer les larmes d'alcool qui avaient coulé. Elle les posa sur un plateau en argent avec les olives puis elle prit un peu de recul et les contempla, s'émerveillant qu'une chose si limpide d'aspect puisse être aussi pernicieuse.

Après avoir remis en place sa coiffure, elle s'empara du plateau et traversa à pas prudents le long jardin d'hiver, ses talons hauts battant la cadence sur les dalles. Hughes, qui l'attendait au salon, assis dans son fauteuil bleu, leva les yeux vers elle.

Elle posa doucement le plateau sur la table basse près de lui, lui tendit un verre, prit l'autre pour elle.

— Hughes, j'ai décidé… (Elle hésita.) Je pense que nous devrions avoir un enfant. Je veux un enfant.

Il posa son cocktail et la prit dans ses bras.

— Chérie, murmura-t-il dans ses cheveux, dissipant l'odeur âcre de la laque. C'est effectivement une grande occasion.

— Oui, souffla-t-elle.

— Je savais que tu changerais d'avis. Que toi aussi tu voudrais un bébé.

À ces mots, quelque chose de dur, de pur, tapi au fonds d'elle, un rêve qui avait peut-être commencé dans la chambre de bonne chez sa mère le jour de son mariage, se brisa pour aller se dissoudre dans le flux brûlant de son sang.

DAISY

Juin 1959

Daisy se souviendrait toujours de cet été-là comme de celui où ils avaient trouvé le corps. C'était aussi l'année de ses douze ans et de son premier baiser, échangé furtivement près de l'ancienne cave à glace où l'on rangeait désormais les bicyclettes rouillées. Cependant, ce premier émoi n'était rien comparé au frisson provoqué par la mort. Quand ils étaient tombés sur le cadavre derrière les courts de tennis, ils n'étaient même pas sûrs de ce que c'était. Rien qu'une masse recouverte d'une couverture crasseuse, avec quelque chose qui dépassait. Une sorte de poulpe.

Tout avait commencé comme n'importe quel autre mois de juin de son enfance. Deux jours après son anniversaire, sa mère avait bourré la voiture de bagages et elles étaient allées prendre le ferry de Woods Hole, à deux heures de route de la maison. Elles s'étaient disputées pendant le trajet à propos du choix de la station de radio. Sa mère trouvait The Clovers acceptable, ça ressemblait encore à de la musique. Elle ne comprenait pas pourquoi les chansons modernes n'avaient plus rien de poétique. Et puis elle ne supportait pas d'entendre le mot « poule ». Daisy avait ri sous cape en entendant ça.

Sur le bateau, sa mère lui avait commandé un café, avec beaucoup de lait. Elle buvait toujours le sien noir. Amer. Les jeunes filles devaient apprendre à boire du café, mais c'était inconvenant d'avoir les nerfs à vif. « Juste une goutte dans le lait », avait-elle dit au serveur coiffé d'une casquette blanche derrière son comptoir en acier dépouillé. Il lui avait décoché un drôle de regard, mais il avait obtempéré. C'était toujours comme ça.

Daisy se demandait souvent quel pouvoir invisible avait sa mère pour que les hommes se plient ainsi à tous ses caprices. Elle aussi lui obéissait au doigt et à l'œil. Comme sa mère était un peu folle, mieux valait ne pas la contrarier, pour éviter les réprimandes. Ces hommes, eux, n'allaient pas se faire gronder. Il n'empêche qu'ils perdaient tous leurs moyens en sa présence. Ils n'avaient pas vraiment l'air de la craindre. On aurait plutôt dit qu'ils avaient attendu toute leur vie le privilège d'assouvir ses moindres désirs.

Daisy l'avait questionnée un jour à ce sujet. Plus précisément, après avoir plus ou moins compris que l'emprise de sa mère était en lien avec son physique, elle lui avait demandé si elle-même était jolie.

— Ce n'est pas si important que ça d'être jolie, lui avait-elle répondu. Les hommes apprécient, disons, un certain charme.

Elle avait souri en révélant cette précieuse information. Un sourire entendu qui avait cloué le bec à sa fille. Daisy aurait bien voulu savoir qui d'autre se prévalait de cet atout et comment on pouvait l'acquérir. Elle avait pensé aux actrices de cinéma qu'elles admiraient, mais sa mère ne ressemblait pas vraiment à Audrey Hepburn ni à Natalie Wood. Elle n'était même pas jolie, alors ça ne pouvait pas être ça. Cela dit, Daisy ne tenait pas vraiment de sa mère. Elle était blonde et avait les yeux bleus de son père.

Pour son douzième anniversaire, elles étaient allées voir *Autant en emporte le vent* au Nickelodeon, à Harvard Square.

Sa mère s'était penchée vers elle au moment où la ravissante Vivien Leigh aux prunelles vertes étincelantes déclarait à Mammy qu'elle ne mangerait pas son petit déjeuner.

— Elle est devenue folle pendant le tournage, lui avait-elle chuchoté à l'oreille. Ça se voit dans ses yeux. On sent bien qu'elle est en train de perdre la tête.

Daisy crut discerner cette lueur de démence, elle aussi. Mais ce qui continua surtout à la hanter après coup, c'est que sa mère avait exactement le même regard, au point qu'elle se demanda si elle n'était pas en train de devenir dingue comme cette Vivien Leigh. Ce ne serait pas de bon augure.

Elles arrivèrent à Tiger House en fin d'après-midi. Il faisait une chaleur moite dans la voiture et Daisy avait l'impression d'avoir un trou dans l'estomac à cause du café. La maison en bardeaux de cèdre devenus argentés par les assauts réguliers des tempêtes maritimes trônait au milieu de la propriété qui donnait sur deux rues – détail qui avait toujours étonné Daisy. On y accédait depuis North Summer Street par une allée dérobée qui se faufilait entre une poignée d'autres résidences jusqu'à la pelouse.

Un porche à colonnes de deux étages dominait la façade du côté de North Water Street. Sur le trottoir d'en face, une pelouse en pente menait au petit hangar à bateaux et au ponton un peu branlant.

L'arrière-grand-mère de Daisy avait voulu un « bungalow », comme ces baraques que les non-insulaires se faisaient construire pour séjourner l'été. Cependant, la nécessité de disposer d'une cuisine, d'une véranda pour la lumière, ainsi que de quelques chambres supplémentaires destinées aux convives avait modifié les plans d'origine. L'annexe avait fini par manger presque tout le terrain à l'arrière. Elle avait été baptisée Tiger House par l'arrière-grand-père de Daisy, grand admirateur du premier président Roosevelt et chasseur de gros gibier, avec une passion particulière pour les fauves. Une grande peau de tigre, tête comprise, trônait dans le salon vert.

Après avoir remonté l'allée, la mère de Daisy coupa le moteur. Elle poussa un gros soupir tandis que son regard se perdait au-delà du buisson de roses thé cendrées, en direction du pavillon de tante Helena. Avery et elle l'avaient mis en location cet été, ce qui voulait dire qu'ils seraient obligés de tous loger dans la grande maison.

— Ils auraient au moins pu trouver des gens qui ne suspendaient pas leur linge dans le jardin, commenta Nick sur ce ton qui signifiait qu'elle se parlait à elle-même.

De la rhétorique pure, selon sa propre formule. Mieux valait ne pas s'étendre sur la question.

Daisy trouvait amusant d'habiter tous sous le même toit, sa mère, sa tante, Ed et elle. Ainsi que son père, bien sûr, quand il venait de la ville. Mais sa mère ne voyait pas les choses de cet œil. Oncle Avery avait besoin d'argent pour sa collection, paraissait-il. Quelque chose à voir avec le cinéma. Ce n'était pas très clair. Daisy imaginait une immense salle remplie de bobines de film dans des vitrines. Toute cette affaire avait mis sa mère dans une colère noire ; son père avait fait de son mieux pour la calmer.

— Maudits soient-ils, Helena et son fichu mari, s'était-elle exclamée avant d'apercevoir Daisy sur le seuil.

Elle avait posé sur elle ses yeux verts qui, au lieu d'étinceler comme ceux de Vivien Leigh, étaient plats et froids comme des fèves de cacao. Après quoi elle avait claqué la porte. Daisy n'avait pas entendu la suite.

Sa mère sortit la petite valise écossaise du coffre et la lui tendit.

— N'oublie pas de déballer tes robes pour qu'elles se défroissent, dit-elle, mais Daisy s'était déjà engouffrée dans la maison en traînant son bagage derrière elle, laissant la porte moustiquaire claquer dans son sillage.

Elle avait hâte de monter dans sa chambre s'assurer que tout ce qu'elle y avait caché l'été précédent s'y trouvait encore. Sa collection de bandes dessinées, le coquillage rose à rayures, trouvé sur la plage, le shampooing spécial qu'elle avait supplié son père de lui acheter. « So Glamorous ! Pour des cheveux doux et brillants. »

Elle se hâta dans le long couloir qui conduisait vers l'avant de la maison, sa valise s'accrochant tous les quelques pas au tapis usé. Deux vastes salons, l'un bleu, l'autre vert, s'ouvraient de part et d'autre, juste avant la porte d'entrée principale. Leurs grandes fenêtres à moustiquaires donnaient sur la terrasse côté façade et le port au-delà.

En approchant du grand escalier, Daisy aperçut sa tante assise dans un fauteuil en chintz au salon bleu. Une expression douce, distraite flottait sur son visage blême. Daisy avait presque oublié qu'elle et son cousin étaient déjà arrivés. Elle se demanda où Ed était allé fureter.

— Bonjour, tante Helena, lança-t-elle par-dessus son épaule en montant lourdement les marches.

— Bonjour, ma chérie. Ed ? Daisy et tante Nick sont là, mon cœur.

Daisy arriva tout essoufflée dans sa chère chambre avec son joli papier peint à rosettes qu'elle avait eu le droit de choisir elle-même et ses lits jumeaux en cuivre. Elle hissa sa valise sur l'un des lits et courut à la fenêtre. Après avoir soulevé le châssis, elle pressa son nez contre le grillage et aspira une goulée d'air chargée d'embruns, adoucie par le doux parfum de l'albizia en fleur juste en dessous. Elle passa sa main sur les rideaux vaporeux à fronces puis se rua sur sa cachette secrète.

Pour empêcher les fouineurs tels que sa mère ou son cousin de fourrager dans ses affaires, elle rangeait ses trésors au bas d'une vieille commode, remisée au fond de sa penderie car jugée trop encombrante. Elle écarta sa barricade : une vieille couverture de plage et l'énorme licorne en peluche que son père lui avait achetée trois ans plus tôt à la fête foraine de West Tisbury. Elle s'était découvert une passion pour les licornes mais n'avait jamais pu faire tomber les quatre bouteilles pour remporter le lot. Elle avait dépensé tout son argent de poche, il ne lui était plus resté un sou, quand son père, la prenant en pitié, avait tendu deux dollars au forain. Cet été-là, elle avait dormi avec sa licorne toutes les nuits, admirant sa corne dorée, caressant sa crinière flottante. L'année suivante, cependant, elle l'avait fourrée dans la commode, dérangée tout à coup par ces yeux en plastique qui fixaient bêtement le néant.

Elle dissimulait en dessous ses dix albums d'Archie, le vernis à ongles Silver City Pink acheté au bazar de Main Street et introduit clandestinement dans la maison, bien à l'abri, ainsi que les six pièces de cinq cents qu'elle avait gagnées en balayant l'allée l'été d'avant, une paire de boucles d'oreilles en cuivre oxydé, dérobées dans le coffret à bijoux de sa mère, et la photo de mariage de ses parents. Après avoir tout répertorié, elle remit la licorne et la couverture en place et referma le tiroir. En émergeant de la penderie, elle tomba sur Ed, en train de l'observer.

— Salut.

— Salut, Ed, répondit-elle, un peu hors d'haleine. Je cherchais juste ma licorne.

— T'inquiète. Je sais où elle est, ta cachette.

Il l'enveloppa de ce drôle de regard impassible qui donnait l'impression qu'il voyait à travers elle.

— Qu'est-ce que tu fais dans ma chambre ? Tu m'espionnes, comme d'habitude.

Une main sur la hanche, elle tenta de le toiser d'un œil plat, à l'image de sa mère.

— Absolument pas, se défendit-il. Je suis venu te dire bonjour, c'est tout.

— Comment connais-tu l'existence de ma cachette, alors ?

— J'ai exploré cette maison de fond en comble, dit-il en extrayant de la crasse imaginaire de sous son ongle du pouce.

— Arrête de faire ton intéressant, protesta Daisy en tapant du pied sur la lirette. Tu ne sais pas tout, Ed Lewis. Je parie que tu ignores où se trouve mon coffret secret.

Elle regretta aussitôt d'avoir soulevé la question.

— Derrière la trappe en face de la cave à vin, répondit-il du tac au tac tout en continuant à se triturer l'ongle. Tu n'es pas la seule à avoir des cachettes dans cette maison, tu sais.

— Qu'est-ce que ça veut dire ?

Ed se borna à hausser un sourcil.

Elle prit la mouche.

— Tu es vraiment bête. Je te conseille d'arrêter de fouiller dans mes affaires, Ed Lewis. Je ne plaisante pas. Sinon, tu peux toujours courir pour que je te choisisse comme partenaire pour le tournoi à la ronde.

La menace était réelle et produisit l'effet escompté : clouer le bec à son cousin. Mais elle n'arrivait jamais à lui en vouloir longtemps. En son for intérieur, elle était contente de le voir, même s'il l'agaçait.

— Enfin bref, dit-elle en se balançant d'une jambe sur l'autre. Si on allait au Quarterdeck voir qui est là. J'aimerais m'assurer que ma bicyclette fonctionne.

— Je préférerais y aller à pied, répondit Ed. En vélo, on n'arrive pas vraiment à regarder autour de soi.

— On n'a plus dix ans. On ne va pas tout faire à pince.

Ed garda le silence.

— Bon d'accord, abdiqua-t-elle, à court de menaces. Mais j'aimerais que tu sortes d'ici maintenant. Je vais me changer.

Dès qu'elle entendit ses pas résonner dans l'escalier, elle enleva le cardigan et la robe d'été que sa mère l'avait obligée à mettre pour le voyage et enfila son short à carreaux vert et une blouse blanche en coton. Elle enfila ses chaussures bateau avant de se regarder dans la glace. Sa mère lui imposait une coupe au carré – les cheveux longs étant jugés vulgaires –, alors que Daisy mourait d'envie d'avoir une queue-de-cheval qui lui balaierait les épaules.

Ses jambes étaient un peu trop blanches pour porter un short. Elle remarqua que ses cheveux ondulaient autour de son visage sous l'effet de la sueur.

Seuls les chevaux suent. Les hommes transpirent et les femmes luisent.

Sa mère désapprouvait les shorts, mais Daisy trouvait que ça lui donnait l'air plus âgée. Elle avait des traits poupins, un vrai bébé Gerber, avec ses boucles blondes et ses yeux ronds comme des soucoupes. Tout était bon pour essayer de remédier au problème.

— Taratata ! lança-t-elle à l'adresse de son reflet.

À la seconde où elle avait entendu Scarlett O'Hara dire ça, elle avait su que cette expression était faite pour elle. Ça lui donnait la sensation d'être une grande personne aux allures de belle des plantations du Sud, bouillante d'impatience.

En dévalant l'escalier, elle entendit les notes de jazz émanant du tourne-disque de sa mère – qu'elle seule, et personne d'autre, avait le droit de toucher. Daisy possédait un disque de Chuck Berry qu'elle avait acheté au bazar, mais elle ne l'avait jamais sorti de son emballage. Il était quelque part dans sa chambre.

Elle trouva Ed dans le salon bleu, les yeux rivés sur la véranda où leurs mères s'étaient installées. Il se tourna vers elle et posa un doigt sur ses lèvres.

— Je ne comprends pas pourquoi tu le laisses te traiter de cette façon, dit Nick en écartant une mèche noire de son visage.

— Avery travaille dur, répondit Helena d'une voix à peine audible. Ça ne me dérange pas. Je... (Elle hésita avant d'ajouter :) Les choses ont été un peu, disons, tumultueuses, ces derniers temps. Avant notre départ, il s'est produit un incident avec Bill Fox, tu sais, le producteur. C'était ma faute, en réalité.

Daisy aurait voulu en savoir plus sur l'incident en question, surtout si ça s'était passé à Hollywood, mais cela n'avait pas l'air d'intéresser sa mère.

— C'est un imbécile, ton mari, s'exclama-t-elle, oubliant de chuchoter. Un fieffé imbécile qui a de la chance de t'avoir !

Daisy regarda son cousin. Il n'avait pas bronché, mais ses yeux s'étaient légèrement assombris, comme chaque fois qu'il se concentrait sur quelque chose.

— Oh, je ne sais plus, répondit tante Helena.

Daisy ne voyait que sa nuque mais elle sentit qu'elle était sur le point d'éclater en sanglots.

— Ça fait des années que ça dure, Helena.

Daisy tira Ed par le bras.

— Allons-y, murmura-t-elle.

Sa mère tourna brusquement la tête et scruta la fenêtre derrière laquelle ils les espionnaient.

— Vous sortez, les enfants ? demanda-t-elle, comme s'il était parfaitement normal d'écouter aux portes.

— On va au Quarterdeck, répondit Daisy en s'empressant de les rejoindre sur le porche.

Ed la suivit à pas lents.

— Entendu. Si tu prenais cinquante cents dans mon porte-monnaie pour vous acheter des clams ? Il est dans la cuisine, ajouta-t-elle en la regardant d'un drôle d'air, voyant qu'ils ne bougeaient ni l'un ni l'autre.

Un verre à la main, Helena regardait obstinément ailleurs. Aussi loin que remontaient les souvenirs de Daisy, elle l'avait toujours vue avec un verre de scotch. Chaque fois qu'elle sentait l'odeur dans les carafes sur le bar ou l'haleine de son père quand il l'embrassait pour lui souhaiter bonne nuit, une vision de sa tante, tout en blondeur et douceur, surgissait dans son esprit. Son père buvait plus volontiers du gin-tonic. Daisy le savait parce qu'il l'autorisait quelquefois à lui préparer ses cocktails. Elle raffolait du bar, sa collection de touilleurs de toutes les couleurs – un véritable arc-en-ciel –, sans parler des magnifiques carafes en cristal de sa grand-mère, portant chacune une plaque en argent avec le nom de l'alcool gravé d'une écriture tarabiscotée. Son père lui avait appris à mettre le gin en premier, puis les glaçons, ensuite l'eau de Seltz tirée de la bouteille en verre et un zest de citron vert qu'on glissait dans le verre après. Elle adorait regarder le tonic pétiller quand le citron tombait dedans.

— Viens, dit-elle à Ed.

— Allons, Ed, renchérit sa mère. Tiens compagnie à Daisy. Ta maman et moi avons besoin de rattraper le temps perdu.

Ed pivota sur ses talons et, sans un mot, il rentra dans la maison. Daisy le suivit jusqu'à la cuisine d'été, un vaste espace clair où trônait un gros four blanc auquel elle n'avait pas le droit de toucher non plus. Elle était plus chaleureuse que la cuisine d'hiver exiguë, convertie depuis longtemps en lingerie. De l'autre côté du couloir se trouvait la véranda avec une vue sur l'allée et la pelouse de derrière, bordée par les hortensias bleus de sa défunte grand-mère. (Sa mère lui avait expliqué que ce bleu exceptionnel était dû au marc de café avec lequel sa grand-mère les avait paillés.)

— Je n'en reviens pas qu'elle n'ait fait aucun commentaire au sujet de mon short, commenta Daisy en récupérant le porte-monnaie.

— On s'en fiche de ton short, répliqua Ed.

— Enfin bref, fit Daisy, gênée, avant de fredonner *Poison Ivy*. Tu es prêt ?

Ed la dévisagea sans rien dire. Ses yeux rappelaient la peau argentée des petits poissons en vente dans la boutique d'appâts.

— Allons ! s'exclama-t-elle en raclant ses chaussures contre la plinthe du comptoir, ça ne doit pas être si grave. Les gens tiennent constamment ce genre de discours.

— Qui ça ?

— Dans les films, en tout cas. (Elle sonda le regard de son cousin en se demandant si lui aussi était en train de perdre la tête.) C'est du blabla, je te dis.

Les gens jaseront. Les dames n'y prêtent pas attention.

— Tu n'y connais rien, riposta Ed. Sur Hollywood, je veux dire. Les choses sont différentes, là-bas.

— Arrêtons d'y penser, d'accord ? Allons-y. Oublie les bicyclettes. On marchera en prenant tout notre temps si tu veux.

À la tombée de la nuit, la jeunesse allait traîner autour du Quarterdeck en se régalant de hot dogs enveloppés dans du papier ciré ou de clams frits servis dans des boîtes rayées. Ce n'était qu'une banale cabane avec un toit en pente au-dessus de la cuisine et un comptoir pour les commandes, mais on tombait toujours sur quelqu'un qu'on connaissait. Des dizaines de vélos étaient posés contre les flancs de la bicoque et, sur le muret de l'autre côté de la route, des bandes bavardaient, chacun jaugeant les autres du regard.

— Je vais chercher des clams, annonça Daisy, sentant les pièces toutes chaudes contre sa paume. Trouve-nous une place.

Daisy passa commande au serveur boutonneux puis s'adossa au comptoir pour avoir un panorama sur tout le monde. En repérant Ed au milieu des autres, elle eut un pincement à l'estomac. Il n'était pas si tartignolle que ça. D'ailleurs, des tas de copains le trouvaient énigmatique, pour ne pas dire franchement chic, avec ses salopettes repassées et ses Ray-Ban – d'autant plus qu'il venait de Hollywood. Seulement, il était différent. Cette manière qu'il avait de vous observer, de la même façon que sa mère inspectait les melons au supermarché. La plupart des gens n'en étaient même pas conscients. Ceux qui restaient à l'écart. Ça n'effrayait pas particulièrement Daisy, mais ça la rendait triste et un peu mal à l'aise.

Quand sa commande fut prête, elle rejoignit son cousin et se hissa sur le muret à côté de lui. Elle choisit un gros clam qu'elle engouffra. La pâte graisseuse se brisa contre la chair molle dans sa bouche. Elle huma l'odeur des bateaux de pêche amarrés derrière le Quarterdeck ; la brise lui ébouriffait les cheveux, hérissant le duvet sur sa nuque. On aurait dit que l'été venait d'arriver, avec son mystérieux mélange de sel, de chair fraîche et de carburant.

Elle aperçut un garçon mince, de grande taille, aux cheveux châtains, en grande conversation avec Peaches Montgomery.

— C'est qui, lui ? demanda-t-elle en donnant un coup de coude à Ed.

Cette tignasse hérissée de pics lui faisait penser à des algues. Elle imagina qu'il sentait comme l'intérieur de sa bombe équestre : un parfum doux et salé à la fois, voisin du cuir.

— Tyler Pierce. Il a quatorze ans, si tu veux tout savoir. Ce qui est le cas, j'en suis sûr.

— Comment ça se fait que tu le connais ? riposta Daisy, ignorant la pique.

— J'ai rencontré Peaches cet après-midi quand je suis allé me balader en ville, avant que tu arrives.

— Et alors ?

— Elle parlait de lui.

Daisy le regarda avec insistance, mais il n'en dit pas plus. Il saisit avec précaution un clam qu'il entreprit d'inspecter.

— Taratata. Viens-en aux faits, Ed. Qu'est-ce qu'elle a dit exactement ?

— Je n'ai pas vraiment écouté, répondit-il en émiettant la pâte frite dans le creux de sa main. Elle le connaît de chez elle, je crois, et sa famille vient d'acheter une maison à South Summer.

Daisy rumina l'information en le regardant enfoncer son ongle dans la chair du crustacé. Elle observa le nouveau venu encore un instant et se prit à regretter de ne pas avoir de queue-de-cheval. Peaches, elle, en avait une, couleur caramel, qui oscillait d'une épaule à l'autre quand elle évoluait sur le court de tennis.

De l'avis de Daisy, Peaches Montgomery était pathétique. Toujours en train de se pavaner, de minauder. Elle s'appelait Penelope en réalité et prétendait qu'elle devait son surnom à la texture de sa peau. *Pareille à des pêches à la crème*, selon la formule de son père. Daisy n'y croyait pas une seconde. En attendant, les garçons plus âgés l'aimaient bien. Elle tapait même dans l'œil des profs de tennis. Elle avait du *charme* apparemment.

Surprenant Daisy en train de la toiser, Peaches plissa ses petits yeux légèrement bridés. *Des yeux en amande*, disait aussi son père, paraissait-il. Elle s'approcha d'eux d'un pas nonchalant.

— Salut, Daisy, dit-elle en faisant passer sa queue-de-cheval de son épaule gauche à la droite. Bonjour, Ed.

Elle lança ça plus ou moins dans sa direction sans vraiment poser les yeux sur lui.

— Salut, Peaches, répondit Daisy.

— Tu viens juste d'arriver ?

— Mmh hum.

— J'ai appris que vous deviez tous loger chez toi cet été, ajouta Peaches en continuant à éviter le regard d'Ed. Ça doit faire du monde.

— J'imagine, répondit Daisy en enfournant voracement un clam. Tu joues au tennis cette année ?

— Bien sûr. Mon père m'a entraînée tout l'hiver. Tu sais comme il est.

— En effet.

Daisy sauta du mur en s'efforçant de rejeter ses cheveux en arrière.

Ed dévisageait Peaches. Celle-ci lui jeta un coup d'œil en faisant presque la grimace avant de rejoindre ses amis qui l'appelaient.

— Elle a grossi, déclara Daisy. Je parie que je vais la battre au tournoi cette année.

— Il y a des hommes qui aiment ça, répliqua Ed.

— Qu'est-ce que ça peut faire ?

Il y a des hommes qui aiment ça. C'était la première fois qu'elle entendait une chose pareille.

— S'il faut qu'elle trimballe son popotin sur le court, je vais avoir le temps de faire des cabrioles autour d'elle.

— Je suis prêt à parier que tu la battras, déclara Ed.

— Merci.

La nuit les enveloppa paisiblement tandis qu'ils remontaient Simpson's Lane. Il n'y avait pas de trottoirs, rien que des haies fleuries s'inclinant au-dessus des clôtures blanches comme pour aller caresser la chaussée poussiéreuse. À cette heure-là, c'était silencieux dans ce coin délaissé par les nantis en route pour aller prendre des cocktails au Yacht Club ainsi que les marins du soir partis pique-niquer à Cape Pogue. Non que les autres rues fussent particulièrement agitées, mais elles semblaient faire partie du monde réel. Simpson's Lane aurait pu être un chemin de campagne sans issue.

Daisy cueillit nonchalamment une rose et commença à arracher les pétales. Elle pensait à Peaches, au tennis, au garçon aux cheveux châtains.

— Elle ne t'apprécie pas beaucoup, tu sais, dit-elle en levant les yeux vers son cousin qui marchait sans se presser à côté d'elle en inspectant les fenêtres éclairées au passage. Peaches, je veux dire. Tu lui fais froid dans le dos. (Dans une sorte de transe, Ed ne l'avait apparemment pas entendue.) De quoi avez-vous discuté cet après-midi, au fait ? reprit-elle en l'observant d'un peu plus près. Parce que, en règle générale, c'est tout juste si elle adresse la parole aux garçons de moins de quatorze ans.

— De différentes choses, répondit-il à voix basse.

Le bourdonnement des criquets s'intensifia ; une corne de brume retentit au large.

— Tu n'as pas échangé un seul mot avec elle, clama-t-elle au bout d'un moment.

Ed garda les yeux rivés sur les façades.

— Comment sais-tu tout ça, alors ?

Pour finir, il s'arrêta et se tourna lentement vers elle.

— Tu l'as espionnée !

— Je n'appellerais pas ça de l'espionnage, répondit-il, son regard argenté scrutant son visage. Je m'instruis.

Daisy se réveilla dans la nuit. Elle crut que c'était à cause des reflets intenses de la lune sur le port. Et puis elle entendit la voix de Billie Holiday qui s'engouffrait dans l'escalier. Elle descendit en chemise de nuit, pieds nus, et vit sa mère et sa tante à la lueur des bougies sur la terrasse. Elles étaient en combinaisons, leurs bretelles en soie barrant leurs épaules rondes.

Penchée en avant, sa mère écoutait avec attention la douce voix de Helena. Une bouteille de gin à ses pieds. Daisy se rapprocha de la fenêtre.

— Je ne sais pas, disait Helena. Je ne suis peut-être pas la mère qu'il lui faut. Ou bien je le laisse passer trop de temps en compagnie d'Avery. Je ne sais plus, à la fin. Je suis à bout de forces, Nick, je t'assure.

— Ah, nos enfants, soupira Nick. Qui aurait pensé qu'ils se distingueraient à ce point de nous en grandissant ? C'est peut-être ce que nous souhaitons, après tout. Regarde Daisy, toute dorée, comme son père. Il y a des moments... c'est bizarre de dire ça, mais parfois je suis dure avec elle parce que j'ai l'impression d'être une étrangère dans une maison faite pour le bien, le doré, le céleste. Ce qui fait de moi le diable, je suppose.

— Cette chère vieille Nick, s'esclaffa Helena. J'aimerais tant être un peu plus comme toi. Moins bonne, moins dorée. Quoique, je pense qu'une partie de mon être est en train de se volatiliser petit à petit.

— Pour être remplacée par quoi ? s'enquit Nick en lui plantant un doigt dans l'épaule.

— D'autres hommes ?

— Tu n'oserais pas !

— Tu crois que tu es la seule, hein ?

Nick la dévisagea avant de boire une autre gorgée en mordant dans les glaçons.

— Tu te souviens de cette horrible bonne femme qui habitait à côté de chez nous à Elm Street ? Celle qui avait un marin différent chaque soir ?

Helena réfléchit un instant avant de répondre :

— Loretta. Quel était son nom de famille déjà ?

— Cette femme était le parfait exemple à ne pas suivre, ricana Nick.

— Et le petit soldat maigrichon, au visage tout vérolé, qui hurlait comme un loup sous ses fenêtres, tu te rappelles ?

Nick pouffa de plus belle.

— Arrête, gémit-elle. Je vais éclater de rire et nous allons réveiller nos chers petits.

— Nous ne sommes pas en état, ajouta Helena en réprimant un accès d'hilarité.

Daisy retenait son souffle depuis si longtemps qu'elle crut que sa cage thoracique allait éclater. Elle était subjuguée. Comme si des lutins avaient enlevé sa mère et sa tante et les avaient remplacées par des fées. Elles étaient si belles, si différentes, avec ces mouvements de tête, des mains qui projetaient des ombres gracieuses dans la lueur de la terrasse. Elles avaient beau débiter des bêtises, elle les idolâtrait. Les inflexions harmonieuses de leurs voix, les effluves de leurs parfums flottant dans l'air, c'était comme une chanson d'amour. Elle avait envie de les rejoindre, sous le clair de lune trop vif, de croquer de la glace en laissant une bretelle tomber négligemment de son épaule. Elle aspirait à faire partie de ce monde enchanté que les deux femmes semblaient avoir créé avec des lampes-tempête, des notes de musique et des rires. Et puis, inexplicablement, cette vision se confondit avec l'image de Tyler et l'odeur du carburant près du Quarterdeck.

Daisy tourna lentement les talons pour ne pas faire de bruit sur le parquet ciré et remonta discrètement dans sa chambre.

Juillet 1959

I

Les cours de tennis n'avaient débuté que depuis deux semaines, le mois de juillet avait à peine commencé à faire peser le poids de l'été sur l'île, quand Ed cessa de venir à l'entraînement. Il partait de la maison tous les matins à 8 heures avec Daisy. Ils se rendaient au club ensemble, mais on ne le revoyait plus jusqu'à midi, heure à laquelle il réapparaissait pour venir la chercher. Ils rentraient alors déjeuner à Tiger House.

Il ne lui disait jamais où il allait ni ce qu'il faisait pendant qu'elle s'échinait à parfaire son revers sur le court de terre battue où il faisait une chaleur à crever. Pas la peine de le questionner. Il répondrait simplement « différentes choses », voire rien du tout.

Ces mystérieuses disparitions inspiraient à Daisy des sentiments mitigés. En un sens, ça lui était assez égal. La seule chose qui la préoccupait, c'était de remporter le tournoi à la fin de la saison. Tandis qu'elle cuisait sous un soleil de plomb, les cuisses brûlantes, les avant-bras durs comme le bracelet en corde cirée qui lui serrait le poignet, elle redoublait d'efforts pour faire pleurer sa rivale, rendre son amorti indétectable, sa volée invisible, sa foulée plus sûre. Atteindre la zone idéale chaque fois. En renvoyant méthodiquement les balles. Tic-tac, tic-tac, comme une bonne petite pendule. L'absence de son cousin lui faisait une distraction de moins.

Mais cela posait tout de même un problème. Il avait toujours été son partenaire en double. S'il n'était pas très doué en tennis, elle l'était suffisamment pour assurer pour eux deux. Le match en double était de la gnognotte, mais il fallait impérativement le disputer si l'on voulait se qualifier pour le tournoi en simple à la fin de l'été. Le travail d'équipe est l'œuvre de Dieu, c'est tout au moins ce que cette vieille prune ridée de Mme Coolridge leur rabâchait chaque année dans son laïus au début de la saison. En temps normal, Ed n'aurait manqué pour rien au monde le match en double, dans la mesure où une absence entraînait une suspension automatique l'année suivante, mais, cet été, il avait l'air de s'en soucier comme d'une guigne. Du coup, Daisy allait devoir faire de la lèche à quelqu'un d'autre pour se dégoter un partenaire.

Peaches aurait été le choix idéal compte tenu de ses aptitudes, mais Daisy ne voulait pas se priver de la possibilité de la battre deux fois de suite. De toute façon, Trinny, l'acolyte blonde filiforme de Peaches, lui arracherait les yeux si elle prenait la moindre initiative pour inciter sa copine à faire sécession. Il n'empêche que Daisy se voyait bien en train de jouer avec elle. Peaches assénant des coups puissants, réguliers, sa queue-de-cheval flottant au vent, et elle, balayant la ligne de fond de court pour expédier la balle, invisible telle une minuscule abeille en robe de coton piqué, dans le carré de service. Cette vision se dissipa instantanément quand elle vit Peaches en personne surgir sous ses yeux. À cet instant, la seule chose qu'elle eût vraiment envie de faire, c'était de lui sortir de la tête ces petits yeux bridés d'un revers bien senti.

La seule autre joueuse qui n'était pas une débile absolue, c'était la nouvelle, Anita. Daisy lui faisait passer mentalement les sélections depuis deux jours quand elle décida de l'aborder. Certains éléments jouaient contre elle, notamment le fait qu'elle avait les oreilles percées. Non que Daisy eût véritablement quelque chose contre, mais elle se souvenait des commentaires de sa mère à propos de la serveuse portugaise du Yacht Club qui sortait apparemment avec tout un tas de garçons.

Les filles bien ne se font pas percer les oreilles.

En plus, Anita avait un peu l'allure d'une beatnik, avec ses cheveux noirs tout raides et sa frange. Toutefois, elle était capable de renvoyer un revers imparable depuis le côté droit du fond de court. Du point de vue de Daisy, cela compensait largement les oreilles percées et l'éventualité d'une session de bongo.

Elle avait eu l'intention d'aborder Anita pendant la pause en milieu de matinée, quand tout le monde se précipitait sous le porche derrière le Club House pour se mettre à l'ombre. Mais, en remontant des courts vers la pelouse, elle avisa sa mère en train de faire une partie avec tante Helena – dont le teint avait viré au cramoisi sous le coup de la fatigue. Sa mère, elle, évoluait en toute décontraction sur la terre battue, soulevant de minuscules nuages dans son sillage. Elle avait la peau brune ; ses cheveux d'ordinaire d'un noir luisant s'étaient parés de nuances couleur miel sous le soleil. Ce qui frappa le plus Daisy à cet instant fut la nonchalance avec laquelle elle tapait dans la balle. Elle n'avait pas l'air de ressentir cette rage qui la faisait courir inlassablement du fond du terrain au filet ; son corps ne semblait pas vibrer de cette énergie qui donnait l'impression qu'on allait sortir de sa peau. Comment pouvait-elle tenir sa raquette avec autant de désinvolture, comme s'il ne s'agissait pas d'une arme, comme si sa rivale était tout sauf une ennemie ? On aurait dit qu'elle jouait pour la forme, même si elle faisait ça à la perfection.

Daisy remarqua Tyler Pierce assis sur le banc des spectateurs devant le court. Tyler – dont les cheveux pareils à des algues l'avaient accompagnée dans ses rêveries – suivait la partie avec beaucoup d'intérêt, semblait-il. Elle hésita à s'approcher pour lui parler, l'informer que la femme qui jouait avec autant d'aisance n'était autre que sa mère, mais elle redoutait qu'on ne se moque d'elle pour avoir fait du gringue à un garçon plus âgé. À contrecœur, elle se résigna à monter les marches du Club House et s'accouda à la balustrade blanche pour regarder Tyler regarder sa mère.

Quelque chose de froid et d'humide contre son bras la tira brusquement de sa contemplation. En se retournant, elle vit Anita, tout sourires, qui pressait un verre de limonade contre son épaule.

— Bonjour, dit Anita en lui tendant le verre.

— Salut.

— Elle est fantastique, n'est-ce pas ? ajouta Anita en désignant le court où les deux joueuses étaient en train de ramasser leurs balles.

— Qui ça ? demanda Daisy, troublée par cette soudaine apparition et le choc du froid contre sa peau.

— La brune.

— C'est ma mère, répondit-elle en plissant les yeux tout en acceptant la limonade.

— Ah bon ? Vous ne vous ressemblez pas du tout.

— Je sais, marmonna Daisy, à la fois agacée et gênée par la promiscuité d'Anita, si près d'elle que leurs épaules se touchaient. Je ressemble plus à mon père.

— Oh ! s'exclama Anita en buvant une gorgée dans son verre couvert de gouttelettes. Eh bien, je suis sûre qu'il est chouette lui aussi.

— Je ne sais pas trop, répondit Daisy qui se balançait d'un pied sur l'autre.

La frange d'Anita, coupée net sur son front, était assez chic, bien qu'un peu démodée. Daisy pensa à cette photo d'une vedette des années 1920 qu'elle avait trouvée dans un des albums de sa mère.

— Écoute, ça faisait un moment que je voulais te poser la question. Accepterais-tu d'être ma partenaire pour le match en double ?

— Bien sûr, répondit sans hésiter Anita, comme si ce n'était rien du tout.

— Il va falloir qu'on s'entraîne à fond, ajouta Daisy d'un ton grave. (Elle en voulait tout à coup à Anita d'avoir accepté avant autant de désinvolture.) Je veux dire, tous les jours.

— On joue déjà tous les jours. Mais d'accord, pourquoi pas ? Je pourrais venir chez toi ?

— Si tu veux, répondit Daisy, prise au dépourvu.

Elle n'était pas certaine d'avoir envie de la voir traîner chez elle. Que dirait sa mère ?

— On devrait rejoindre les autres. La pause est finie.

— Je te rattrape, dit Anita, les yeux toujours rivés sur la fantastique joueuse.

Alors que Daisy descendait la pelouse, sa mère agita la main à son adresse.

— Salut, Daisy !

— Bonjour, maman, répondit-elle, sentant sa raquette comme une arme au repos dans le creux de sa main.

Elle n'en revenait toujours pas de ses exploits sur le court.

Dans les jours qui suivirent, Daisy s'attarda après l'entraînement pour éviter d'avoir à inviter Anita chez elle. Elle était adossée à la clôture séparant le court n° 7 du sentier tapissé d'herbes qui s'enfonçait dans les marécages menant à Ice Pond, quand son cousin secoua le grillage près de sa tête.

— Alors, ce revers, ça progresse ? demanda-t-il, imitant le ton sec de Mme Coolridge.

— Taratata. Qu'est-ce que tu fais là, Ed ?

Elle fit volte-face et glissa ses doigts entre les mailles métalliques. Il était nettement plus grand qu'elle, elle dut lever les yeux vers le soleil pour le regarder en face.

— Si Mme Cool te chope, elle va te tuer.

— Tu es censée me raccompagner à la maison, répliqua Ed.

Il était en tenue de tennis, impeccable, en dehors de ses chaussures usées et pleines de boue. Ses cheveux blonds étaient de la couleur de la farine de blé blanchie.

— Un vrai môme. Pourquoi ne dis-tu pas à ta mère que tu n'as plus envie de jouer ?

— Je ne supporterais pas de passer la matinée avec elle, répondit-il d'un ton pondéré. Viens, on va faire une promenade. J'ai trouvé un chemin sympa pour aller à l'étang, que personne ne connaît.

— Rentrons. J'ai faim. Maman a fait des œufs à la diable.

— J'ai volé deux cigarettes. À Tyler Pierce.

Daisy s'imagina en train de fumer avec Tyler derrière l'ancienne cave à glace pendant qu'il lui caressait les cheveux.

— D'accord, mais dépêchons-nous. Sinon je vais mourir de faim.

— Il n'y a pas que les Chinois qui meurent de faim, apparemment.

— Taratata !

— Tu devrais arrêter de dire ça. Ça ne fait pas très adulte.

— Comme si tu en savais quelque chose ! répliqua Daisy en ouvrant la porte grillagée pour le rejoindre sur le sentier. Allez, viens.

Une fois en sécurité derrière un bosquet de vieux chênes qui offraient une luxuriante toile de fond à Sheriff's Meadow, elle ralentit le pas. Ed avait pris les devants. Elle remarqua que ce qu'il faisait au cours de ses vadrouilles, quoi que ce fût, lui avait bruni la nuque.

— Il faut tourner à gauche derrière la vieille remise, dit-il en lui prenant la main pour l'entraîner dans le sous-bois.

— Il n'y a rien là-bas derrière, répondit-elle, d'humeur revêche parce qu'elle avait l'estomac dans les talons. Je ne veux pas salir mes chaussures à patauger dans le marécage. Ça pullule de moustiques en plus.

— J'ai trouvé un chemin, je te dis. Il mène à un ancien cabanon. On peut fumer là-bas.

— Tu disais que les cigarettes, c'était dégoûtant. Comment as-tu fait pour les piquer à Tyler, au fait ?

— Je les ai prises dans son sac de tennis. Pour toi.

— Promets-moi de fumer avec moi, ou je rentre à la maison *illico*.

Elle s'arrêta brusquement, sa jupe s'étant accrochée à un buisson de framboisiers sauvages.

— C'est par là, indiqua Ed en l'aidant à se dégager.

Ils avaient atteint la bicoque délabrée, vestige d'un camp désaffecté à proximité de Ice Pond. Alors qu'ils quittaient le sentier pour se diriger vers l'étang, Daisy repéra une borne envahie par le lichen. Elle aurait pris le temps de la gratter si Ed ne l'avait pas tenue fermement par le poignet. Il écarta les fourrés, la tirant dans son sillage. En temps normal, elle lui aurait ordonné d'arrêter de la malmener ainsi, mais elle mourait d'envie de savoir ce qu'il fabriquait pendant ces mystérieuses matinées. Et puis elle aimait bien quand il était comme ça, déterminé, quand il avait des choses à lui montrer, au lieu d'être là à bailler aux corneilles en fixant les gens au point de les mettre mal à l'aise.

Ils débouchèrent sur un petit chemin sinueux bordé de haies sauvages. L'air était comme figé. Seuls les criquets stridulant dans la chaleur interrompaient le doux frottement de leurs pas sur l'herbe humide.

— Taratata, lança Daisy avant d'avoir eu le temps de se contrôler. Comment as-tu déniché ce chemin, pour l'amour du ciel ?

— En me baladant, répondit-il avec une drôle d'inflexion dans la voix, l'air content de lui. J'étais sûr que ça te plairait. Que tu comprendrais, ajouta-t-il en la regardant intensément.

— Y a-t-il une clairière quelque part ?

— Un peu plus haut.

— Dans ce cas, fumons ici, suggéra-t-elle en posant une main sur son bras, sentant ses muscles sinueux.

— Allons un peu plus loin. La cabane est juste après le tournant.

Au prochain coude se dressait un vieux chêne pourrissant dont les racines faisaient surface tel un nageur à bout de forces. Daisy s'adossa à l'écorce effritée et se laissa glisser à terre.

— Je suis fatiguée. Restons ici. Tu as apporté des allumettes, j'espère.

Ed lui tendit une cigarette et sortit une boîte d'allumettes provenant d'un endroit appelé The Hideaway. Daisy porta la cigarette à sa bouche et sentit le tabac sec lui coller aux lèvres. Ed gratta une allumette avec soin et la rapprocha lentement. La cigarette ne voulait pas s'allumer.

— Il faut que tu aspires en même temps.

Daisy s'exécuta. L'extrémité de la cigarette grésilla puis s'embrasa.

— Ça fait mal, geignit-elle.

Elle essaya d'avaler la fumée comme elle avait vu des filles le faire à Harvard Square. Une inhalation rapide comme une sorte de hoquet, puis des volutes gris-bleu s'échappèrent joliment de ses lèvres rouges. Ce n'était pas si facile que ça. Elle avait un goût amer dans la bouche et légèrement mal au cœur, comme quand elle buvait trop de café.

— Je ne pense pas arriver à la finir.

Ed ne quittait pas le sentier des yeux.

Elle écrasa la cigarette contre une racine et se redressa, en proie à une sensation étrange. Elle pensa tristement à Tyler. Arriverait-elle à lui faire croire qu'elle avait aimé fumer s'il lui posait la question ? Elle donna des coups de pied dans l'herbe autour de l'arbre jusqu'à ce qu'elle se rende compte que ça tachait sa chaussure. En regardant au loin, elle aperçut ce qui ressemblait à une petite clairière.

— Alors, elle est où cette cabane ?

— Par là, répondit Ed. Tu veux que je te la montre ?

— Ouais, mais après on rentre à la maison manger des œufs à la diable.

Il l'entraîna à nouveau, derrière le chêne, au-delà d'un buisson de chèvrefeuille, jusqu'à la clairière. Sur le côté se dressait une baraque affaissée sous le poids de l'air humide et du bois décomposé. On aurait dit un abri de bus au toit en pente, ouvert devant, partiellement dissimulé aux regards.

— Ça donne la chair de poule. C'est là que tu traînes toute la matinée ?

— Parfois, répondit-il d'un ton évasif.

Daisy fit le tour de la bicoque pour y voir de plus près. Elle était assez profonde. Des ronces et de vieilles ordures – des bouteilles de bière, des emballages de bonbon – s'amoncelaient dans les renfoncements.

Tout au fond, elle distingua ce qui ressemblait à un plaid écossais.

— On dirait une nappe de pique-nique, par là, dit-elle en expédiant un nuage de poussière dans cette direction.

Ed vint à sa hauteur, scruta l'intérieur.

— Quelqu'un est venu casser la croûte dans ton petit coin secret.

Il ne répondit pas.

Daisy s'avança jusque sous l'auvent sans quitter des yeux la couverture pleine de bosses et toute tachée. Comme de la sauce au chocolat. C'est alors qu'elle aperçut le poulpe dont les tentacules s'échappaient d'un angle mangé par les mites pour aller s'écraser contre le mur du fond.

— Il y a quelque chose dessous, déclara-t-elle, le cœur battant. Quelqu'un qui dort, peut-être.

Pour Dieu sait quelle raison, elle repensa tout à coup à l'homme qui ressemblait à Walt Disney, qu'elle avait vu frictionner ses parties intimes devant la porte des toilettes pour dames de chez Bowit Teller. À sa bouche formant un O parfait, comme un poisson. Elle n'avait rien dit à sa mère à propos de ce type qui avait gémi et s'était fait pipi dessus sous ses yeux. Elle avait vu la petite tache sombre s'étendre sur le devant de son pantalon. Du coup, elle avait passé cinq bonnes minutes à tripoter les chaussures rouges de chez Mary Janes dans le rayon filles jusqu'à ce que sa mère cède et les lui achète.

— Je doute que quelqu'un dorme là-dessous, commenta Ed en pénétrant dans la cabane tandis que Daisy, elle, commençait à reculer.

— Moi, je crois que si. On devrait y aller. Je n'aime pas cet endroit.

Ed la rattrapa par le bras, lui enfonçant péniblement son bracelet en corde dans le poignet. Elle se figea. Il fit un pas en direction de la couverture, se pencha et tendit la main.

— Arrête, protesta Daisy, avec la sensation de parler sous l'eau.

Il souleva lentement le tissu écossais.

On convoqua les pères. Daisy entendit sa mère au téléphone avec Boston.

— Elle l'a vue, Hughes ! Tu te rends compte !

Il y eut un silence puis un vague bourdonnement émanant du combiné parvint à ses oreilles : la voix de son père.

— Ils ne savent pas exactement. Ça pourrait être une domestique. Une de ces Portugaises apparemment.

Nouveau temps d'arrêt.

— Je ne l'ai pas vue moi-même, ajouta sa mère en passant des doigts couverts de bagues dans ses cheveux. Non, je ne lui ai pas demandé. Je ne sais pas quoi faire. Il faut à tout prix que tu viennes, Hughes. Et puis appelle Avery, dis-lui de prendre le premier avion. Qu'il ne se défile sous aucun prétexte. Ce gamin est déjà beaucoup trop lourd à gérer pour sa pauvre mère. Cette affaire ne va rien arranger.

On fit couler un bain chaud avec des sels d'Epsom pour Daisy. Sa mère s'assit sur le siège bleu poudre des toilettes, une tasse de café noir à la main, et l'observa. Ne sachant pas trop ce qu'elle attendait, Daisy se sentait mal à l'aise. Était-elle censée pleurer ? Une fille était morte, après tout. Seulement, elle n'avait aucune envie de pleurer. Elle voulait discuter avec Ed, mais elle ne l'avait plus revu depuis qu'elle avait couru jusqu'à la maison, les joues en feu, toute tremblante, se ruant d'une pièce à l'autre pour trouver sa mère et lui dire d'appeler la police.

— Où est passé Ed ? finit-elle par demander.

— Je n'en sais rien, répondit Nick en venant s'agenouiller près de la baignoire. Il faut qu'on te lave les cheveux aussi, mon chaton.

Depuis quand ne l'avait-elle pas appelée ainsi ? Daisy n'aurait su le dire. Si tant est qu'elle l'eût fait un jour. Rien n'était moins sûr. Mais c'était agréable à entendre et elle se laissa faire volontiers quand sa mère entreprit de la shampouiner en lui massant le crâne, essuyant les bulles qui se formaient à la naissance des cheveux.

Puis elle ouvrit le robinet et lui renversa délicatement la tête sous le filet d'eau chaude en fredonnant une comptine.

— Voilà, dit-elle finalement, l'enveloppant dans une serviette comme elle le faisait parfois à la plage lorsque Daisy sortait de l'eau en hurlant, tétanisée par le froid.

Daisy ajusta la serviette autour d'elle. Sa mère la saisit par les épaules et la regarda dans les yeux sans dire un mot.

— Si tu enfilais ton pyjama, suggéra-t-elle au bout d'un moment, avec une gaieté forcée.

— Il n'est que 14 heures, maman.

— Ah oui ! (Sa mère éclata de rire.) Bon eh bien, mets ce que tu veux.

Un peu plus tard, Daisy trouva sa mère dans la cuisine, les yeux rivés sur le poulet qui trônait au milieu du comptoir. On se serait cru à l'intérieur d'un citron à cause du soleil qui filtrait à travers les rideaux à pois jaunes.

Agrippée des deux mains au plan de travail en bois poli, elle regardait intensément le volatile comme s'il était sur le point de se redresser pour lui annoncer quelque chose d'important.

— Maman ?

Allait-elle finalement craquer, comme Vivien Leigh ?

— Oh ! fit sa mère en se tournant vers elle, un sourire aux lèvres. Je me disais qu'on mangerait peut-être du poulet ce soir. Quand ton père sera rentré, je veux dire. Mais je ne pense pas avoir faim. Et toi ?

— Non, répondit Daisy.

En réalité, elle mourait de faim. Elle avait sauté le déjeuner et il semblait à présent qu'elle allait devoir se passer de dîner en plus.

— Quelques sandwiches peut-être. Une salade d'œufs ou de concombre ?

— Une salade d'œufs.

— Ma chérie, aurais-tu la gentillesse de préparer pour ta maman un de ces délicieux gin-tonic que tu fais si bien pour ton père ?

Daisy était dans le salon vert en train de verser avec soin une mesure de gin de la carafe en cristal quand elle entendit la porte de derrière claquer. Espérant trouver Ed, elle se précipita dans le couloir, mais c'était sa tante qui venait de rentrer. Elle dressa l'oreille en entendant des voix désincarnées dans la cuisine.

Les petits flacons ont de grandes oreilles.

— Où l'as-tu trouvé ? demanda Nick.

— Dans le bureau du shérif, répondit Helena.

— Qu'est-ce qu'il fichait là, pour l'amour du ciel ?

— Il était encore là-bas, apparemment, quand la police est arrivée sur les lieux pour embarquer le... corps... la fille, je veux dire. Pourquoi n'a-t-il pas pris la fuite avec Daisy ? Je n'en ai aucune idée. Après ce coup-là, il a avoué à la police que ça faisait des jours qu'il traînait dans le coin. Il n'allait plus à ses cours de tennis. (Helena marqua une pause pour reprendre son souffle.) Les policiers l'ont ramené au commissariat afin que le shérif l'interroge. Ils veulent savoir s'il n'aurait pas vu quelqu'un de louche dans les parages.

— Où est-il maintenant ? s'enquit Nick d'un ton exaspéré.

— Toujours au poste. Je l'ai trouvé tellement bizarre. Il n'était pas du tout bouleversé, il n'a même pas eu l'air content de me voir. Il était assis là dans le bureau du shérif, parfaitement calme. Il souriait presque, en fait. Et puis il m'a dit : « Ne t'inquiète pas, maman. Tout va bien se passer. » Comme s'il venait de résoudre un problème d'arithmétique, et non de découvrir une pauvre fille étranglée. J'ai honte de te le dire, Nick, mais ça m'a glacée jusqu'aux os. Mon propre fils. Tout sourires, alors qu'on parlait d'une morte !

— Je comprends, souffla Nick.

— Ensuite le shérif a dit qu'il le raccompagnerait volontiers quand Ed aurait fini de collaborer avec eux. *Collaborer* avec eux ! Pour l'amour du ciel, en quoi un gamin de treize ans pourrait-il aider la police ? Le shérif m'a carrément fait un clin d'œil, ce qui voulait dire, je présume, que c'était un truc entre hommes, quelque chose comme ça. C'est ça que ça signifie ? Qu'il s'agit d'un truc entre hommes ? Que le Seigneur me vienne en aide. J'aimerais tellement qu'Avery soit là.

— Nous avons toutes les deux besoin d'un verre, dit Nick. Ne t'inquiète pas. Quand Hughes sera là, il saura quoi faire.

Daisy choisit cet instant pour entrer dans la cuisine.

— Voilà ton cocktail, maman.

— Merci, mon chaton. Cela t'ennuierait-il de préparer un scotch pour ta tante ?

— Oh Daisy, s'écria Helena en se précipitant vers elle. Ma pauvre petite.

— Je vais bien, tante Helena.

Sa réaction allait-elle les glacer jusqu'à la moelle aussi ? Fallait-il qu'elle pleure, qu'elle tourne de l'œil, comme les actrices dans les films ?

— Je t'apporte ton verre.

Elle n'en fit rien. À la place, elle sortit de la maison sur la pointe des pieds, avec dans l'idée de se rendre au commissariat pour exiger la libération de son cousin. Quoique, ils ne le gardaient pas vraiment prisonnier, si ? Elle méditait la chose en ouvrant le portail, prête à orienter ses pas vers Morse Street.

— Bonjour, Daisy.

Elle faillit s'évanouir en entendant la voix d'Ed derrière elle.

— Taratata. Ed Lewis. Tu m'as fait une peur bleue. D'où sors-tu ?

— Je suis resté caché ici en t'attendant, répondit-il d'un ton calme.

Daisy posa une main sur son cœur comme si cela pouvait en ralentir les battements. Pourtant, elle n'avait jamais été aussi contente de voir quelqu'un de sa vie.

— Oh, Ed ! Où es-tu allé ?

— Nulle part. C'est toi qui as décampé.

— À cause de cette horrible langue. On aurait dit une sucette au raisin fondue, cette langue toute tordue qui jaillissait de la bouche en cire de la fille. Mais je pensais que tu me suivais.

— Non. Je n'ai pas bougé.

Quelque chose dans sa voix incita Daisy à cesser de prêter attention aux pulsations de son propre sang pour scruter de plus près le visage de son cousin.

— Qu'est-ce que tu as aux yeux ?

— Rien.

C'était toujours des poissons argentés, mais ils étaient vivants maintenant, comme ces petits vairons qui se faufilaient entre ses orteils à marée basse. À quel moment le changement s'était-il produit ? Daisy essaya de se souvenir des instants qui avaient précédé la découverte du corps.

— On ne peut pas parler ici, souffla-t-elle. Elles sont en train de devenir folles là-dedans. Mon père ne va pas tarder, le tien va venir aussi. Et ils sont au courant pour le tennis.

— Je sais.

Ça n'avait pas l'air de l'affecter.

— Permets-moi de te dire qu'on est dans la mouise jusqu'au cou, grâce à toi. Tu as faim ?

— Pas vraiment.

Ça l'agaçait au plus haut point que personne n'ait faim.

— Tu as un peu d'argent sur toi ?

— Le shérif m'a donné deux dollars. Pour ma collaboration.

— Parfait. Tu vas pouvoir m'acheter un cheeseburger. On ferait mieux de passer par le port pour éviter qu'on nous voie.

Elle n'ouvrit plus la bouche jusqu'à avoir dévoré le cheeseburger en veillant à ce que la graisse qui maculait le papier ciré ne coule pas sur son short. Ils s'installèrent sur un banc près du ferry, loin de la foule du Quarterdeck. Ed était toujours en tenue de tennis, couvert de taches. Les cheveux dressés en épis sur sa tête, il balançait doucement ses longues jambes ; ses baskets raclaient le gravier à chaque oscillation.

— Tu leur as dit, pour les cigarettes ?

— Non, répondit Ed. Ne t'inquiète pas pour ça. Ils ne les ont pas vues et, s'ils les trouvent, ils penseront que c'est l'assassin qui les a fumées.

L'assassin. Sur le moment, elle ne s'était pas vraiment demandé comment la fille s'était retrouvée comme ça. Elle avait juste constaté qu'elle était dans cet état. Après qu'Ed eut soulevé la couverture, il lui avait fallu une minute pour discerner quelque chose. Un siècle s'était écoulé ensuite, semblait-il, avant que ses pieds ne se mettent en mouvement. Avec le recul, bien évidemment, elle comprenait que quelqu'un d'autre avait fait subir ça à la pauvre fille.

Elle avait la moitié du visage défoncé ; le poulpe émergeait de ses cheveux noirs bouclés. Ses yeux étaient ouverts, bombés comme ceux d'une grenouille ; sa grosse langue faisait saillie entre ses dents. Et sa poitrine. En dehors de sa langue, c'est ce qu'il y avait de plus effrayant. C'était la première fois que Daisy voyait des seins, en dehors de ceux de sa mère. Mais ça n'avait rien à voir. Quelque chose n'allait pas. Il en manquait des bouts, comme si quelqu'un avait poinçonné la peau avec un emporte-pièce en laissant des empreintes de forme ovale qui vous fixaient comme des yeux poisseux. C'est à ce moment-là que les pieds de Daisy avaient commencé à bouger tout seuls.

— L'assassin, répéta-t-elle en détachant les syllabes. Est-ce qu'ils savent qui c'est ?

— Non, répondit Ed. Mais la fille s'appelle Elena Nunes. On a trouvé sa carte d'identité sur elle. C'est la bonne des Wilcox.

— Et le poulpe ? (Daisy n'arrivait toujours pas à comprendre comment il était arrivé là.) Elena Nunes était peut-être allée se baigner ?

— Quel poulpe ?

— Sur sa tête, tu sais, tout écrabouillé.

— C'était sa cervelle, son crâne.

— Comment tu sais ça ? bredouilla Daisy.

— J'étais avec le policier qui a rapporté les faits au shérif, expliqua Ed. Il a dit : « Le type lui a tellement tapé sur le crâne qu'une partie de sa cervelle est sortie de la tête. »

— Il a dit ça ? Qu'une partie de sa cervelle était sortie de la tête ?

Daisy sentit son estomac se révulser.

— Elle a été étranglée, en plus. C'est pour ça qu'elle avait le cou tout noir.

Ed chuchotait comme s'ils étaient dans une église.

— Je n'arrive pas à croire qu'on ait vu une femme assassinée.

— Je sais.

— Tu crois que le meurtrier va se lancer à nos trousses maintenant ? On est peut-être marqués au fer rouge, nous aussi.

Elle avait lu une histoire de ce genre-là, où des croix rouges apparaissaient comme de la lave en fusion sur le front des victimes désignées.

— Sûrement pas, trancha Ed. Je pense que ça fait de nous des gens spéciaux.

Juillet 1959

II

Dès que le père de Daisy débarqua à Tiger House, tout parut rentrer dans l'ordre. En l'espace de vingt-quatre heures, il avait inscrit Ed dans un camp de scouts en tirant quelques ficelles à son club. Pendant ce temps-là, Nick s'était remise à ses fourneaux et avait entamé les préparatifs pour sa réception estivale annuelle. Elle semblait moins distraite. Elle avait même entrepris de jardiner et allait jusqu'à prévoir des pique-niques sur la plage à l'intention de son mari qui, pour sa part, avait pris sur lui de gérer tous les appels et visites des amis inquiets et des voisins curieux.

Les nouvelles vont vite. Les mauvaises, encore plus.

Seule Helena paraissait détachée de toute cette effervescence. Oncle Avery avait annoncé qu'il ne viendrait pas.

— Il refuse, Nick, avait dit Hughes. À cause de sa fichue collection. En toute honnêteté, il n'avait pas l'air de se faire beaucoup de souci. Il a dit un truc bizarre, comme quoi ce genre d'expérience forgeait le caractère. Ce type est vraiment un cas.

— Qu'il aille au diable !

Helena, qui s'était tenue à l'écart pendant cet échange, n'avait fait aucun commentaire.

Nick avait eu l'air dubitatif quand Daisy l'avait suppliée, des larmes dans la voix, de la laisser reprendre ses leçons de tennis. Un seul jour d'absence mettait ses chances en péril, lui avait-elle expliqué.

— Elle était quasi hystérique, l'entendit-elle raconter à son père un peu plus tard derrière la porte close de leur chambre. Ça m'inquiète. Je ne trouve pas ça normal. Comment peut-elle avoir envie de retourner là-bas après ce qui s'est passé ?

— Elle est déterminée à remporter le tournoi, c'est tout.

— Ça ne me paraît pas très sain.

En entendant un bruissement dans la chambre, Daisy devina que sa mère était en train de refaire le lit. C'était une habitude qu'elle avait, lorsqu'elle était nerveuse ou qu'elle avait l'esprit ailleurs.

— Ça lui changera les idées, répondit son père. N'en faisons pas plus grand cas que nécessaire. On ne va pas lui gâcher son été sous prétexte qu'un cinglé a décidé d'étrangler une bonne.

— Je te trouve bien cavalier, Hughes Derringer, riposta sa mère d'une voix cassante comme le verre. Ça nous a fichu l'été en l'air à nous tous, que notre enfant soit tombée sur le cadavre d'une fille tailladée, au crâne fracassé.

— Tu m'as très bien compris.

— Je n'en suis pas si sûre. Cela dit, il n'y en a toujours que pour vous deux. Je suis l'intruse. Rien d'étonnant à ce que tu prennes son parti.

— Ne recommence pas avec ça. Tu sais très bien que ce n'est pas vrai.

Daisy entendit d'autres bruissements.

— Je déteste quand tu me parles sur ce ton-là. (La voix de sa mère avait baissé d'un cran et Daisy dut presser son oreille contre la porte pour l'entendre.) Comme si je te cassais les pieds.

— Tu ne me casses pas les pieds. C'est juste… tu me déconcertes parfois, Nick.

— Oh ! On est honnête, maintenant ?

— Essayons au moins.

— Je pourrais en dire autant de toi, tu sais.

Daisy entendit son père soupirer et les ressorts du lit grincer, comme s'il s'était laissé tomber lourdement sur le matelas.

— Qu'est-ce que tu veux que je te dise ? reprit-il au bout d'un moment. Tiens-tu absolument à ce qu'elle renonce à ses cours ?

— Je n'en sais rien. Je voudrais juste que nous nous entendions sur la question. C'est ce meurtre. Ça me terrifie.

— Viens là.

Daisy eut l'impression que des heures s'étaient écoulées avant que sa mère ne brise le silence.

— Il fait chaud dans cette chambre.

Elle paraissait à bout de souffle. Les ressorts grincèrent à nouveau.

— Attends. Ne bouge pas.

— Je…

— Ta peau… (Son père n'acheva pas sa phrase.) Puis-je ? Je veux dire, est-ce que tu as envie…

— Oui.

— Nick, je…

— S'il te plaît. Ne dis rien, dit Nick, avant d'ajouter : Attends, Hughes, nous n'avons pas réglé le problème. Au sujet de Daisy, je veux dire.

— Bon d'accord, mais décide-toi rapidement.

— Tu as raison, je suppose, chuchota sa mère. Cela ne devrait pas gâcher son été. Elle tient tellement à ce tournoi.

— C'est une gagnante.

Les joues en feu, Daisy courut dans sa chambre. Elle étala soigneusement sa tenue de tennis sur le lit supplémentaire en lissant un pli sur le col.

Sa mère avait raison, en un sens. À certains moments, quand elle renvoyait la balle au-dessus du filet, cette vision d'horreur, l'odeur du bois pourrissant de la cabane lui revenaient brutalement au point qu'elle avait le vertige, comme la fois où elle avait eu une insolation et avait vomi dans la piscine des Gilchrist.

Le jour de son retour au club, cependant, elle avait eu l'impression d'être une vedette de cinéma. Tout le monde voulait lui parler du cadavre. Ses camarades s'étaient attroupés autour d'elle sur la terrasse du Club House, lui proposant de la citronnade, des bonbons, allant jusqu'à lui promettre des cordes neuves pour sa raquette en échange de détails.

— Tu as tout de suite su qu'elle était morte quand tu l'as vue ?

— Elle était toute blanche, comme un fantôme, c'est ça ?

— Tu t'es évanouie ? Moi je suis sûre que je serais tombée dans les pommes.

Cet ultime commentaire venait de Peaches, ce qui n'avait rien d'étonnant compte tenu du fait qu'il fallait toujours qu'elle ramène tout à elle. Elle devait s'imaginer en pâmoison dans les bras d'un garçon obligeant en tennis blanches. Comme si elle était assez légère pour être portée par qui que ce soit. Mais personne ne lui prêta attention cette fois-ci. Tyler lui-même parut la trouver agaçante.

— Laisse Daisy raconter l'histoire, aboya-t-il.

Se sentant glorifiée, Daisy se rapprocha de lui. Il dégageait une odeur particulière, mélange de cuir et de sueur, de propre aussi. Elle l'enveloppa d'un regard plein de gratitude.

— C'était bizarre, dit-elle. Il y avait manifestement quelque chose qui n'allait pas. Elle avait la tête tout de travers. Ed a dit qu'on l'avait assommée à coups de pierre. C'est ce que le policier lui a expliqué.

Toute la bande en eut le souffle coupé.

— Ed a été très courageux, poursuivit-elle, se sentant fière et loyale envers son cousin. C'est lui qui a soulevé la couverture.

— On croirait un film, commenta Anita d'un ton approbateur.

— Toi aussi, je te trouve courageuse, déclara Tyler.

Daisy sentit sa respiration se coincer dans sa poitrine. Elle eut une sorte de hoquet.

— Si j'avais une petite sœur, j'aimerais qu'elle te ressemble, ajouta-t-il.

Peaches esquissa un petit sourire narquois, estimant sans doute avoir repris l'avantage.

Anita s'invita chez elle après le cours. Toujours un peu maussade à cause de Tyler et Peaches, Daisy accepta sans réfléchir bien qu'elle ne fût pas sûre que ce soit une bonne idée. Elle espérait que ses parents seraient à la plage et que sa tante n'aurait pas un comportement trop bizarre.

— Je trouve ça follement excitant que vous ayez trouvé cette fille. C'est une histoire à la Nancy Drew.

— Tu viens de dire que c'était comme un film, souligna Daisy, d'humeur mesquine.

— C'est les deux en même temps. Mieux que ça, en fait, parce que c'est vrai.

Daisy ne répondit pas.

— C'était la bonne des Wilcox, précisa Anita en jetant un coup d'œil dans sa direction.

— Je sais, répliqua Daisy, d'un ton agacé.

— Mme Wilcox aurait renvoyé sa précédente domestique parce qu'elle avait volé, *dixit* ma grand-mère.

Daisy la dévisagea, remarquant les commissures de ses lèvres légèrement retroussées.

— Volé quoi ?

— Je n'en sais rien. Mais ma grand-mère dit que Mme Wilcox ne peut s'en prendre qu'à elle-même. C'est une mauvaise patronne qui n'arrive pas à garder ses employées.

À l'idée qu'Elena Nunes ait pu voler, Daisy sentit son cœur se serrer. Elle préféra changer de sujet.

— Tu vis chez ta grand-mère ?

— Non, mais je passe mes vacances chez elle. Ma mère est actrice. L'été, elle est toujours en tournée.

— Ta mère est actrice ?

Daisy commençait à trouver cette fille nettement plus intéressante qu'elle avait bien voulu l'admettre jusqu'à présent.

— Mmh hum. De théâtre. Elle joue dans *Les Sorcières de Salem* en ce moment. Off-Broadway.

— Ça parle de quoi ?

— De sorcières qui ont été condamnées et exécutées à Salem, mais maman dit que c'est une pièce très politique.

— Oh.

Elles avaient atteint l'allée qui débouchait sur North Summer Street.

— Tu viens ?

Daisy emmena Anita dans la cuisine d'été où il faisait une chaleur étouffante. Elle trouva des sandwiches à la mortadelle dans la glacière et un petit mot de sa mère sur le comptoir l'informait que ses parents pique-niquaient sur la plage.

— Tiens.

Daisy tendit le plat à Anita pour prendre la carafe de limonade. Une spécialité de sa mère. L'un des sandwiches devait être destiné à Ed, mais ça lui était égal.

— On n'a qu'à aller s'installer sur la terrasse de devant.

En passant dans le salon bleu, Daisy découvrit Helena endormie dans un fauteuil.

— Emporte ça, dit-elle à son amie. J'arrive tout de suite.

Elle s'approcha de sa tante et posa une main sur son épaule.

— Tante Helena ?

Celle-ci ne broncha pas. Elle ronflait doucement, la bouche entrouverte. Le verre qu'elle n'avait pas lâché était incliné sur ses genoux ; une tache sombre s'étalait sur sa robe bleu marine.

— Tante Helena, répéta Daisy d'une voix un peu plus forte en la secouant légèrement.

Sa tante ouvrit les yeux, parut avoir du mal à la reconnaître.

— Tu as l'air fatiguée, tante Helena. Tu ne préférerais pas monter t'allonger ?

Sans un mot, elle se leva péniblement et se dirigea vers l'escalier. Daisy la regarda monter les marches en s'appuyant lourdement sur la rampe.

— C'est ma tante, expliqua-t-elle à Anita quand elle la rejoignit dehors. Elle est éreintée. Ça doit être la chaleur.

Anita ne répondit pas, se bornant à la regarder tout en mordant dans son sandwich.

— C'est une tante du côté de ta maman ? demanda-t-elle finalement tout en mâchant.

— Oui, enfin, elles ne sont pas vraiment sœurs. C'est sa cousine en fait. Mais je l'appelle tante.

— Ma mère a des amies actrices qu'elle considère comme ses sœurs. Mais moi je ne les appelle pas tante.

Tout en attaquant son sandwich, Daisy se demanda si, vues de l'intérieur de la maison, Anita et elle étaient à l'image de sa tante et de sa mère, féminines et sensuelles, en pleine conversation d'adultes à propos de pièces de théâtre, de New York, de cadavres.

Avant que son cousin ne rentre des scouts, Daisy avait eu le temps de faire découvrir à Anita sa cachette secrète, avec les bandes dessinées d'Archie et le coquillage rose. Elle lui avait même montré la licorne. Loin de se moquer d'elle, Anita avait admiré sa crinière. Elles étaient en train de jouer à la bataille par terre dans sa chambre quand Ed entra, vêtu de son drôle d'uniforme kaki, un foulard autour du cou. Ses jambes ressemblaient à des échasses en bois clair sous son short.

— Salut.

— Oh, salut, répondit Daisy.

Anita se leva d'un bond.

— Bonjour, je m'appelle Anita. C'est toi qui as trouvé le corps, c'est ça ?

Muet, Ed la dévisagea.

— Daisy m'a beaucoup parlé de toi, ajouta-t-elle en souriant.

Ce n'était pas vrai. Daisy en voulut à Anita.

— Comment va la brigade de tocards ? demanda-t-elle.

— C'est assez intéressant, en fait, répondit Ed. On a passé la journée à Gay Head à chercher des pointes de flèches.

Il se pencha pour déposer délicatement une petite pierre grise triangulaire près du tas de cartes de Daisy.

— Je t'en fais cadeau, dit-il à voix basse. Je suis le seul à en avoir trouvé une.

Daisy regretta aussitôt d'avoir été aussi méchante.

— Merci.

— Wouah, s'exclama Anita. Tu en as de la chance !

— J'ai pu me servir de mon nouveau couteau, ajouta Ed en faisant tourner dans sa main le couteau de l'armée suisse que son oncle lui avait offert. Pour tailler des branches.

— Tu as dû prêter allégeance au drapeau et tout ça ? s'enquit Anita. Ma mère dit que c'est du lavage de cerveau.

Ed l'observa avec un peu plus d'attention.

— Non, M. Reading ne croit pas à toutes ces sornettes. Il dit qu'il est un renégat. La fédération des scouts du Massachusetts ne l'autorise même pas à être un vrai guide, selon leur règlement. Nous appliquons les méthodes traditionnelles d'Ernest Thompson Seton, fondées sur le savoir-faire des Indiens.

— Ils sont fantastiques, les Indiens, s'enthousiasma Anita. Ils ne croient pas en Dieu, vous le saviez ?

Daisy en avait assez de les écouter tenir des propos décousus auxquels elle ne comprenait rien.

— Comment ça, M. Reading ne croit pas en Dieu ?

— Tout le monde n'est pas croyant, renchérit Ed. Des tas de gens à Hollywood ne croient pas en Dieu.

— Vous êtes fous, tous les deux. Si ce n'est pas vraiment un chef scout, tu n'auras pas de médaille du mérite.

— Ça m'est égal. J'apprends à faire de la sculpture sur bois à l'ancienne et à dépecer des lièvres, comme le font les Indiens de Gay Head. Des techniques de survie. C'est beaucoup plus utile.

— Tu tues des lièvres ? s'exclama Daisy, horrifiée.

— Ils ne souffrent pas. On leur tord le cou d'abord.

— Vous êtes vraiment obligés de les étrangler vous-mêmes ? renchérit Anita, qui semblait fascinée.

— En fait, on leur disloque la nuque, répondit Ed d'un ton neutre. Tu le tiens fermement et tu tires brutalement la tête en arrière. Après ça, tu le pends par une patte de derrière et tu lui tranches le cou pour le saigner.

Daisy en eut le vertige.

— Est-ce que ça va ? demanda Anita. Tu es toute pâle.

— Je ne me sens pas très bien, marmonna-t-elle, sentant la mortadelle remonter.

Ed scruta son visage.

— Je crois que je vais vomir, bredouilla-t-elle en se levant précipitamment, la main sur sa bouche, avant de foncer à la salle de bains.

Elle vomit dans la cuvette bleu poudre.

Pendant les deux semaines qui suivirent, les préparatifs en vue de la réception prirent de plus en plus de place dans la maison. Des petits drapeaux américains éparpillés sur la table de la salle à manger attendaient d'être cousus sur des rubans. Des invitations, portant la mention « Tiger House », surmontée d'un tigre du Bengale sinueux, jonchaient le secrétaire de Nick. Des caisses remplies du plus beau cristal de la maison, montées de la cave, occupaient tout un mur du salon vert. Des bouts de papier couverts de numéros de téléphone, d'adresses, de noms – dont certains barrés – voltigeaient dans les pièces, pareils à des tourbillons de poussière. Des sacs remplis d'argenterie à briquer s'entassaient sur les comptoirs de la cuisine d'été. Quant aux nappes brodées de la grand-mère de Daisy, elles couvraient les fauteuils et les canapés en attendant qu'une domestique s'en occupe. Le téléphone sonnait constamment. C'était le fleuriste annonçant qu'il était impossible de trouver des pivoines couleur pêche à cette époque-ci de l'année (on se rabattit sur des hortensias blancs), ou l'employé de chez Crane avertissant que la livraison des étiquettes gravées au nom de chaque convive risquait d'être retardée d'un ou deux jours. La catastrophe avait été évitée de justesse, raconta Nick à la maisonnée, quand le monsieur chargé de peindre les lanternes japonaises rappela pour dire qu'il avait finalement trouvé un camion assez grand pour transporter la cargaison depuis le continent à temps.

La perspective de la fête rendait l'atmosphère électrique, au point que Daisy s'attendait presque que les bougeoirs, les drapeaux, les fourchettes et les couteaux se dressent et aillent se mettre d'eux-mêmes à leur place, comme dans *Casse-Noisette*, quand les jouets s'animent une fois que tout le monde est allé se coucher. Elle était contaminée par la magie de l'événement, à telle enseigne qu'elle ne s'offusquait plus qu'on la réprimande sans arrêt parce qu'elle avait laissé traîner sa raquette ou mangé sur la terrasse, sachant que les miettes risquaient d'attirer des fourmis dans la maison. Elle remarqua que même Ed mettait la main à la pâte en procédant à une vérification régulière des pièges à souris dans la cuisine et la réserve.

En définitive, Anita et elle avaient perdu le tournoi en double. Daisy résolut malgré tout de demander à sa mère de convier sa nouvelle amie à la soirée. Après tout, ce n'était pas la faute d'Anita si elle n'était pas à la hauteur.

— Oui, oui, répondit distraitement Nick en levant les yeux de sa énième liste avant d'ajouter : Mais elle ne peut pas venir au souper.

— Je n'y suis pas invitée moi-même, s'exclama Daisy d'une voix forte.

— C'est exact. (Nick fixa à nouveau son attention sur son bloc-notes en mordillant son crayon.) Quand tu auras seize ans...

Le souper était réservé aux amis intimes de ses parents. Ils devaient arriver à 6 heures précises pour dîner en petit comité avant que la fête ne batte son plein. Ce repas semblait causer autant d'anxiété à la maîtresse de maison que l'événement principal. Daisy n'arrivait pas à comprendre pourquoi, dans la mesure où sa mère ne faisait pas la cuisine elle-même, se bornant à tourmenter les jeunes femmes de Vineyard Haven qu'elle avait embauchées pour l'occasion.

— Ça n'a rien de compliqué, leur rabâchait-elle à tout bout de champ. Vraiment pas, mais c'est délicat et on ne peut pas s'y reprendre à deux fois.

Le tournoi en simple avait lieu le lendemain de la réception, et Daisy s'entraînait furieusement. Elle avait recommencé à se ronger les ongles – une habitude dont elle s'était pourtant débarrassée des années plus tôt quand sa mère, dans un accès de rage, lui appliquait deux fois par jour du Tabasco au bout des doigts.

Il faut souffrir pour être belle.

Elle éclatait en sanglots après chaque cours, sans trop savoir pourquoi. Ça lui faisait du bien de pleurer en mâchonnant le col trempé de son polo. À la fin de la semaine, elle disputa un match d'entraînement en deux sets contre Peaches.

Peaches fit un maximum de dégâts, l'emportant haut la main, la battant qui plus est sur son propre service. Daisy se sentit tout engourdie et pourtant son cœur battait si vite qu'elle crut qu'il allait exploser.

— Tu es capable de jouer mieux que ça, lui dit M. Collins, le professeur de tennis, quand elle remonta au Club House. (Posant une main sur l'épaule de sa rivale, il ajouta :) Beau travail, Peaches. Très efficace. Bon, les filles, serrez-vous la main.

Daisy prit la fuite. Elle gagna la sortie à grandes enjambées en traînant sa raquette derrière elle. Elle n'avait même pas envie de pleurer, juste de rentrer chez elle et de se glisser sous des draps frais.

En entendant des pas derrière elle, elle n'accéléra pas l'allure. Ils auront beau me ligoter et me faire subir des tortures chinoises, se dit-elle, pas question que je serre la main à cette grosse truie.

Une main chaude et sèche la saisit par le bras.

— Salut. Attends-moi, tu veux. Tu es si pressée que ça ? Elle se retourna. C'était Tyler.

— Ce n'est pas si grave, ajouta-t-il. Ne pleure pas.

— Je ne pleure pas, répliqua-t-elle en pressant le pas.

— D'accord, d'accord, tu ne pleures pas, dit-il. Ralentis un peu, s'il te plaît.

Elle s'arrêta.

— Je voulais juste te dire que tu avais très bien joué, à mon avis.

— Ne sois pas ridicule, riposta Daisy, furibonde. J'ai perdu.

— Ce n'était pas un vrai match, répondit Tyler. Vous n'avez joué que deux sets. Tu t'es très bien débrouillée, je t'assure. Tu as fait quelques erreurs, c'est tout.

— C'est M. Collins qui t'envoie ? Parce que... autant te le dire tout de suite, il n'est pas question que je serre la main de cette garce.

Tyler éclata de rire.

— Un vrai hérisson !

Elle continua à le dévisager en enfonçant le sommet de sa raquette dans le gravier.

— Bon bon, écoute, je ne suis pas l'espion de Collins. C'est juste... tu as eu l'air de prendre ça tellement à cœur. Passe-moi ta raquette, ajouta-t-il en tendant la main. Elle ne mérite pas d'être traitée aussi mal.

Elle obtempéra. Le bord était tout éraflé, à force de la traîner par terre. Ils se remirent en marche.

— Tu as tort de prendre les choses aussi au sérieux. Tu es la meilleure joueuse, ça ne fait aucun doute.

— Il n'empêche qu'elle a gagné, répliqua-t-elle d'une voix un peu cassée. Pas moi. Elle joue mieux que moi.

— Pas du tout. Je t'ai observée. Tu te défends sacrément bien.

— Pas suffisamment.

— Tu es plus passionnée, elle, plus calculatrice. Deux styles différents, c'est tout. Je préfère le tien.

Daisy médita la chose en se mordillant la joue. *Tu es plus passionnée, elle, plus calculatrice.*

— Je n'arrive pas à croire qu'elle m'ait eue sur un service.

Lorsqu'ils s'engagèrent dans Morse Street, la tension du match commençait à se dissiper. Prise d'un soudain élan d'allégresse, Daisy se rendit compte que Tyler Pierce était en train de la raccompagner chez elle. Elle avait l'impression que le trottoir poussiéreux se soulevait pour venir à la rencontre de ses pieds ; les volets blancs se détachaient, aussi nets et propres que du linge immaculé, contre le cèdre des façades. Elle sentait le parfum du chèvrefeuille que ses baskets foulaient au passage. Elle mourait d'envie de glisser sa main dans celle de Tyler. Que pourrait-on imaginer de plus merveilleux ?

Il tenait la raquette négligemment sur son épaule. Elle voyait une auréole de transpiration sous son aisselle. Ses cheveux humides étaient lissés en arrière. Il était mignon, comme une fille, avec des pommettes hautes, de longs cils. Alors qu'en fait c'était un homme, avec sa sueur, ses bras puissants, hâlés qui portaient cette raquette avec tant de désinvolture.

Elle se garda de prendre le raccourci par North Summer Street qui conduisait derrière la maison, préférant faire le tour par North Water Street tout en s'efforçant de trouver un sujet de conversation qui n'ait rien à voir avec le tennis ou Peaches. Elle y réfléchissait toujours quand ils atteignirent le portail.

— Bon, fit-elle en appuyant lentement sur la poignée.

— Bon, répéta Tyler en souriant, puis il lui tendit sa raquette en levant les yeux vers la façade. Alors, c'est là que tu habites.

— Oui, répondit Daisy en levant les yeux à son tour, se demandant quelle impression faisait sa maison à travers son regard à lui.

Il passa sa main sur les roses rouges qui escaladaient la clôture. Ce geste libéra le parfum des fleurs charnues.

— C'est grand, commenta Tyler. C'est joli.

— C'est mon arrière-grand-mère qui l'a fait construire.

Faute de trouver quoi que ce soit d'intéressant à dire, elle jeta des coups d'œil désespérés autour d'elle en quête d'un petit détail à lui offrir en pâture.

— On avait deux cuisines avant.

Elle regretta aussitôt d'avoir ouvert la bouche. Qu'est-ce qu'un garçon en a à faire des cuisines ?

— Mon cousin m'a apporté une vraie pointe de flèche d'Indien de Gay Head. Tu veux que je te la montre ?

— Volontiers, répondit Tyler. À vrai dire, j'ai un peu soif.

— Oh ! s'exclama Daisy. La limonade, tu aimes ? Ma mère a une recette secrète.

— Une recette secrète, hein ? Je serais ravi de goûter.

— Viens, dit-elle en l'entraînant vers la terrasse. Installe-toi là. Je t'en apporte.

Elle ne voulait pas qu'il voie sa tante en train de ronfler dans son fauteuil préféré.

Le silence régnait dans la maison. Elle s'empressa de verser la limonade dans deux grands verres ornés de jacinthes. En ressortant à pas mesurés de la cuisine, elle jeta un coup d'œil dans le salon bleu. Pas de trace de Helena. Au passage, elle alluma la vieille radio en mettant assez fort pour qu'on entende la musique dehors. La voix de Little Anthony évoquant les larmes sur son oreiller emplit la pièce. Elle poussa la porte moustiquaire d'un coup de hanche, soulagée de trouver Tyler là où elle l'avait laissé.

— Voilà.

Elle lui tendit un des grands verres et le regarda le tourner dans sa main pour examiner les jacinthes gravées avant de boire une gorgée.

Elle mémorisait chaque détail de sa personne. Son polo à col blanc portait l'insigne du Tennis Club, cousu sur la poitrine ; des gouttelettes de sueur perlaient à la racine de ses cheveux. Ses chaussures étaient soigneusement lacées, mais il n'avait pas fait de double nœud, comme s'il savait d'office qu'ils ne se déferaient pas au mauvais moment. Elle avait apprécié l'attention qu'il avait prêtée aux jacinthes, comme si chaque détail comptait pour lui.

— C'est délicieux, dit-il en posant son verre vide sur la table en fer forgé entre eux. C'est quoi, la recette ?

— Ma mère est la seule à le connaître, répondit Daisy, puis, sur le point d'ajouter qu'elle avait promis de la lui révéler quand elle serait plus grande, elle se ravisa. Tu veux voir la pointe de flèche ?

— D'accord, dit-il, mais son regard était tourné vers la rue.

— Je reviens tout de suite.

Elle monta quatre à quatre les marches cirées conduisant à sa chambre, jeta la licorne de côté et entreprit de fouiller dans son tiroir secret. Elle écarta les coquillages et les pièces amassés au fond sans parvenir à mettre la main sur la pointe de flèche. L'aurait-elle rangée ailleurs ? Prise de panique, elle s'obligea à réfléchir. Qu'en avait-elle fait après qu'Ed la lui avait donnée ? Anita l'avait gardée à la main un instant, mais elle l'avait rendue. Daisy regarda sur la table de nuit, sous son lit, se mit à plat ventre pour vérifier sous le radiateur en dessous de la fenêtre. Mais il n'y avait là qu'une mouche morte et une toile d'araignée abandonnée.

Elle décida de redescendre de peur que Tyler ne s'en aille si elle passait trop de temps à chercher. Elle dévala l'escalier.

En déboulant sur la terrasse, elle trouva sa mère penchée sur son ami en train de lui chuchoter quelque chose à l'oreille. Elle avait enfilé un short coquelicot sur son maillot de bain sans bretelles ; ses cheveux encore humides après son bain de mer effleuraient la joue de Tyler.

Daisy se figea. Sa mère se redressa lentement et lui sourit.

— Bonjour, ma chérie.

Elle était consciente d'avoir la bouche ouverte, mais aucun son n'en sortait. Elle regarda Tyler dont le visage hilare était tourné vers sa mère.

— Est-ce que ça va, mon chaton ? s'exclama celle-ci en s'esclaffant. Tu as perdu ta langue ?

— Je cherchais ma pointe de flèche, finit-elle par balbutier, tandis qu'une vague de chaleur émanant du bout de ses doigts se répandait sur ses joues, tel un coup de soleil. Qu'est-ce que tu en as fait ? demanda-t-elle d'une voix trop forte.

— Comment ?

Sa mère riait toujours, comme si elle la trouvait ridicule.

— Où est-elle ? Tu n'aurais pas dû la toucher. Elle n'était pas à toi. C'est Ed qui me l'a donnée.

En tapant du pied, elle fit trembler les verres à jacinthes sur la table en fer.

— Allons, Daisy, reprit sa mère d'un ton un peu sévère. Je ne te l'ai pas prise. Je me suis contentée de la ranger dans ton tiroir du haut pour éviter que tu la perdes.

— Je voulais la montrer à Tyler, bredouilla-t-elle, refoulant les larmes qui menaçaient de couler. (Perplexe, elle changea de tactique :) De quoi parliez-vous ?

— Ne m'en veux pas, s'il te plaît, répondit sa mère, retrouvant son sourire qu'elle adressa à Tyler. J'étais en train de révéler à ton camarade ma recette de limonade. Il tenait absolument à l'avoir.

— C'est vrai, renchérit Tyler en souriant béatement en retour. Ta mère m'a assuré qu'elle ne pouvait la transmettre qu'à toi, mais je lui ai dit que tu ne m'en voudrais pas puisqu'on est amis.

— J'attends de toi maintenant que tu fasses quelque chose de très gentil pour Daisy, coupa sa mère en posant une main légère sur l'épaule de Tyler. Histoire de te faire pardonner de m'avoir soutiré ce secret.

— Je ferais n'importe quoi, assura Tyler.

Daisy suivit cet échange avec anxiété, consciente de son rôle subalterne : elle n'était que spectatrice.

— Tu devras l'escorter à la soirée que nous donnons la semaine prochaine, ajouta sa mère en lui faisant un clin d'œil.

De toute évidence, ce n'était pas le genre de mission à laquelle s'attendait Tyler. Néanmoins, il sourit hardiment à Daisy en disant :

— Volontiers. Ce serait un honneur.

Elle aurait voulu mourir, s'enfoncer dans le sol, disparaître. Sa mère l'avait déjà mise en colère auparavant, mais jamais au point qu'elle la haïsse.

Août 1959

I

Le jour de la réception, Nick fit irruption dans la chambre de Daisy à 6 heures du matin, tel un général en peignoir de soie verte.

— Je n'en reviens pas que tu dormes encore, s'exclama-t-elle en tirant le drap moite. Le monde appartient à ceux qui se lèvent tôt. La fille doit faire les chambres. Vous le savez tous, pour l'amour du ciel ! Faut-il que je m'occupe de tout moi-même ?

Daisy eut envie de lui faire remarquer que si « la fille » faisait le ménage dans les chambres, elle n'avait pas à s'en charger, mais elle avait déjà quitté la pièce comme une furie.

Elle descendit à la cuisine où elle trouva son père et sa tante assis, le regard vitreux, à la table de la cuisine. Les joues obscurcies par une barbe naissante, son père sirotait son café. Quant à Helena, enveloppée dans des épaisseurs jaunes, elle fixait sa tasse d'un air morne.

— Qu'est-ce qu'il y a pour le petit déjeuner ?

À ces mots, Helena gémit et posa sa tête sur la table.

Hughes se leva en souriant, resserra sa ceinture autour de sa robe de chambre en flanelle.

— Ah Daisy ma chérie, ta vue est un véritable baume pour mes yeux las. Viens embrasser ton vieux père.

Daisy s'approcha docilement de lui. Il la prit dans ses bras et lui déposa un baiser sur le sommet du crâne. Il dégageait une odeur de sommeil, quelque chose d'aigre aussi. Elle se libéra de son étreinte et leva la tête vers lui.

— Tout le monde est un peu barbouillé, dit-il, sauf ta mère, bien sûr. Rien ne l'arrêtera à ce stade, à part une catastrophe naturelle, ajouta-t-il en gloussant. Que dirait ma fille préférée d'œufs brouillés ? Pas sûr que je les réussisse aussi bien qu'elle, mais je veux bien essayer.

— D'accord, dit Daisy en s'asseyant. Puis-je avoir du café aussi ?

— Du café ? (Il se tourna vers elle, une poêle à la main.) Depuis quand en bois-tu ?

— Maman m'autorise à en mettre un peu dans beaucoup de lait.

— Elle a des idées intéressantes, commenta-t-il, visiblement peu convaincu. Si ça peut te faire plaisir. Je vais en verser une goutte dans une tasse. Tu ajouteras le lait. D'accord ?

— D'accord.

Daisy se dirigea vers le réfrigérateur et sortit la bouteille de lait.

— Daisy, ma chérie, intervint sa tante derrière elle, d'une voix étouffée, aurais-tu la bonté de me servir un verre de ce délicieux lait ? En fait, apporte-moi la bouteille.

— Ça ne va pas, Helena ? s'exclama Hughes en riant.

— C'est ta faute, Hughes. Toi et tes whiskys-citron.

— Tu n'étais pas forcée d'en boire dix.

— Et toi, rien ne t'obligeait à me resservir constamment. Tu sais à quel point je les apprécie.

— Ce n'est plus un secret pour personne, je le crains.

— Eh bien, je le paie maintenant. Tu as mal agi, Hughes.

Elle avait un ton un peu agacé mais Daisy voyait bien qu'elle réprimait un sourire.

Elle lui apporta un verre et la bouteille de lait. Helena pressa la bouteille contre son front. Daisy pensa aux effets bizarres que les fêtes semblaient avoir sur les adultes, comme Noël quand plus aucune règle ne semblait s'appliquer. Son père et sa tante encore en pyjama à cette heure, se comportant comme des fous. Cela lui rappelait les films pour grandes personnes que sa mère l'emmenait voir quelquefois, où certains dialogues faisaient s'esclaffer tout le public, à part elle qui ne voyait pas ce qu'il y avait de drôle.

L'esprit de fête avait manifestement gagné Tiger House, mais Daisy le subissait comme un accès de mauvaise humeur. Elle entendit sa mère ouvrir les fenêtres des pièces du devant pour aérer, puis le fracas de plats s'entrechoquant, entrecoupé de jurons.

Ed débarqua dans la cuisine. Il sortait de la douche et portait une salopette méticuleusement repassée. Helena fit un gros effort pour se redresser quand il entra. Néanmoins, Daisy le vit jeter un regard réprobateur dans sa direction. Cela la hérissa.

— On déjeune tous en pyjama, lança-t-elle d'un ton impérieux.

— Les Indiens se lèvent avec le soleil pour aller chasser, répliqua-t-il froidement.

— Va prendre ton petit déjeuner avec eux alors.

— Des œufs brouillés, Ed ? demanda calmement Hughes, mais Daisy remarqua que sa main s'était immobilisée au-dessus de la poêle et que les œufs commençaient à roussir.

— Non, merci, répondit Ed, fixant son oncle un instant avant de détourner les yeux. Je vais vérifier les pièges à souris.

Quand il quitta la pièce, son refus continua à flotter dans l'air, entamant l'ambiance conviviale.

— Bon, soupira Helena en se levant. Je ferais mieux d'aller m'habiller. Nick a probablement besoin d'aide.

— C'est prêt, lança Hughes en déposant une assiette d'œufs brouillés devant sa fille.

Daisy venait juste d'en enfourner une bouchée légèrement brûlée quand sa mère apparut.

— Daisy Derringer, aboya-t-elle. Ôte tes pieds de cette chaise. Que fait cette bouteille de lait dehors ? Il va tourner. (Elle attrapa la bouteille en regardant autour d'elle.) Qu'est-ce que c'est que tout ce bazar ? Ces casseroles, ces assiettes, ces verres qui traînent partout ?

— Il faut bien qu'on mange, répondit son mari en déposant la poêle dans l'évier avant de s'approcher d'elle. Même les soldats ont droit à un petit déjeuner avant de partir sur le champ de bataille.

— Certes, répliqua-t-elle en essayant de se dérober à son étreinte, mais on n'est pas obligés de boire comme des trous puis de flemmarder autant alors que cent un convives seront là dans douze heures.

— Comment ça, flemmarder ? Il est 6 h 30 du matin ! Les gens normaux sont encore au lit.

Daisy les observa tout en continuant à manger. Son père souriait à sa mère qui gigotait dans ses bras comme elle-même le faisait lorsqu'on voulait lui mettre de la crème solaire.

— À quoi bon embaucher des filles si tu ne les laisses pas faire le travail ?

— Lave tes fichues assiettes, Hughes, répliqua Nick avant de les abandonner à leurs œufs refroidis dans la cuisine en désordre.

À l'heure du déjeuner, une atmosphère frénétique régnait dans la maison. Par cette chaleur, les bouquets fanaient, en dépit des bains constants que leur prodiguait la fille en faction, un pichet d'eau glacée à la main. Les Top Liners, l'orchestre de ragtime que Nick avait engagé sur le continent, flétrissaient eux aussi dans la fournaise. Ils avaient débarqué dans une certaine confusion et faisaient à présent le pied de grue, derrière la cave à glace. D'après ce que Daisy avait compris, ils avaient essuyé une sorte d'attaque en cours de route – ce qui expliquerait que sa mère leur avait donné l'ordre de se cacher.

— Ils sont complètement bourrés ! s'était-elle exclamée quand son mari les avait ramenés du ferry.

— J'aimerais bien pouvoir en dire autant.

— Eh bien, va te trouver une bouteille de gin et attaque-la si ça peut nous éviter de t'avoir dans nos pattes, avait-elle riposté d'un ton acide. Helena a pris de l'avance sur toi, je pense.

Sur la pelouse de devant, au-delà de North Water Street, des types en salopettes et maillots de corps étaient en train de dresser l'estrade et de suspendre des petits drapeaux, des lanternes et des tigres sur les poteaux autour du périmètre. Ils semblaient avoir de la peine à installer la plateforme à l'horizontale compte tenu de l'inclinaison du terrain.

— Ils s'en plaignent chaque année et chaque année ils s'en sortent, lança Nick dans la direction de sa fille sans s'adresser à qui que ce soit en particulier.

Ed avait disparu Dieu sait où et, malgré toute cette agitation, Daisy s'ennuyait. Elle avait reçu l'ordre de balayer l'allée, ce qu'elle n'avait pas fait. Après avoir subtilisé un canapé à la cuisine, elle battit en retraite dans sa chambre où elle s'assoupit dans la chaleur de midi.

Elle fut réveillée plusieurs heures plus tard par la voix anxieuse de son père.

— Daisy, souffla-t-il en la secouant légèrement. Aurais-tu vu ta mère, ma chérie ?

Elle secoua lentement la tête.

— Il est 16 heures. Je n'arrive pas à la trouver. (Il inspecta la chambre comme s'il s'attendait à la voir surgir de derrière une porte de placard.) Bon, si tu la vois, dis-lui qu'il est 16 heures. Elle a peut-être perdu la notion du temps.

Il tapota la jambe de sa fille avant de quitter la pièce.

Daisy se leva en prenant tout son temps et descendit. La maison avait subi une métamorphose. La nappe en lin de sa grand-mère, lisse, immaculée, couvrait la table de la salle à manger. Au milieu trônaient des seaux en argent glacés débordant d'hortensias et de joyeux pois de senteur. Le barman dont le col raide était trempé de sueur avait installé son attirail dehors ; il était en train de briquer son seau à glace avec une peau de chamois. La chaleur était toujours aussi insoutenable, et l'écailler engagé pour servir au bar à huîtres s'activait autour de ses glacières, sa visière verte jetant comme un linceul sur ses traits soucieux.

Daisy jeta un coup d'œil dans le salon bleu où un verre de scotch à demi vide transpirait sur la table basse. Sa mère n'était pas dans le salon vert non plus, ni dans la cuisine, toujours sens dessus dessous, où les filles s'efforçaient de trouver un moyen de refroidir le consommé.

— Vous n'auriez pas vu ma mère ?

Faute d'une réponse, voire du moindre indice qu'elles l'eussent entendue, Daisy répéta sa question, plus fort :

— Vous n'auriez pas vu ma mère ? Mon père la cherche.

Comme elle avait haussé la voix un peu plus qu'elle n'en avait eu l'intention, elles s'interrompirent toutes mais pas une seule n'orienta son regard dans sa direction.

— Elle a peut-être perdu la notion du temps, ajouta-t-elle d'un ton radouci, se sentant gênée.

Une brune aux cheveux collés sur la figure s'essuya les mains sur son tablier à rayures.

— Elle est là-bas, dehors, dit-elle finalement, désignant la pelouse de derrière. Avec les musiciens.

Les autres levèrent les yeux vers celle qui avait daigné répondre avant de reporter leur attention sur la grosse marmite.

Daisy sortit par la porte de derrière en veillant à ce que la moustiquaire ne claque pas trop fort.

Elle trouva sa mère derrière l'ancienne cave à glace en compagnie des Top Liners. Les musiciens buvaient de la bière à la bouteille tout en inspectant leurs instruments. Quant à Nick, elle était couchée dans l'herbe, les yeux rivés sur le ciel. Elle avait envoyé valser ses chaussures.

— Maman ?

Elle tourna la tête, sans la soulever.

— Chérie, souffla-t-elle d'une voix ensommeillée bien qu'elle eût les yeux ouverts. Mais bonjour !

— Papa te cherche. Il est 16 heures.

— Il est 16 heures ? Doux Jésus ! Il faut que je me prépare, déclara-t-elle, sans faire mine de se lever. On est tellement bien ici. C'est si paisible.

En regardant autour d'elle, Daisy ne vit que l'allée et la cave à glace grisâtre.

— Ah bon. (Elle se balança d'un pied sur l'autre.) Faut-il que je dise à papa que je t'ai trouvée ?

— Ce n'est pas la peine, ma chérie. Donne la main à ta maman, veux-tu.

Elle tendit les bras vers le ciel. Daisy lui attrapa les mains et tira, mais c'était un poids mort.

— Tu es trop lourde.

Sa mère gloussa. Daisy jeta un coup d'œil dans la direction des musiciens mais, occupés à pincer leurs cordes et à nettoyer leurs embouts, ils ne leur prêtaient pas la moindre attention.

— Bon, allez. Une dernière fois. Je promets d'y mettre du mien.

Daisy obéit sans se faire prier. Sa mère se redressa et s'épousseta.

— Il va falloir se presser maintenant, dit-elle, poussant Daisy devant elle en direction de la maison. Cours vite faire couler ton bain. Je passerai te voir avant que les invités n'arrivent pour le souper.

— Je ne suis plus un bébé, protesta Daisy. Je n'ai pas besoin qu'on me surveille.

— Évidemment que tu n'es plus un bébé, répondit machinalement Nick. Allez, va.

Du bas de l'escalier, Daisy la regarda monter en faisant tourbillonner sa jupe, un air inconnu flottant sur ses lèvres.

Après son bain, Daisy s'assit sur son lit en humant ses cheveux humides. Elle raffolait de l'odeur de son parfum spécial, mêlant chèvrefeuille et jasmin aux vagues effluves de sel qui ne la quittaient jamais l'été.

Elle entendit les pas de sa mère sur le palier.

— Daisy. Ah, c'est bien, tu as pris ton bain, dit-elle en entrant dans sa chambre.

Elle était en peignoir, mais ses cheveux étaient déjà secs, relevés en arrière en vagues noires étincelantes.

— Les invités ne vont pas tarder. J'aimerais que tu trouves à t'occuper jusqu'à la fin du souper. Tout ce que je te demande, c'est de ne pas mettre ta robe tout de suite si tu vas jouer. Les filles ont dû te préparer des sandwiches au poulet que tu devras manger à la cuisine.

— Où est passé Ed ?

— Je n'en sais fichtre rien, ma chérie. Je voudrais que tu me rendes un service. Pourrais-tu aider Helena à se préparer ? Je dois m'occuper de ton père, mais ta tante aura peut-être besoin d'assistance avec ses bijoux, sa coiffure, je ne sais quoi d'autre. Tu veux bien ?

— D'accord, répondit Daisy en l'observant.

Son humeur rêveuse semblait s'être dissipée. Elle était redevenue elle-même, énergique, affairée.

— Où est papa ? demanda Daisy.

— Il s'habille. Va vite donner un coup de main à ta tante, tu veux.

Daisy enfila sa robe de chambre et descendit au premier.

— Tante Helena, fit-elle en frappant à la porte de sa chambre.

Faute d'une réponse, elle tourna la poignée et poussa le battant.

C'était l'une des grandes pièces claires de l'avant de la maison. Le papier peint s'ornait de grands oiseaux bleus dans des cages dorées reposant sur de la vigne tapissée de fleurs. Les fauteuils rayés disparaissaient presque sous des montagnes d'habits jetés pêle-mêle. Des robes qu'on avait passées, puis abandonnées, jonchaient le tapis, pareilles à des fleurs fanées. Les fenêtres donnaient sur le port paisible, couleur d'azur.

Helena était devant sa coiffeuse, les mains posées sur le plateau en verre au milieu de flacons de maquillage et de tubes de rouges à lèvres débouchés.

— Tante Helena ?

Daisy avança pas à pas en contournant les amas de vêtements.

— Oh Daisy, mon trésor, répondit Helena, sans se donner la peine de se retourner.

Dans le miroir, Daisy vit qu'elle avait appliqué deux bandes de fard à joues, telles des zébrures sur ses pommettes avant d'essayer de les étaler sans grand succès. Des gouttelettes de sueur brillaient sur le duvet blond au-dessus de sa lèvre supérieure.

— Tu veux que je t'aide ? Maman a pensé que tu aurais peut-être besoin d'un coup de main.

— Ça ne m'étonne pas, répondit sa tante d'une voix suave où transparaissait une pointe de dureté.

— Je pourrais te mettre ton rouge. J'ai regardé maman faire un millier de fois.

— Ce serait gentil de ta part, soupira Helena. Merci, ma chérie. Tu es un amour.

Daisy repéra un mouchoir abandonné parmi les fards. Ayant trouvé un coin propre, elle le trempa dans le pot de crème de beauté.

Elle frotta délicatement les traits, puis essuya la crème qui restait.

— Bon, maintenant il faut que tu rentres les joues.

Helena lui jeta un coup d'œil dans la glace avant de s'exécuter. Elle pinça les lèvres et commença à imiter un poisson rouge.

Daisy éclata de rire.

— Pas besoin de faire une mimique pareille, tante Helena.

— Ah bon ? s'exclama celle-ci, feignant la surprise.

— Arrête !

— Je suis sûre que c'est comme ça qu'elles font dans le *Ladies' Home Journal*.

— Pas du tout, répondit Daisy en s'esclaffant de plus belle. Tu fais la bécasse.

— Moi, la bécasse ? Non, non, Daisy, ma chère, c'est la dernière mode. Le côté glamour poisson rouge. Je t'assure, c'est du dernier cri.

— S'il te plaît, tante Helena. Arrête.

— D'accord, d'accord. Je me calme.

Dès que Helena reprit une expression normale, Daisy saisit le fard à joues. Elle passa son index et son majeur sur la surface cireuse puis appliqua lentement un cercle sur la rondeur des joues.

— Je sais me mettre du rouge, tu sais, ma chérie.

Daisy répartit la couleur sur toute la longueur des pommettes.

— C'est juste que, parfois, tout semble tellement insignifiant et impossible.

Daisy vit son regard s'embuer dans le miroir.

— Tellement... je ne sais pas... vain.

Daisy éprouva l'irrésistible envie de se ruer hors de la chambre, loin de ces grosses larmes qui s'amoncelaient dans les yeux bleus vitreux de sa tante. Mais sa mère serait fâchée et, entre les deux, elle décida qu'elle préférait affronter Helena.

— Voilà. (Elle prit du recul, feignant d'inspecter son œuvre avec attention.) C'est joli comme ça.

— Bon alors, quel rouge à lèvres ? demanda Helena en faisant planer sa main sur la collection de tubes dorés. Jardin de minuit, Rose taquin, Rouge atomique, Bisque ? Oh... tu vois ce que je veux dire. C'est épuisant.

— Bisque, sans aucun doute, répondit Daisy en essuyant le bout du bâton avec le mouchoir.

Elle appliqua la couleur sur les lèvres de sa tante, mais elle s'y prit mal et déborda.

— Je vais le faire moi-même, dit sa tante. Je crois que c'est le choix qui me posait le plus de problèmes.

Quand elle eut fini, elle reboucha le tube avec soin. Ce faisant, elle fit tomber une petite boîte en argent, expédiant sur ses genoux une pluie de ce qui ressemblait à des Smarties blancs qu'elle s'empressa de ramasser et de fourrer dans sa poche.

— Quelle robe vas-tu mettre ? s'enquit Daisy en regardant autour d'elle.

La voix de Vic Damone, dont elle raffolait, flottait dans l'escalier.

Ohhhh, cette sensation merveilleuse, de savoir que tu es près de moi, d'une certaine façon.

— Qu'est-ce que tu en penses ?

— Celle-ci, je dirais, répondit Daisy en désignant une robe déployée sur le lit. Bleu marine, avec des motifs de homards sur la jupe ample. Pour aller avec ton rouge à lèvres bisque.

— Tu as raison, s'exclama Helena d'un ton enjoué, l'air tout à coup déterminée. Ce sera parfait.

— As-tu besoin d'aide pour l'enfiler ?

Daisy lissa la jupe du plat de la main en pensant toujours à sa mère.

— Non, mon poussin, je vais me débrouiller.

Daisy attendit qu'elle ait mis sa gaine, non sans difficulté. Son postérieur rebondi remontant telle une déferlante finit par disparaître sous l'étroit carcan. La robe opposa moins de résistance. Daisy glissa le crochet dans l'anneau en haut de la fermeture Éclair.

J'ai souvent emprunté cette rue, mais le trottoir était toujours resté sous mes pieds jusqu'ici.

Helena lui fit face avant de pivoter sur elle-même en riant, envoyant les homards voltiger parmi les oiseaux bleus en cage.

Daisy s'esclaffa à son tour en songeant qu'elle n'avait jamais remarqué à quel point sa tante était jolie. Une sorte d'Olivia de Havilland blonde, aux joues rondes.

Les gens s'arrêtent, me dévisagent. Ça m'est égal car il n'y a aucun autre endroit sur terre où je préférerais être.

La musique s'interrompit brusquement. Les accents tristes, sulfureux de Julie London prirent la relève. Julie pleurait tout un fleuve – ce qui lui arrivait souvent quand la maîtresse de maison était d'une certaine humeur.

Daisy entendit des pas résonner dans l'escalier. Un bruit de claquettes, précis, compromis par une légère hésitation avant que chaque pied ne se pose. Sa mère frappa discrètement à la porte avant de tourner la poignée. Helena ne l'avait pas entendue approcher. Elle se retourna brusquement, les joues en feu.

Tu dis que tu te sens seule…

Nick apparut sur le seuil, dans une robe vaporeuse en mousseline bleu pervenche, garnie de tigres dorés brodés. Ses cheveux tirés en arrière révélaient des saphirs clairs pendus à ses oreilles. Émerveillée, Daisy constata qu'ils étaient presque du même ton que son jupon en soie.

— Tu es magnifique, maman !

Sa mère éclata de rire, sa bouche rouge s'étirant de plaisir.

— Helena, tu te souviens de ça ? (Elle déploya sa jupe et tourna sur elle-même comme Helena quelques instants plus tôt.) Je l'ai fait faire avec ce rouleau de tissu que grand-père avait rapporté d'Inde. J'ai pensé que ce serait amusant.

Helena la regardait avec de grands yeux.

— Je croyais que tu voulais en faire des coussins. Pour Tiger House. Tu avais dit qu'il n'y avait pas suffisamment d'étoffe pour confectionner deux robes.

— C'est vrai, reconnut Nick en jouant avec la mousseline, mais les coussins, c'est barbant. Bref, c'est une robe maintenant. (Elle fit un clin d'œil à Daisy.) Et toi, regarde-toi, tu es charmante !

En voyant les lèvres de sa mère dévoiler ses dents blanches tandis que son bras formait un arc parfait pour ajuster une bretelle, Daisy eut l'impression d'être en présence d'une panthère, une bête sauvage se léchant les babines avec satisfaction après avoir fait pâture. Peut-être était-ce ce fameux charme dont elle lui avait parlé. Quelque chose de sauvage, beau et laid à la fois.

Elle ne supportait pas de voir Helena dans sa robe froissée, avec sa bouche bisque.

— Ta tante n'est-elle pas absolument ravissante, ma chérie ?

— Si, répondit-elle d'un ton courroucé. Je vais m'habiller, marmonna-t-elle encore avant de prendre la fuite.

Dès qu'elle fut dans sa chambre, elle ôta sa robe de chambre et se regarda dans la glace en se demandant à quoi ressemblerait sa poitrine quand elle se déciderait à pousser. Pour l'heure, ce n'était qu'une ébauche, semblable aux esquisses que sa mère lui avait fait admirer un jour dans un musée. Elle pensa à la bonne des Wilcox, à ses seins mutilés, et détourna les yeux. Elle se dirigea vers la penderie et sortit la tenue prévue pour la fête. Une robe chasuble en lin blanc avec des manches bouffantes, rigides, et une ceinture en soie rouge. Sa mère avait finalement consenti à défaire l'ourlet, si bien que la jupe ample descendait maintenant cinq centimètres en dessous du genou, ce qui lui donnait la sensation d'être davantage une grande personne. En la portant sur son lit, elle aperçut une feuille du papier à lettres épais de sa mère près de son oreiller, sur laquelle reposait une petite broche ronde cernée de perles.

Pour ma Daisy chérie
Qui sera la plus jolie de la soirée.
Épingle-la sur ta ceinture
Baisers, maman.

Daisy éprouva un élan de tendresse envers sa mère et la rage qui lui brouillait l'estomac ainsi que la vision de cette bouche rouge étirée sur des dents étincelantes se dissipèrent.

Après avoir enfilé sa robe, elle examina à nouveau son reflet et soupira. Elle avait toujours l'air d'un bébé. Elle alla chercher dans sa cachette le bâton de Rose Silver City, d'un rose coquillage brillant, puis revint devant le miroir où elle l'appliqua avec soin. Elle était en train de pincer les lèvres en les faisant claquer quand elle aperçut Ed derrière elle.

— Ça ne plaira pas à ta mère, commenta-t-il.

— Qu'est-ce que ça peut faire ? répliqua-t-elle, mais elle s'essuya la bouche du revers de la main. Combien de fois faudra-t-il que je te dise de ne pas débarquer comme ça sournoisement, Ed Lewis ?

— Ça n'avait rien de sournois. Tu m'avais vu dans la glace. Je te trouve ravissante.

— Taratata ! Ça ne se dit plus, ravissante.

— On ne dit plus taratata non plus, si ?

— Arrête avec tes questions stupides. Quelle heure est-il ?

— Il est 18 h 30, répondit-il en consultant la montre de l'armée suisse que sa mère lui avait offerte, voyant le soin qu'il portait à son couteau. Tyler vient à 20 heures.

Daisy leva les yeux au ciel.

— Je le sais. T'ai-je posé la question ?

— Non, mais c'est à ça que tu pensais.

— Pourquoi crois-tu toujours savoir ce que je pense, monsieur je-sais-tout !

Il ne répondit pas. Daisy eut envie de le gifler. Ça l'énervait par-dessus tout, qu'Ed sache toujours précisément ce qui lui trottait dans la tête.

— C'est crispant à la fin. C'est pour ça que tu n'as pas de petite amie. J'aime bien Tyler, et alors ? Au moins j'ai quelqu'un qui me plaît.

— Oui, répondit-il, songeur.

Daisy se tourna vers la glace pour fixer la broche à sa ceinture.

La plus jolie de la soirée.

Elle vit qu'Ed l'observait, de sa manière bien particulière, comme s'il avait affaire à un papillon épinglé sur du velours.

— Qu'est-ce qui te plaît chez lui ?

— Comment ça ? Toutes les filles l'apprécient. Même maman le trouve beau.

— Parce qu'il est beau, répondit Ed, comme s'il se parlait à lui-même. C'est pour ça que tu l'aimes bien.

— Pas seulement. Il est fort en tennis. (Elle s'interrompit, se trouvant ridicule.) Je ne sais pas. Pourquoi es-tu aussi bizarre ?

— Alors, c'est parce qu'il est beau et qu'il joue bien au tennis.

— Écoute, Ed, tu ne comprendras pas. Quand tu aimeras une fille, tu sauras de quoi je parle.

Voilà, pensa-t-elle, je l'ai remis à sa place. Elle se sentit très adulte.

— Comment veux-tu que je comprenne si tu ne m'expliques rien ?

En voyant ses lèvres s'agiter sous l'effet de la concentration, elle repensa au sourire carnivore de sa mère.

— C'est une question d'attirance, dit-elle, impatiente de mettre un terme à la conversation. Comme préférer les sandwiches au jambon plutôt qu'au beurre de cacahuètes. Sauf que c'est plus fort.

— Comme les sandwiches alors.

— Oh zut ! Pas comme les sandwiches, mais un peu comme ça quand même.

Il commençait à lui faire de la peine à se comporter comme un idiot. Il avait l'air d'avoir tellement envie de savoir, même si elle ne pouvait se départir de l'idée que, en un sens, il se moquait d'elle.

— Quand je le vois, c'est comme quand je joue au tennis. Ça me provoque le même genre de frissons et tout le reste s'efface.

— Oh, fit Ed.

Il fut le premier à baisser les yeux pour une fois et posa une main sur son cœur comme pour sentir les battements.

— Qu'est-ce qui ne va pas ?

— Rien. Je réfléchissais, c'est tout.

— Eh bien, moi je m'ennuie, annonça-t-elle, se laissant tomber au bord du lit en déployant sa jupe. Qu'est-ce qu'on fait ?

— On pourrait aller inspecter les pièges à souris. J'en ai trouvé une morte ce matin, la bouche grande ouverte. On aurait dit qu'elle hurlait.

— C'est dégoûtant. Tu vas me donner mal au cœur, Ed Lewis.

— Si on allait espionner les adultes ? Ils sont probablement tous à table à l'heure qu'il est.

— Ils sont assommants.

Elle balançait les jambes en cognant l'armature du lit en cuivre.

— Bon d'accord, dit-elle finalement. Puisqu'on n'a rien de mieux à faire.

Elle s'élança dans l'escalier avant lui, mais il la freina gentiment en la prenant par l'épaule et posa un doigt sur ses lèvres.

— Il faut marcher sur la pointe des pieds, chuchota-t-il. C'est comme ça que les Indiens surprenaient leurs proies.

Il se faufila à côté d'elle et descendit sans bruit.

Daisy l'imita le reste du chemin jusqu'à la porte à deux battants séparant la salle à manger et le salon bleu. Ils restèrent là à écouter les cliquetis des verres et des couverts en argent contre la porcelaine, presque indiscernables des conversations.

Daisy n'osait pas respirer de peur de les trahir. Elle se tourna vers son cousin, adossé nonchalamment contre le mur derrière un des battants.

— ... charmant. Où avez-vous déniché ces adorables petits drapeaux ?

C'était la voix haut perchée de Mme Smith-Thompson.

— Oh, nous les avons depuis des années.

— Vous connaissez ma femme..., intervint Hughes de sa voix mélodieuse.

— Certainement ! s'exclama M. Pritchard avant d'éclater de rire.

— Ils ont été fabriqués par une des Portugaises qui travaillaient pour ma mère, précisa Nick.

— À propos de Portugaises..., intervint Mme Pritchard. Que pensez-vous de cette affaire à propos de la bonne des Wilcox ?

— Oh Dolly ! gémit Mme Smith-Thompson. Franchement... Ce n'est pas une conversation de dîner...

— Je m'en fiche que ce soit une conversation de dîner ou non, répliqua Mme Pritchard. Je brûlais d'en parler à Nick et j'ai tenu ma langue aussi longtemps qu'il était humainement possible.

— Et nous savons tous ce que cela représente, lança Hughes.

Des éclats de rire fusèrent, noyant la discussion l'espace d'un instant.

— Terrible.

— … les pauvres enfants…

— Bon, sérieusement. (La voix de Mme Pritchard s'éleva au-dessus du vacarme.) Je parie dix contre un que Frank fricotait avec cette fille.

— Dolly, siffla Mme Smith-Thompson.

— Pour l'amour du ciel, Caro, ne soyez pas si gourde ! Nous savons tous qu'il avait un penchant pour le petit personnel.

— C'est vrai, renchérit son mari. Dolly a raison. Frank ne s'en est jamais caché.

— Vous n'avez pas tort, renchérit M. Smith-Thompson. Il a très mauvais caractère, en plus. J'ai cru qu'il allait me flanquer son poing sur la figure quand je l'ai battu au tournoi de rami au Reading Room l'été dernier.

— Je peux vous flanquer le mien sur le pif tout de suite si ça vous a manqué, s'esclaffa Hughes.

— Je vous trouve tous injustes envers Frank, protesta Mme Smith-Thompson. Il s'est toujours comporté en parfait gentleman avec moi.

Mme Pritchard pouffa de rire.

— Qu'en pensez-vous, Hughes ? demanda son mari.

Hughes garda le silence un instant. Finalement, il répondit à voix basse, d'un ton ferme :

— Je pense que la fille et lui fricotaient, effectivement.

— Aha ! s'exclama Mme Pritchard. J'en étais sûre !

— Pourquoi dis-tu ça avec autant de conviction ? s'enquit Nick.

— Tu te souviens quand je suis venu en juin, pour préparer le bateau ?

— Oui…

— Eh bien, je suis allé boire un verre au Reading Room après…

— Le travail donne soif, gloussa M. Pritchard.

— Laisse-le parler, Rory, le rabroua sa femme.

— En rentrant à pied à la maison, il devait être dans les 10 heures, je suis passé devant le Hideaway.

— Ne me dites pas que vous fréquentez le Hideaway, coupa Mme Smith-Thompson.

— Ne dis pas de bêtises, Caro, la rabroua son époux. Nous ne connaissons personne qui fréquente cet établissement.

— Soyez tranquillisée, Caro. Je n'y ai jamais mis le pied, assura le père de Daisy. J'étais sur le chemin du retour, en train de descendre Simpson's Lane, quand j'ai vu Frank et cette fille sortir juste devant moi. Je ne voulais pas que Frank sache que je l'avais repéré, aussi ai-je ralenti le pas en restant aussi loin derrière eux que possible.

Daisy eut la chair de poule en écoutant ce récit. Elle pensa aux allumettes du Hideaway qu'Ed avait en sa possession. Puis elle eut des flashes de la couverture écossaise tachée, de la fille, de la masse violacée, comme de la gelée sortant de sa tête. Elle mit une main sur sa bouche pour essayer de calmer sa respiration. Elle regarda Ed. Blême, il avait le regard rivé sur la porte.

— Je n'arrive pas à croire que tu ne m'aies jamais raconté ça, lança Nick, outrée.

— Jésus, Marie, Joseph ! s'écria Mme Smith-Thompson. Nous n'inviterons plus jamais cet homme à dîner.

— Tu peux parier ton dernier dollar qu'il ne mettra plus jamais les pieds chez nous, renchérit son mari.

— Tout de même, reprit Mme Smith-Thompson, je suis sûre que Frank n'était pas le seul. Vous savez comment sont ces filles. Elle voulait attraper un gros poisson, mais il y a toutes les chances qu'il y ait eu aussi tout un banc de vairons.

— C'est horrible de dire une chose pareille, s'emporta Nick. Cette pauvre idiote était probablement amoureuse de lui.

Un silence suivit.

— Bref, ce n'est pas vraiment Frank Wilcox qui nous préoccupe, si ? ajouta-t-elle d'une voix chevrotante.

— Nick a raison, répondit Mme Pritchard. Après tout, il y a un assassin au sein de notre communauté.

— Ça fait froid dans le dos, commenta Mme Smith-Thompson, mais...

— J'ai grandi sur cette île, coupa Nick. Helena aussi. C'est ici que nous nous sommes mariés, Hughes et moi. Que toutes sortes de choses agréables... Il ne devrait pas en être ainsi. (Elle s'interrompit.) Que nous arrive-t-il ?

— Nick, ma chère, intervint Mme Pritchard, je suis sûre qu'ils trouveront le coupable.

— Dolly a raison, dit Mme Smith-Thompson. Mais assez discuter de ça. La soirée est tellement charmante.

— Effectivement. Cessons d'en parler. (Nick avait un peu trop haussé la voix.) Sinon, nous serions obligés d'y penser. De penser aux gens que nous côtoyons...

— Qui veut encore du vin ? lança son mari à la cantonade. Caro, votre verre me semble bien vide. Rory ?

En entendant un craquement, Daisy se retourna et vit son cousin s'éloigner furtivement. Elle voulut le suivre mais la nécessité d'être discrète la ralentit. Il n'était plus dans l'entrée. Elle mourait d'envie de le questionner à propos de la boîte d'allumettes du Hideaway qu'il avait en sa possession. Cette pensée la terrifiait. Elle fouilla les étages, le jardin. En vain. Il s'était volatilisé.

Daisy était en train de savourer une huître quand Anita la rejoignit. Elle avait fait le guet un moment sur le porche, avant que ses parents et leurs invités n'émigrent vers la pelouse, mais elle avait fini par aller se planter devant le bar à huîtres où elle avait prié l'homme à la visière de lui ouvrir une Wellfleet après l'autre, sans se préoccuper de la file d'attente derrière elle.

— Elles ont l'air délicieuses, s'exclama Anita. Je peux en avoir une ?

Daisy crut que ses yeux allaient lui sortir de la tête quand elle la vit tout en noir. Elle ressentit une pointe de jalousie. Sa mère l'aurait tuée plutôt que de l'autoriser à porter du noir.

— Où as-tu trouvé cette robe ?

— Maman me l'a achetée à New York, pendant sa tournée. Elle est jolie, la tienne aussi. Noir et blanc. On fait la paire. *Aujourd'hui l'obscurité n'a plus besoin de flambeaux car les ténèbres sont lumière*, récita-t-elle en esquissant un élégant geste de la main droite, après quoi elle garda la pose un instant.

— Oh ! s'exclama Daisy, compatissante. J'ai cherché Ed partout. Il a disparu, figure-toi.

— Ah bon ! Tu crois qu'on l'a kidnappé ?

Anita tendit la main pour attraper une huître.

— Bien sûr que non.

Anita but goulûment le jus dans la coquille.

— Magnifique soirée, lança-t-elle en regardant autour d'elle.

Les Top Liners s'en donnaient à cœur joie sur la scène. La lune paraissait encore plus brillante dans le ciel d'ébène. Des smokings blancs nageaient au milieu d'un océan de robes dans des tons rose cendré, lavande, en soie beige, en lin bleu poudre. Des têtes blondes penchaient avec délectation vers des nuques plus sombres. Le cliquetis de glaçons dans les verres, des éclats de rire ponctuaient la musique. Une luciole frôla le bras de Daisy. La clarté des lanternes japonaises se balançant sur leurs fils métalliques invisibles effaçait tout dans la nuit au-delà.

— Tu penses qu'on pourrait chiper une coupe de champagne ?

— Impossible, répondit Daisy. Ma mère nous tuerait.

— Dommage.

— Salut, les filles ! s'exclama Hughes. Vous vous amusez bien ?

— Bonjour, papa. (Daisy lui trouva une certaine ressemblance avec William Holden dans sa veste de smoking.) Je te présente Anita.

— Ravi de faire ta connaissance, dit-il en se penchant pour lui serrer la main. Alors, que penses-tu de cette soirée ?

— Très chouette, monsieur Derringer.

— Tant mieux, gloussa-t-il. Que buvez-vous, les filles ? Je suis sûr que le serveur consentirait à vous concocter des Shirley Temples.

— Ce serait épatant, répondit Anita.

— Bon d'accord, soupira Daisy.

Elles le suivirent au bar.

— À la réflexion, dit-il en se retournant, que diriez-vous d'une goutte de vin dans de l'eau ? Ce serait plus amusant, non ?

— Oh oui, s'il vous plaît, s'enthousiasma Anita, visiblement estomaquée.

Le père de Daisy agita la main.

— Deux gouttes de vin dans deux verres d'eau pour ces demoiselles, demanda-t-il en faisant un clin d'œil au serveur. Juste un, d'accord ? Si vous alliez écouter l'orchestre ?

Les deux filles descendirent docilement la pelouse en tenant leur verre avec précaution et se postèrent près de l'estrade pour regarder les musiciens. Des couples dansaient autour d'eux. Une femme avait enlevé ses chaussures à talons ; elle évoluait gracieusement sur le gazon tandis que son mari, toujours chaussé, glissait presque à chaque pas sur l'herbe humide de rosée. Ils riaient en se tenant par les épaules pour ne pas perdre l'équilibre. Daisy s'esclaffa elle aussi, oubliant du même coup toutes les péripéties de la journée. Elle remarqua que le joueur de banjo avait les yeux rivés sur elle. Elle lui rendit son regard ; il lui sourit. En émoi, elle crut, l'espace d'un instant, qu'elle allait enfler comme cette grosse lune et éclater. La voix de sa mère la ramena sur la terre ferme.

— Regarde qui j'ai trouvé, ma chérie.

Sa mère approchait, tenant par la main Tyler, en smoking blanc, les cheveux lissés sur le crâne. Il semblait subjugué par la robe vaporeuse de son hôtesse.

Envoûtée par la beauté de la soirée et l'ambiance bon enfant, Daisy ne lui en voulut même pas de mettre plusieurs secondes à porter son attention sur elle.

— Bonjour, dit-il en souriant.

— Bonjour.

C'était comme dans un film, au moment où le garçon rencontre la fille et où tout va pour le mieux dans le meilleur des mondes.

— Salut, fit Anita d'une voix flûtée. Tu m'as l'air bien engoncé, dis donc.

— Je le trouve tout à fait charmant, intervint Nick.

— Merci, madame Derringer. Vous aussi, vous êtes charmante.

— C'est très gentil de ta part, Tyler. Que penses-tu de la broche de Daisy ?

— Elle est charmante.

Il semblait être resté bloqué sur ce mot.

— Eh bien, lança Nick, il faut que j'aille trouver mon mari pour m'assurer qu'il ne s'est pas fait embarquer par une mégère ou une autre. (Elle tapota l'épaule de Tyler et adressa un clin d'œil à sa fille par-dessus son épaule.) Amusez-vous bien, les enfants.

— Tu viens d'arriver ?

— Ouaip. Mais on entend la musique depuis North Water Street. C'est une fantastique réception.

— Épatante, renchérit Anita.

— Qu'est-ce que vous buvez ? demanda Tyler en désignant leurs verres.

— Papa a demandé au barman de nous donner un peu de vin dans de l'eau, répondit Daisy, se sentant extrêmement sophistiquée.

Tyler se tourna vers le bar.

— Il a l'air relax, ton père.

— Il est tordant, commenta Anita.

— J'ai vu Peaches tout à l'heure. Elle m'a dit qu'elle venait avec ses parents.

— Première nouvelle ! s'exclama Daisy.

— *Deux fois plus de peines et de difficultés*, déclama Anita.

— Elle avait l'air d'avoir la forme. C'est demain que vous vous affrontez, toutes les deux. Le grand match !

Tyler sourit à Daisy.

— Hein hein, marmonna-t-elle en se mordant la lèvre.

— Ne t'inquiète pas. Tu vas la battre à plates coutures.

— Hein hein, réitéra Daisy.

Elle n'avait pas envie de penser au tennis. À un soleil de plomb, à de la terre battue.

— Voyons si on arrive à dégoter un peu de champagne, suggéra Tyler en se tournant de nouveau vers le bar.

— Madame Derringer..., commença Anita.

— Peu importe, coupa Daisy, mais comment va-t-on faire ? Ça m'étonnerait que le barman accepte de nous en donner.

— Ce n'est pas grave, répondit Tyler. Même sans champagne, on va bien s'amuser.

Alors qu'ils approchaient du bar, l'orchestre attaqua *Poor Little Rich Girl*.

Tu es ensorcelée, ma petite. Tu ferais bien de te méfier.

— Daisy... Ouh ouh ! Daisy.

Reconnaissant la voix, Daisy se raidit. C'était Peaches, enveloppée dans une robe en tulle rose pâle assortie à la fleur qu'elle avait dans les cheveux.

— Groin, groin, chuchota Daisy dans l'oreille d'Anita.

— On dirait un gros bonbon.

— Salut, Peaches, fit Daisy en se balançant d'un pied sur l'autre.

Peaches écarquilla les yeux en voyant la robe noire d'Anita. Elle gratifia Daisy d'un petit sourire puis elle orienta son regard sur Tyler.

— Eh bien, eh bien ! Est-ce Tyler que je vois là ? lança-t-elle, feignant la surprise.

Daisy leva les yeux au ciel.

— Bonjour, Peaches, dit-il. Très jolie, ta rose.

Elle se tapota les cheveux.

— Ma mère les cultive. Des roses Pink Parfaits. Elle a gagné un concours l'été dernier, précisa-t-elle avec un grand sourire, révélant des dents que Daisy trouva terriblement chevalines au clair de lune. Où allez-vous comme ça ?

— Si on te révèle notre secret, il faut que tu jures de ne rien dire.

— J'adore les secrets. Ça m'étonne que tu ne saches pas ça à mon sujet, Tyler Pierce.

Tyler éclata de rire.

— Bon d'accord. On va essayer de piquer du champagne sous le nez du barman. Tu veux participer à notre mission ?

— Emmène-moi, fit Peaches en lui prenant le bras.

Daisy eut envie de lui arracher sa rose et de la piétiner. En désespoir de cause, elle se tourna vers Anita.

— Ne te préoccupe pas de cette limace. Tu auras ta chance demain, lui glissa-t-elle. Je peux détendre les cordes de sa raquette si tu veux.

— Laisse tomber, répondit Daisy en tripotant sa broche. Allez, viens.

Elles suivirent les deux autres.

— Il surveille ses bouteilles de près, on dirait, lança Tyler par-dessus son épaule.

— Laissez-moi faire, déclara Peaches. Mon père m'autorise à boire une coupe de champagne dans les soirées.

Ils la regardèrent approcher du bar avec assurance et échanger quelques mots avec le barman qui ne tarda pas à remplir complaisamment deux coupes. C'était ce dont sa mère avait parlé, comprit Daisy. Ce « quelque chose », c'était ça, pensa-t-elle, et elle eut envie de pleurer. Elle ne possédait pas ce charme, elle ne l'aurait jamais. Personne ne l'aimerait, ne l'embrasserait jamais, sans parler de lui servir un verre de champagne. Elle était maudite !

Peaches revint et tendit une coupe à Tyler.

— Allons, Peaches, tu ne pourrais pas nous en avoir quatre ?

Elle le dévisagea, interloquée.

— Ce n'est pas grave. Vous n'aurez qu'à partager avec moi, les filles. Allons dans un endroit où vos parents ne nous verront pas.

— Près de l'ancienne cave à glace, derrière la maison, suggéra Daisy.

— Parfait, approuva Tyler.

— Parfait, renchérit-elle, lui prenant le bras sans manquer de décocher un doux sourire à Peaches.

Ils s'installèrent sur la pelouse de derrière et fouillèrent dans les étuis d'instruments des musiciens, abandonnés sur l'herbe. Anita s'évertua à souffler dans un embout appartenant au trompettiste pendant que Daisy buvait sa première gorgée de champagne dans la coupe de Tyler. Elle s'imagina goûtant ses lèvres à l'endroit où il venait de les poser. Mais le champagne, amer, lui brûla la gorge. Elle caressa l'herbe encore chaude du plat de la main. Elle avait envie d'enlever ses chaussures, comme sa mère plus tôt, lorsqu'elle s'était vautrée là, mais elle aurait eu l'impression de se déshabiller. Aussi s'en abstint-elle.

Peaches buvait à petites gorgées, le petit doigt en l'air.

Anita reposa l'embout et s'allongea en étirant les bras au-dessus de sa tête.

— *Quels sons argentins a dans la nuit la voix de la bien-aimée ! Quelle suave musique pour l'oreille attentive*, déclama-t-elle à l'adresse du ciel.

Daisy fit la grimace à Tyler en lui rendant le verre.

— Sacrément bon, ce champagne, fit-il en éclusant le reste.

Daisy se sentit un peu gênée pour lui. Cette manière de parler du champagne et de boire goulûment avait quelque chose de factice. Elle se mit à fredonner avec la musique pour dissiper son malaise.

— Alors, Tyler, lança Peaches d'un ton taquin en inclinant la tête vers lui, tu sors avec quelqu'un ?

Il éclata de rire.

— Ça ne te regarde pas.

— Allez ! Dis-nous.

— Quelle aguicheuse tu fais, Peaches ! répliqua-t-il en se frappant le front d'un air faussement embarrassé.

Daisy l'adora encore plus.

— Bon ben, tant pis, dit Peaches. Si on dansait ? Tu danses ou ça aussi, c'est un secret ?

— Je préférerais boire une autre coupe de champagne, à vrai dire.

— Pas de problème. (Elle se leva et lui tendit la main.) Viens.

Tyler haussa les épaules en regardant Daisy, mais il saisit la main.

— C'est parti !

Ne sachant comment réagir, Daisy haussa les épaules à son tour mais la facilité avec laquelle il avait accepté avait fait naître une douleur dans sa poitrine.

— Je la déteste, souffla-t-elle farouchement dès qu'ils eurent disparu de sa vue. Jamais je ne haïrai quelqu'un autant qu'elle.

Les accents de *Sweet Georgia Brown* flottaient dans leur direction.

— Elle est casse-pieds, reconnut Anita, mais dis-toi que demain tu te sentiras merveilleusement bien quand tu l'auras battue. Moi je n'arrête pas d'y penser.

— Ce n'est pas sûr que je gagne. Ne dis pas des choses pareilles. Tu vas me porter malheur.

Où était passé Ed ?

— On ne va pas poireauter *ad vitam æternam* derrière cette sinistre cave à glace, dit-elle finalement. On va tout rater.

— Ils ne vont pas tarder à revenir. (Anita se rapprocha d'elle.) Tu veux que je te lise les lignes de la main ? Une amie de ma mère m'a appris à le faire.

— Non merci.

— Allez ! On peut savoir si tu vas l'emporter demain.

— Arrête. Tu vas me porter la poisse, je te dis.

Qu'est-ce qu'ils avaient tous ce soir à lui taper sur les nerfs ? Elle avait envie d'enfourcher son vélo et de pédaler jusqu'à Pease's Point Way en écoutant le vent du port lui siffler dans les oreilles.

— Allons à leur rencontre, dit-elle finalement. On se fait dévorer par les moustiques ici.

Elle contourna la maison, Anita dans son sillage, en donnant des coups de pied dans le gravier, prenant un malin plaisir à érafler ses sandales blanches. Il faisait sombre dans l'étroit passage entre le mur et la clôture. Par contraste, la fête jetait des lumières éblouissantes de l'autre côté de la rue. Une étrange sensation grandit en elle, comme dans le rêve qu'elle faisait de temps en temps, où elle criait désespérément sans que personne l'entende.

Soulagée d'émerger sur la pelouse de devant, elle avala une goulée d'air. Quelque chose – un petit bruit peut-être – attira son attention. C'est alors qu'elle les vit. Sous le porche. Tyler penché sur Peaches, la main posée délicatement sur son épaule. Une lanterne peinte oscillait au-dessus d'eux – représentant une Japonaise en train de peigner ses longs cheveux qui rebiquaient en boucles gracieuses à ses pieds. Daisy se demanda comment elle avait fait pour les laisser pousser autant.

C'était un baiser discret. La rose Pink Parfait frémissait à peine dans les cheveux de Peaches, alors qu'un grondement intense emplissait les oreilles de Daisy, tel un océan qui la submergerait. Son pouls s'affola. Elle ouvrit la bouche mais, comme dans son rêve, aucun son ne sortit.

Peaches noua son bras autour du cou de Tyler. Daisy voulut s'en aller, il le fallait, mais elle était fascinée, malgré une bizarre impression d'être ailleurs. Elle mourait de soif tout à coup.

Peaches écarta son visage de celui de Tyler et laissa échapper un petit soupir. Transpercée de part en part, Daisy battit en retraite sur la pointe des pieds, tel un Indien, et s'adossa au mur, la main sur le cœur dans l'espoir d'apaiser la douleur. Des visions du maquillage barbouillé de Helena, du sourire écarlate de sa mère, du couple dansant pieds nus dans l'herbe humide défilèrent dans son esprit. Elle éclata en sanglots.

La plus jolie de la soirée.

Anita faillit la heurter dans l'obscurité. Elle la dévisagea avant de jeter un rapide coup d'œil au-delà de l'angle du mur.

— Ohhh, murmura-t-elle.

Daisy tenta d'endiguer le flot de larmes en se frottant vigoureusement les yeux, ses poings lui meurtrissant les paupières. Des renvois de champagne amers lui assaillaient la gorge.

Anita souleva le bas de sa jupe pour récupérer le mouchoir blanc épinglé à son ourlet.

— C'est ma grand-mère qui m'a conseillé d'en prendre un, dit-elle. Au cas où.

Daisy n'osait pas la regarder, tellement elle avait honte. Elle aurait voulu taper du pied, comme Scarlett O'Hara, redresser le menton et s'en aller épouser quelqu'un d'autre. Mais elle était terrifiée. Elle avait senti l'odeur de la peur sur ses adversaires, une véritable odeur, mélange de rouille et de terre humide, qui, pour la première fois, émanait d'elle. Elle aurait voulu qu'Anita s'en aille, mais elle redoutait de rester toute seule. Elle entendait des éclats de rire, des tintements de verre au loin.

Anita lui tamponnait doucement les yeux avec un coin de son mouchoir. Un peu apaisée par la fraîcheur du lin sur sa peau brûlante et les effluves rassurants d'eau de lavande et d'amidon, Daisy perçut la main de son amie sur son front, son index qui lui caressait le sourcil. Puis son visage surgit en gros plan, ses yeux sombres, immenses. Subitement ses lèvres se posèrent sur les siennes. Elle sentit le sel de ses larmes mêlées à l'haleine d'Anita, le duvet au-dessus de sa lèvre supérieure, ses cheveux sur sa joue qui la chatouillaient. Son cœur fit un bond dans sa cage thoracique, une sorte de longue onde épuisante, qui la laissa toute tremblante.

Elle écarta si vivement Anita que celle-ci perdit l'équilibre, mais ça lui était égal. Elle s'élança en direction des lumières, traversa la rue en trombe, se faufila entre les convives enjoués, cherchant désespérément la robe de sa mère parmi la débauche de couleurs. La musique s'était tue. Les musiciens prenaient leur pause, fumant le long de la clôture. Daisy finit par trouver son père au bar. Elle le saisit par la manche.

— Où est maman ?

Sa voix lui parut étrangement haut perchée, désaccordée comme le vieux piano qui moisissait dans la cave.

— Daisy. (Le sourire se fana aussitôt.) Qu'est-ce qui ne va pas ?

— Où est maman ? J'ai besoin d'elle.

— Je ne sais pas, mon cœur. (Il promena son regard sur la pelouse.) Elle a dit qu'elle allait au hangar à bateaux se rafraîchir, je crois.

Daisy dévala la pente en direction du port, ignorant les appels de son père. La seule chose qui comptait, c'était de trouver sa mère.

En approchant de la remise où on rangeait les gilets de sauvetage, les lampes au kérosène et autre attirail, elle entendit un filet d'eau couler. Sa mère devait être sous la douche extérieure qui servait à se rincer après les bains de mer. À bout de souffle, Daisy ralentit l'allure avant de faire le tour du hangar. Elle faillit se prendre les pieds dans la robe de sa mère, abandonnée dans l'herbe.

Elle fut surprise de trouver le trompettiste en train de se frotter les cheveux sur les marches qui descendaient vers la plage. Son maillot de corps lui collait au torse.

— Bonjour, lança-t-il gentiment.

— Bonjour, répondit-elle, hésitant à s'arrêter.

— Je viens de me baigner. Il fait si chaud ce soir.

Il continua à se sécher sans la quitter des yeux.

Il avait l'air d'avoir envie de bavarder. Elle songea qu'elle devait se montrer polie, mais c'était bizarre d'être si près de lui dans la pénombre. Elle voyait les poils noirs se déployer en éventail sous son aisselle.

— Je cherche ma mère, dit-elle au bout d'un moment. Il faut que j'y aille.

— D'accord, dit-il, un sourire éclairant peu à peu son visage.

Elle se faufila à côté de lui pour poursuivre son chemin. En se retournant furtivement, elle vit qu'il la regardait toujours, bien que son visage fût en partie dans l'ombre.

Après avoir tourné à l'angle, elle discerna le contour de la douche et le buisson d'aubépines qui l'entourait. Malgré le bruissement de l'eau, elle entendit sa mère fredonner un air que les musiciens avaient joué plus tôt.

Elle avança en suivant le son et soudain se figea. Sur le chemin devant elle, elle venait d'apercevoir Ed, le visage pressé contre les lattes de bois qui offraient une certaine intimité à la douche. Une main déployée au-dessus de sa tête, il était immobile, comme ça lui arrivait si souvent, mais quelque chose chez lui rappelait un écureuil qu'elle avait vu un jour au Cambridge Common, dont le petit corps musclé tressaillait furieusement. La rage, lui avait expliqué sa mère.

Elle avait dû se tromper. Sa mère n'était peut-être pas là. Ou alors ils jouaient à cache-cache. Elle avait l'impression d'avoir la cervelle tout engluée : le bras de Peaches autour du cou de Tyler, le visage d'Anita se rapprochant dans l'obscurité, le trompettiste en train de se sécher les cheveux. *Un gentleman ne trahit pas ses secrets. La propreté du corps est parente de la propreté de l'âme. Les enfants sont faits pour être vus et non pas entendus.* Elle se mit à scander les leçons de sa mère, autant qu'elle s'en souvenait, trouvant un certain réconfort dans la répétition.

En entendant sa voix, Ed se retourna – la tête d'abord puis tout le corps, après avoir écarté la main des lattes. Il la dévisagea. Elle lui rendit son regard. Ils restèrent plantés là un instant sans se quitter des yeux. Les traits de son cousin, figés, comme un masque.

— Maman ? cria-t-elle d'une voix forte sans détourner son attention.

Elle était à moins de deux mètres, mais elle ne l'entendit pas à cause du vacarme de l'eau.

Ed fit un pas dans sa direction et, l'espace d'un instant, Daisy prit peur. Quand il fut à sa hauteur, il lui parut plus grand que d'habitude.

— La curiosité est un vilain défaut, chuchota-t-il, si près d'elle qu'elle sentit son souffle sur sa joue.

Elle avala sa salive, respirant avec peine.

— Mais le jeu en vaut la chandelle, répliqua-t-elle d'une voix dure, étouffée.

Sentant ses jambes vaciller sous elle, elle enfonça ses talons dans la terre tendre pour dissimuler son trouble.

Ed inclina la tête sur le côté en scrutant son visage comme s'il cherchait à prendre une décision.

— Qu'est-ce que tu fais là à espionner ma mère, Ed Lewis ? murmura-t-elle. Serais-tu un pervers sexuel ? Comme M. Wilcox ?

— Ne me parle pas de M. Wilcox, répliqua-t-il sévèrement.

— Cette boîte d'allumettes provenant du Hideaway...

Avant qu'elle n'ait le temps d'achever sa phrase, elle vit son père derrière Ed se ruer sur eux. Il avait surgi de l'autre côté du hangar. Quelque chose dans sa hâte la fit paniquer.

— Écarte-toi de lui, Daisy.

Sans ajouter un mot, il attrapa Ed par le collet et l'entraîna vers la plage.

Daisy resta plantée là à les observer. Son père tordit le bras de son cousin en rapprochant son visage à quelques centimètres du sien. Ses paroles montèrent dans la nuit.

— Si jamais tu t'avises... ma femme... (Il le secoua brutalement.) Je leur dirai...

Il s'interrompit, comme s'il s'attendait à une réponse. Et puis Ed, dont l'expression était restée inchangée, se pencha vers l'oreille de son agresseur. Quand ses lèvres cessèrent de remuer, Daisy crut voir le visage de son père pâlir sous le clair de lune.

— Daisy ?

Elle sursauta.

— Maman !

Elle se précipita vers elle et se serra contre son corps humide. Elle était toute fraîche, et Daisy eut envie de se blottir dans ses bras, sur ses genoux, de se glisser dans sa peau.

Sa mère l'étreignit d'un bras tout en ajustant la bretelle de sa combinaison trempée qu'elle avait enfilée sans se sécher.

— Que se passe-t-il, pour l'amour du ciel ? demanda-t-elle en scrutant son visage avant de porter son attention vers la plage. Que fait ton père ? C'est lui qui braille comme un putois ?

Daisy s'aperçut qu'il était seul désormais au bout de la pelouse, en train de contempler les lumières du port. Soudain, elle n'en avait plus rien à faire qu'Ed soit un pervers sexuel, que son père ait perdu la tête.

— Maman !

Elle se mit à sangloter contre la soie en inhalant de vagues effluves de parfum au muguet mêlés à l'odeur de la mer.

— Que se passe-t-il, ma chérie ? répéta sa mère, exaspérée.

— Oh maman, gémit-elle en se frottant la figure contre sa combinaison. Tout est horrible. Il se passe des choses épouvantables. Tyler a embrassé Peaches. Et puis...

— Oh, je vois. (Nick soupira en passant sa main sur la tête de sa fille.) Entrons dans le hangar un instant, ma chérie, tu me raconteras ce qui s'est passé.

À l'intérieur, ça sentait l'huile de lin et le moisi. Une serviette abandonnée gisait en vrac près du panier de pique-nique. Nick décrocha du mur deux coussins jaunes destinés aux banquettes du bateau. Elle s'assit en tailleur sur l'un d'eux et tapota l'autre à côté d'elle. Dans la pénombre, Daisy vit ses cheveux à peine mouillés, ses belles boucles noires, toujours dégagées de son front. Ses boucles d'oreilles en saphir scintillaient chaque fois que la lumière du phare de Chappaquiddick balayait les petites fenêtres, illuminant momentanément leurs visages.

— Alors, dit Nick dès qu'elle se fut assise. Qu'est-ce que c'est que cette histoire ?

Daisy posa la tête sur ses genoux, sentant sa main chaude sur sa nuque.

— Je les ai vus, dit-elle à voix basse. En train de s'embrasser sous le porche. Notre porche. Peaches avait cette horrible rose grâce à laquelle sa mère a gagné un concours. Elle l'a enlacé et...

— Une rose ?

— La rose n'a rien à voir là-dedans, coupa Daisy d'un ton agacé. C'est juste... je vaux mieux qu'elle. J'en suis persuadée.

— Je vois. Eh bien, on ne choisit pas toujours la meilleure personne. Parfois... (Sa mère s'interrompit, la main s'immobilisant sur son cou.) Quand les gens se sentent seuls, il arrive qu'ils fassent de drôles de choses.

Daisy réfléchit un instant à sa remarque.

— Mais Tyler l'a choisie, elle ! Je le voulais et c'est *elle* qu'il a choisie. (Elle enfouit son visage contre le tissu.) Oh, maman, j'ai envie de mourir. Comment a-t-il pu me faire ça ? Pourquoi est-ce qu'il ne m'aime pas ?

— Je sais que ça fait mal, ma chérie. C'est si dur d'être jeune et d'avoir tant de désirs.

— Mais quand toi tu étais jeune, tu aimais papa et lui aussi t'aimait. Tu as eu ce que tu voulais.

— Pour commencer, nous étions plus âgés que toi. Et puis, enfin, nous avons eu beaucoup de chance, acheva Nick en soupirant.

— Je voudrais avoir de la chance moi aussi, dit Daisy.

— Tu auras davantage que ça, répondit sa mère en écartant ses cheveux de son visage. Tu seras forte. Aucun des Peaches et des Tyler de ce monde ne pourront te faire de mal.

Daisy garda le silence, s'imaginant devenue grande comme un géant, écrasant une toute petite Peaches sous son pied.

— En outre, ajouta sa mère d'un ton neutre, Peaches est une méchante.

— Je sais, soupira-t-elle, mais il l'aime.

— J'en doute fort, ma chérie. Les garçons sont comme ça. Peaches est une fille facile, et les garçons de cet âge prennent ce qui s'offre à eux.

— Oh, et puis, il s'est passé autre chose, maman... (Daisy s'interrompit en pensant aux gros yeux d'Anita, au goût de sa salive.) C'était affreux.

— Quoi donc ?

— Anita. Elle m'a donné son mouchoir et puis elle m'a embrassée.

— Eh bien, s'esclaffa Nick. Ça, c'est intéressant !

— Ce n'est pas drôle, riposta Daisy en se redressant. Pourquoi ferait-elle une chose pareille ? Elle sait que j'aime Tyler et que j'ai envie qu'il m'embrasse.

— Tu as raison, ce n'est pas drôle, reconnut sa mère sans se départir de son sourire. Anita a un côté théâtral, c'est tout. Et franchement, Daisy, sa famille est un peu détraquée, tu le sais.

— Ça m'est égal. Je les déteste tous.

— Écoute-moi bien, ma chérie, ajouta Nick en prenant le visage de sa fille entre ses mains. Ce que je vais te dire, il pourrait être très important que tu t'en souviennes un jour. (Elle prit un air grave, ses grands yeux verts scintillant comme de la peau de serpent.) S'il y a une chose dont tu peux être sûre dans la vie, c'est que l'on n'embrasse pas toujours la bonne personne.

Août 1959

II

Daisy dévissa le cadre en bois de sa raquette et glissa ses doigts entre les cordes pour tirer dessus. Il était 11 heures du matin et le soleil lui brûlait déjà les épaules. La poussière montant du court formait comme une brume autour d'elle.

Elle posa le cadre sur le banc des spectateurs, près du poteau, et leva les yeux vers la terrasse du club où sa mère était en train de papoter à l'ombre avec Mme Coolridge ; elle hochait légèrement la tête en réaction à ce qu'elle disait. Contrairement à son père, qui l'avait embrassée plus tôt dans la matinée pour lui souhaiter bonne chance, sa mère avait l'air fraîche et dispose, comme si la soirée n'avait pas eu lieu. En voyant M. Montgomery chuchoter à l'oreille de Peaches, Daisy détourna le regard.

Elle racla ses baskets au sol puis les tapota avec sa raquette pour faire tomber la terre. Peaches descendit les marches, sa queue-de-cheval étincelant au soleil. Daisy remonta son bandeau sur son front et essuya du poignet sa lèvre supérieure trempée de sueur.

Elle fit mine d'ignorer Peaches venue s'asseoir sur le banc pour briquer le cadre déjà rutilant de sa raquette avec une peau de chamois.

Elle est calculatrice. Je suis passionnée. Elle est calculatrice.
Je suis passionnée.

Daisy orienta à nouveau son attention vers la terrasse. Sa
mère avait les yeux rivés sur elle ; un pli se dessinait entre
ses sourcils. Mme Coolridge serrait la main de M. Montgomery en souriant à une remarque qu'il venait de faire. Leurs
voix réduites à des murmures donnaient l'impression que le
rectangle de terre battue brûlant se trouvait à des lieues. La
luminosité faisait mal aux yeux ; un faible bourdonnement
résonnait dans les oreilles de Daisy.

On pourrait faire rôtir un bœuf sous une chaleur pareille.

Soudain il y eut de l'agitation sur la terrasse. Daisy vit
la directrice tourner la tête vers l'intérieur obscur du Club
House.

Ed en surgit. Son regard glissa sur elle, puis il se dirigea d'un pas alerte vers sa tante. Daisy poussa un soupir
de soulagement. Elle ne l'avait pas vu depuis la veille au
soir et, bien qu'incapable de s'expliquer pourquoi, elle se
réjouissait de sa présence. Nick sourit au nouvel arrivant
qui rapprocha chaise pour s'asseoir près d'elle. Daisy
tripota la pointe de flèche rugueuse, comme un fragment
de corail, au fond de la poche de sa jupe.

Mme Coolridge descendit les rejoindre près du court.

— Bon, les filles, vous connaissez le règlement. La première qui remporte deux sets a gagné.

Daisy dessina un petit croissant dans la terre avec le bout
en caoutchouc de sa chaussure.

La directrice sortit une petite pièce de sa poche.

— Pile ou face. Daisy Derringer, à vous de choisir en
premier.

Daisy leva les yeux vers le ciel immensément bleu.

Mme Coolridge jeta la pièce en l'air. Elle brilla de mille
feux dans le soleil.

— Face.

Face, je gagne, pile, je perds.

Mme Coolridge rattrapa la pièce et l'abattit sur le dos de sa main.

— Face.

Daisy crut entendre sa mère dire quelque chose, mais elle n'en était pas sûre.

— Daisy ?

La directrice la regardait, imperturbable.

— Je prends le premier service.

— Peaches ?

Peaches pointa le menton vers l'autre extrémité du court. Daisy la regarda contourner le poteau, attrapa deux balles et en fourra une dans sa poche avant de se diriger vers le centre de la ligne de fond de court.

Elle vit Peaches écarter les jambes, se courber en deux en se balançant d'un pied sur l'autre. On aurait dit que le monde entier s'était tu, à part les criquets frottant inexorablement leurs ailes l'une contre l'autre dans la chaleur. Daisy concentra son attention sur les pieds de sa rivale, l'angle de sa hanche droite qui faisait légèrement saillie en direction du couloir.

Elle expédia la balle haut dans le ciel, abaissa sa raquette derrière son épaule droite. Elle vit que la balle montait tout droit même si ça lui meurtrissait les yeux de regarder dans la direction du soleil. Redressant sa raquette, elle tapa de toutes ses forces dans la balle qui fonça droit sur Peaches, du côté de son revers. Son pied droit frappa brutalement le sol quand elle projeta son poids en avant.

Peaches tendit le bras, trop tard pour réussir son revers, et la balle au retour ne passa pas le filet.

Quelqu'un, en haut sur la terrasse, applaudit.

Daisy se déplaça pour le deuxième service.

— Quinze-zéro.

Sa voix paraissait ténue dans le vaste espace.

La seconde fois, elle dévia légèrement la trajectoire de la balle qui aboutit droit sur son adversaire. Elle plissa les yeux afin de s'assurer que Peaches l'avait ratée avant de lui tourner le dos pour reprendre position.

— Trente-zéro.

Elle exécuta un nouveau slice, mais Peaches était prête ce coup-ci et renvoya la balle au ras du sol pour l'obliger à remonter au filet. Daisy traversa le court en une glissade et tenta de couper pour viser la zone de vulnérabilité, mais Peaches était déjà là. Elle réexpédia la balle par un coup droit un peu faible. Daisy vola en arrière, sa raquette déjà positionnée près de sa cuisse gauche. Elle expédia une volée de revers droit en plein dans le couloir de Peaches. Le cœur battant, Daisy la regarda tendre le bras pour rattraper la balle. Tendre le bras et rater.

Elle savait qu'elle avait remporté le jeu, elle sentait le goût de la victoire, qui faisait frémir ses muscles comme les taillis agités par la brise derrière elle. Elle tira sur son col et souffla à l'intérieur, rafraîchissant la sueur qui dégoulinait vers son ventre.

Peaches alla se poster près de son couloir, protégeant d'avance son revers. C'était une erreur.

Une erreur mérite d'être punie.

Daisy sentit ses pieds s'orienter comme par instinct vers le centre du court. La balle monta, sa raquette s'inclina vers l'arrière, décrivant un arc, avant de frapper un smash puissant, droit sur le T. Visant un coup droit, Peaches modifia sa position, trop tard. Son poignet pivota légèrement au moment où elle réceptionnait la balle qui frôla le haut du filet avant de retomber dans son carré.

Daisy toucha la flèche dans sa poche. En levant les yeux vers la terrasse, elle aperçut Ed, un petit sourire aux lèvres. Sa mère se cramponnait encore à son bras alors que la partie était finie. Daisy passa une main sur son visage fiévreux, recouvert d'une fine pellicule de sueur.

Elles changèrent de côté. Lors du deuxième jeu, Peaches lui fit pratiquement subir le sort qu'elle lui avait infligé au premier et l'emporta même si Daisy réussit à marquer quelques points. Elles continuèrent ainsi à se rendre la pareille, chacune battant l'autre sur son service. Daisy avait parfois l'impression qu'elles dansaient, crispées, mal à l'aise, comme lorsqu'elle s'entraînait avec les garçons de la classe de Mme Brown à Park School, totalement concentrés de peur de leur marcher sur les pieds. Elle avait mal aux mollets quand elle arrêtait de courir mais, tant qu'elle glissait sur le court, étirait les cuisses, bandait les muscles de ses bras pour donner davantage de puissance à ses frappes, elle ne ressentait rien.

Elle voyait Peaches évoluer sur le terrain, la balle fendre l'air, mais son esprit s'était presque dissocié. Des images du cadavre, de Peaches et de Tyler sous la lanterne japonaise, des jointures blanchies d'Ed quand ils avaient espionné les adultes derrière la porte de la salle à manger défilaient dans sa tête. Et elle se déchaînait, pour les faire disparaître. Si elle arrivait à taper plus fort, à tendre davantage le bras, à bouger plus vite, elle les dégommerait comme les canards au stand de tir.

Aussi frappait-elle avec plus de vigueur, courait-elle davantage. Elle tapa, courut, tapa, courut et finit par gagner sur un service de Peaches. Elle remporta le jeu, le suivant, celui d'après aussi, jusqu'à ce qu'il n'en reste plus qu'un seul à disputer. Elle allait battre sa rivale et, une fois que ce serait fait, elle n'aurait plus jamais mal, elle serait armée pour la vie.

À trente-quarante, elle vit Peaches se préparer pour son service. La balle parut molle au moment du contact avec la raquette. Daisy s'élança aussitôt. Elle coupa le revers de sa rivale avant de se mettre en position en prévision d'une volée. L'expression de son adversaire changea quand elle la vit foncer vers le filet. Au retour de la balle, Daisy asséna le coup de grâce – une volée précise, puissante, répondant au coup droit de Peaches. Ça aurait pu durer éternellement, mais tout était fini.

Daisy lâcha sa raquette qui produisit un bruit sourd sur la terre battue. Plantée au milieu du court ardent, elle regarda son adversaire, la queue-de-cheval défaite, son visage rond, rose vif, comme si on l'avait giflée. Elle eut presque de la peine pour elle, pour elle-même aussi. Et puis sa mère la prit dans ses bras et elle se retrouva haletante, le nez contre son chemisier en coton. Elle sentit la présence d'Ed à proximité.

Elle était censée aller serrer la main de Peaches, mais elle avait juste envie de profiter du contact frais de sa mère qui la maintenait à l'ombre, du bonheur d'avoir la tête vide.

Les moulins du Seigneur meulent lentement, mais ils meulent.

HELENA

Août 1967

I

Helena s'approcha de la glace à petits pas et contempla son reflet dans la clarté matinale. Ses cheveux se dressaient en un amas de frisotis grisonnants sur son crâne, telle une immonde couronne. Elle songea à un vers qu'elle avait lu dans un des recueils de poèmes de Nick. À propos de quelque chose d' « exquis et excessif ». Excessif, le mot convenait on ne peut mieux. Lorsqu'ils avaient quitté Elm Street après la guerre, une caisse entière de livres appartenant à Nick avait atterri par erreur à Los Angeles. Elle avait eu l'intention de la réexpédier à Saint Augustine mais, comme elle n'avait pas trouvé le moyen de se rendre à la poste la semaine suivante, ni celle d'après, elle avait fini par passer les ouvrages en revue.

Elle continua à se regarder dans le miroir, remontant des deux mains sa lourde poitrine, se tournant pour la voir de profil. Elle la laissa retomber, examina ses joues, jadis semblables à de belles pommes, désormais juste rondes. De fines rides sillonnaient son front qui paraissait parcheminé sous l'éclairage brutal.

La chambre dans laquelle elle s'était réveillée était claire et joyeuse, avec de beaux volumes, des tons gais. Pourtant, inexplicablement, ce décor la déprimait. Il y voyait quelque chose d'accusateur. Elle avait grandi dans cette lumière chatoyante, réprobatrice, propre à la côte Est, mais elle ne se sentait pas enjouée pour autant.

Elle soupira. Ça n'était jamais bon de réfléchir autant. Trop de cogitations et puis pas assez, voilà ce qui avait causé la plupart de ses ennuis. C'était la raison pour laquelle elle se retrouvait dans cette chambre aux oiseaux bleus, chez quelqu'un d'autre.

Elle s'assit devant la coiffeuse. Son regard plana sur le plateau en verre taché avant de se poser sur une photo d'elle-même entre Hughes et Nick. C'était Nick qui avait placé ce cliché là. Ils étaient face au soleil ; l'ombre de ses sourcils dissimulait en partie ses yeux. Nick avait le visage tourné sur le côté comme si quelque chose avait attiré son attention, si bien que ses traits se détachaient plus nettement.

Helena asséna une chiquenaude au cadre, puis une autre, un peu plus forte, jusqu'à ce qu'il tombe à terre avec fracas. En se penchant pour le ramasser, elle s'aperçut que le verre était cassé. Elle sortit la photo, la lissa, l'examina un instant de plus. Puis elle prit la paire de ciseaux de couture posée sur son vanity-case et, avec des gestes délicats, découpa un morceau du visage de sa cousine. Elle le brandit, l'inspecta. Tailla encore un fragment, éliminant la bouche et la pointe du nez. Mais ça n'allait toujours pas, aussi s'enhardit-elle à couper carrément toute la tête. Satisfaite, elle remit la photo dans son cadre et jeta les éclats de verre dans la corbeille à papier.

Ce fut à ce moment-là seulement qu'elle s'en souvint : c'était son anniversaire. Elle avait quarante-quatre ans.

— Tante Helena ! s'exclama Daisy en sortant précipitamment de la cuisine alors qu'elle approchait de la porte. Oh, non ! On allait t'apporter ton petit déjeuner au lit. On n'a pas été assez rapides, maman, lança-t-elle par-dessus son épaule.

— Interdis-lui d'entrer dans la cuisine.

La voix de Nick, d'une gravité factice, la fit grincer des dents.

Daisy se retourna vers elle, tout sourires.

— Tu as entendu la chef. Reste ici, je vais t'apporter ton plateau sur la terrasse et je te tiendrai compagnie. (Elle lui déposa un baiser sur la joue.) J'ai failli oublier : Joyeux anniversaire !

Daisy portait un mini-short et un T-shirt. Le pourtour de ses têtons se dessinait sous le tissu. Elle avait des petits seins effrontés. Helena pensa aux siens, lourds dans ses mains quelques minutes plus tôt. Daisy était petite, si menue, si blonde, comme son père. Helena se rappela cette étrange remarque que Nick avait faite un jour en disant qu'elle vivait sous le toit de gens bons et dorés. À cet instant, elle comprit ce que sa cousine avait voulu dire. Ce qui l'agaça.

Daisy posa le plateau sur la table blanche un peu branlante de la terrasse. Des œufs Benedict. Des toasts. Une tranche de melon, avec un quartier de citron vert. Du jus d'orange.

— Et voilà ! s'exclama-t-elle en déployant les bras. Maman est en train de te préparer une surprise.

Helena savait à quoi s'attendre. Enfant, elle raffolait du gâteau de Savoie aux fruits. Ça lui avait passé il y a des années, mais personne ne s'était soucié de savoir si ses goûts avaient changé. Elle en mangeait par conséquent à tous ses anniversaires et chaque bouchée contenait un relent de protestation.

Helena trempa sa fourchette dans la sauce hollandaise et la lécha. S'il y avait une chose qu'il fallait reconnaître à Nick, c'était qu'elle cuisinait rudement bien quand elle décidait de s'y mettre. La sauce parfumée au citron était crémeuse, délicieuse.

— C'est vraiment trop gentil à vous, ma chérie, dit-elle. Vous n'auriez pas dû me gâter comme ça.

— C'est ton anniversaire. Tout le monde mérite d'être gâté le jour de son anniversaire.

— Dis-moi... (Helena coupa son muffin.) À quelle heure êtes-vous arrivés hier soir ?

— J'ai eu le dernier ferry de justesse. Ty ne pouvait pas quitter son travail, mais il a dit qu'il ne raterait pour rien au monde ta fête d'anniversaire ce soir.

— Hum. Alors, du nouveau sur le front du mariage ?

— J'en suis sûre, bien que personne ne m'en informe, répondit Daisy en riant un peu trop gaiement. J'en ai tellement assez de tout ça, ça me donne envie de pleurer. Je préférerais qu'on s'enfuie tous les deux, mais tu connais Tyler et maman. Impossible de les arrêter. Ils passent leur temps à conspirer à propos des fleurs, de la musique ou de je ne sais quoi d'autre. Même quand on est en ville, ils complotent au téléphone à n'importe quelle heure du jour ou de la nuit.

— Ils veulent juste que tout soit parfait pour toi, ma chérie. (Helena porta une bouchée d'œuf poché à ses lèvres.) Quoique... (Elle déglutit en jetant un coup d'œil en coulisse à sa nièce.) Il est rare que le futur marié s'intéresse tant à tous ces détails futiles.

— Ce n'est pas très masculin, je le reconnais. Je ne cesse de le lui répéter. Je devrais être flattée, je suppose, que ça le mette ainsi en émoi. Bref, assez parlé du mariage, c'est assommant. Qu'est-ce que tu vas faire de spécial pour ton anniversaire ?

— Oh, je ne sais pas. Je n'y ai pas vraiment réfléchi.

— Dommage qu'Ed ne puisse pas venir, dit Daisy en buvant une gorgée du jus d'orange de sa tante.

Ce geste choqua Helena. Si cavalier, si revendicateur, tellement Nick. Elle eut envie de lui arracher le verre et joignit ses mains pour les empêcher de trembler.

— Si je t'emmenais au salon de coiffure !

— Je ne suis pas encore une vieille dame qui ne tient plus sur ses jambes, Daisy. Je suis encore capable de prendre mes rendez-vous moi-même.

L'acidité de sa remarque ne lui avait pas échappé.

— Ce n'est pas ce que j'ai voulu dire, tante Helena. Évidemment que tu en es capable. Je proposais juste de t'offrir une coupe. Ce serait amusant.

— Pardonne-moi, ma chérie, je n'ai pas très bien dormi et j'ai dû me lever du pied gauche.

Elle soupira. C'était éreintant, toutes ces petites feintes, mais il fallait qu'elle fasse attention. Elle devait avoir l'air enjouée et, par-dessus tout, en forme. Elle se redressa.

— Tu as raison, c'est exactement ce dont j'ai besoin.

Pendant que Daisy allait téléphoner chez Shelley, l'unique coiffeur sur l'île, à Vineyard Haven, Helena s'attaqua à son melon. Elle aurait dû le manger en premier, comme tout le monde et comme elle l'avait toujours fait, mais elle se dit que ça n'avait pas d'importance. C'était son anniversaire, après tout, et ce petit acte subversif lui faisait du bien.

Elle piqua dans un des carrés de melon que Nick avait découpés avec une extrême précision et y mordit à pleines dents. Son goût sucré la surprit. Elle repensa à la première fois qu'elle avait mangé du melon, en Californie, quelque temps après s'être installée là-bas. Avery l'avait emmenée prendre le petit déjeuner au Cabana Club Café, du Beverly Hills Hotel. C'était en 1945, et son premier petit déjeuner dehors. Elle ne savait même pas que ça se faisait. Certainement pas à côté d'une piscine. Dans quelque *diner* obscur et miteux, peut-être, si on était représentant de commerce. On lui avait servi une tranche de cantaloup, c'est ce qu'elle avait pensé en tout cas. Ou alors du melon d'Espagne. Quoi qu'il en soit, quand elle avait mordu dedans, ça pétillait – c'était le seul terme qui lui était venu à l'esprit pour décrire cette sensation. Elle n'avait jamais goûté un tel fruit et, après l'interminable période de rationnement sur la côte Est, elle avait cru être morte et montée au paradis. Ou sur une version glamour de Mars.

Voilà comment elle avait vécu Los Angeles au cours de ces premiers mois. Tout était nouveau, surprenant. Avery lui avait écrit à Cambridge pour l'informer qu'il avait trouvé une maison. À son arrivée à la gare, toutefois, il lui avait expliqué qu'ils allaient s'installer dans le pavillon des invités d'un célèbre producteur hollywoodien. (Le Producteur. Même après avoir connu son nom, elle avait toujours appelé Bill Fox le Producteur, comme un personnage dans un script.)

Certes, la cérémonie à la mairie n'avait rien eu d'extraordinaire, mais elle s'était dit qu'Avery était très occupé et qu'on avait tort de faire tout un plat du mariage. Elle portait un chapeau couleur crème que la vendeuse de chez Bullock l'avait persuadée d'acheter. Où était-il passé d'ailleurs ?

Après que le juge de paix les eut déclarés mari et femme, Avery l'avait ramenée au pavillon dans Blue Sky Road. Jusque-là, elle logeait dans un petit hôtel et, bien que le bungalow fut exigu et sombre, elle était tellement soulagée d'être enfin installée qu'elle n'avait même pas remarqué certains de ces aspects les moins avenants. Avery l'avait conduite dans la chambre où une robe sans bretelle, brodée de fils argentés, était déployée sur le lit. La doublure était en satin crème, qu'un pan sur la hanche gauche reprenait. Helena avait éclaté de rire. Nick était tellement fière de sa robe à motif de cerises. Si seulement elle avait pu la voir à cet instant.

Avery avait soulevé la robe avec précaution. Helena s'était mise en combinaison, en proie à une gêne passagère à la pensée de se déshabiller devant son nouveau mari, et l'avait enfilée. Elle lui allait à la perfection.

— Comment as-tu fait pour connaître ma taille ? s'était-elle exclamée, le souffle coupé.

— J'ai pris tes mesures, lui avait-il répondu en lui faisant un petit clin d'œil. J'ai dit que tu avais les mêmes mensurations que Jane Russell, en un peu plus petite. (Il lui avait saisi la main pour la faire pivoter sur elle-même.) Parfait ! À présent, je voudrais te sortir en ville pour te montrer à tout le monde.

Il l'avait emmenée chez Ciro. Helena n'avait jamais rien vu de tel. L'extérieur était banal, terne. Un bloc de béton avec une enseigne au néon. À l'intérieur, en revanche, on se serait cru dans un coffret à bijoux avec cette petite scène sertie de rideaux dorés et ces lustres imposants à plusieurs étages. Elle avait aperçu Marlene Dietrich au bras d'un acteur français et Jimmy Steward en compagnie d'une matrone d'aspect farouche, coiffée d'un énorme chapeau – une échotière célèbre, d'après Avery. Elle avait dû se retenir de demander « qui est-ce ? » chaque fois qu'ils passaient à côté d'une table.

— Je veux te présenter à Bill Fox, lui avait déclaré Avery.

Sur le moment, il s'était bien gardé de lui préciser que c'était le Producteur qui leur avait obtenu une table dans cet établissement.

— Eh bien, eh bien, avait lancé ce dernier une fois les présentations faites. Voilà donc notre Jane Russell.

— Ne te l'avais-je pas dit, Bill ?

— Absolument. Eh bien, eh bien, avait-il répété, hochant la tête d'un air apparemment appréciateur.

Helena s'était sentie aussi belle que toutes les autres femmes présentes. Ni trop en chair, ni trop pâle, ni bécasse.

Ce n'était plus la Helena dont la maison était toujours la plus petite, dont le père était toujours le plus pauvre. Elle était la blonde Jane Russell, vêtue d'une robe doublée de soie qui lui allait comme un gant. Envoûtante.

— Bonjour, ravie de faire votre connaissance, avait-elle dit en tendant la main. Je suis absolument enchantée par la maison. Merci mille fois de nous la céder.

— Bungalow, avait corrigé le Producteur en passant un doigt sur sa moustache en demi-lune. Eh bien, Avery et moi avions une vieille amie en commun, comprenez-vous.

— Oh.

Elle avait regardé son mari qui lui avait rendu son sourire.

— Bon, amusez-vous bien, les enfants, avait conclu le Producteur en se tournant vers ses convives.

— Notre table est au fond, avait soufflé Avery en la tirant par le bras.

Elle était restée plantée là un instant à se demander si la conversation était vraiment terminée.

— Au fait, chérie, avait ajouté le Producteur sans se retourner. N'oublie pas de rapporter cette robe à la costumière lundi.

Daisy attendait dans la voiture en faisant tourner le moteur. Quand Helena sortit sur le perron, elle jeta un coup d'œil par-dessus la clôture à ce qui était jadis sa demeure. Que Nick lui avait prise. Volée, en fait. Un jeune couple sans enfants en était désormais propriétaire ; ils avaient érigé une barrière blanche pour empêcher leur chien de sortir. Une gentille bête, un bâtard probablement. Il avait un pelage noir, tout doux, et sa queue n'arrêtait pas de s'agiter. Elle l'aimait bien.

Daisy l'appela. Helena arracha son regard du pavillon et se dirigea vers la voiture. La coccinelle, comme disait Daisy. Petite, exiguë à l'intérieur, couleur tournesol. Helena avait toujours la sensation d'être tire-bouchonnée comme un bretzel après un trajet à bord de ce véhicule.

En ouvrant la portière, elle fut accueillie par les accents de faux Brahman caractéristiques de Bobby Kennedy émis par la radio.

Il devrait être clair à présent que les bombardements du Nord ne sauraient mettre un terme à la guerre dans le Sud.

— Je n'ai jamais compris ces Kennedy, tu sais, dit-elle en essayant de trouver une position confortable dans le siège étroit. Cet accent ridicule. Plus personne ne parle ainsi.

Daisy tourna le bouton de la radio. Une musique métallique se substitua au bulletin d'informations. Helena soupira. Daisy embraya et remonta l'allée en marche arrière à une vitesse vertigineuse jusqu'à North Summer Street. Helena remarqua que sa nièce avait envoyé balader ses ballerines sous son siège. Elle croisa les chevilles avec la sensation d'être un peu bégueule. Pourquoi se sentait-elle aussi vieille ?

Pas seulement à cause de Daisy. Après tout, à vingt ans, ce n'était qu'un bébé. Helena jeta un coup d'œil à son profil, ses cheveux blonds courts ébouriffés par le vent. Étonnant à quel point Nick semblait désormais la laisser indifférente. Quand elle était petite, elle l'observait constamment. On percevait presque sa crainte de ne pas être à sa hauteur. Elle était devenue si insouciante, si détachée. En un sens, elle traitait sa mère comme Hughes le faisait, avec une sorte d'indulgence. Cela dit, se rappela Helena, elle allait bientôt se marier. Elle était jeune, jolie, et elle avait eu l'homme qu'elle voulait. De quoi s'inquiéterait-elle ? Elle l'avait convoité pendant des années, jouant les bêcheuses, puis l'avait subtilement ignoré jusqu'à ce qu'il se range à son point de vue. Helena gloussa. Daisy ne lâchait pas facilement le morceau.

Elle se demanda s'ils couchaient ensemble. Probablement. Les jeunes semblaient se précipiter au lit à la première occasion. Quand elle avait l'âge de Daisy, les gens le faisaient aussi, bien sûr, mais ils avaient la décence d'en concevoir de la honte. Elle avait attendu d'être mariée avec Avery pour s'offrir à lui alors qu'elle n'était même plus vierge.

Ils n'avaient pas fait l'amour le soir de leurs noces ; ils avaient bu trop de champagne. En toute honnêteté, elle s'était sentie soulagée. Le sexe avec Fen avait été une expérience déconcertante. Il semblait tellement admiratif de son corps qu'elle avait l'impression d'être une maison de poupée. Et puis, les souvenirs de leurs ébats s'étaient confondus avec sa mort, si bien qu'à l'époque de son union avec Avery l'idée même de faire l'amour avait quelque chose d'assez repoussant.

Cependant, coucher avec Avery n'avait rien à voir. Il n'arrêtait pas de murmurer « ma femme, ma star ». Du coup, elle se sentait bizarre et sexy à la fois. Après, il restait allongé à effleurer du bout des doigts le pourtour de sa poitrine en la regardant de ses yeux aux paupières tombantes. Des yeux noisette, avait-elle remarqué, prenant conscience qu'elle en ignorait la couleur jusqu'à cet instant.

— J'étais content que tu ne sois plus vierge, ça simplifie les choses, lui avait-il dit, mais je pensais tout de même que tu aurais un peu plus d'expérience.

— Oh, avait-elle soufflé, perplexe.

— Je veux que tu parles quand on fait l'amour.

— Oh.

Il avait ri.

— Tu n'as pas à avoir honte, Helena. Pas avec moi.

— Je n'ai pas honte, avait-elle menti.

Il avait pris son visage entre ses mains et, l'air grave tout à coup, il avait ajouté :

— Promets-moi de ne jamais essayer de cacher qui tu es vraiment.

Elle avait regardé obstinément ailleurs, mais une onde de chaleur s'était propagée en elle.

— D'où je viens, les gens ne parlent pas comme ça.

— Je sais d'où tu viens. Tous ces snobs de la côte Est, comme ta cousine. Mais tu es loin de tout ça maintenant. Nous sommes libres d'être ce que nous sommes.

— Ils n'ont rien de snob, avait-elle protesté.

— Non, non, tu as raison. (Il lui avait caressé les cheveux.) Tu me donnes envie de te protéger, c'est tout. Je refuse que qui que ce soit te fasse sentir que tu vaux moins que ce que tu es en réalité. Tu comprends ce que je veux dire ?

Elle comprenait.

— Je voudrais te montrer quelque chose, avait-il enchaîné en se redressant.

Il l'avait guidée à travers le salon vers une porte en bois sombre donnant sur ce qu'il avait appelé avec désinvolture son bureau quand il lui avait fait faire le tour du propriétaire.

C'était une pièce carrée, exiguë. Sur un côté, une unique fenêtre, d'une taille réduite, laissait entrer la lumière. Deux affiches étaient punaisées sur un mur. La première représentait un homme en trench-coat tenant un revolver fumant à la main ; une rousse vêtue d'une robe verte déchirée se cramponnait à sa jambe. *Dette de sang*, lisait-on en gros caractères rouges en haut. L'accroche disait : « La Foule le veut... Elle a besoin de lui... Mais on ne peut retenir un homme comme lui ! »

L'autre affiche évoquait un film intitulé *Un œil à travers le trou de la serrure* (« Il vous regarde dormir »). Helena n'avait jamais entendu parler ni de l'un ni de l'autre, mais il semblait que ce soit le genre de films qui passaient dans les séances doubles.

Sous chaque affiche, elle remarqua un tas de vêtements féminins. Pas de mobilier dans la pièce en dehors d'un classeur en métal gris, d'un bureau tapissé de photos de film et d'une chaise. Des caisses débordant de vieilleries étaient empilées contre les murs : Helena aperçut un flacon de parfum vide, une brosse à cheveux, un exemplaire écorné de Mme Parkington.

— Qu'est-ce que c'est que tout ça ?

La brosse à cheveux la troublait particulièrement. Quelqu'un d'autre habitait-il sous leur toit ?

— Je voudrais te présenter Ruby, lui avait répondu Avery en déployant les bras, tel un pasteur.

— Pardonne-moi, mais qui est Ruby ?

— Ma sœur jumelle. (Il s'était avancé dans la pièce pour effleurer avec tendresse l'affiche de *Dette de sang*.) Ne t'inquiète pas. Elle est morte.

Abasourdie, Helena se demanda tout à coup qui était cet homme.

— J'ai besoin... je tiens absolument à te dire quelque chose. (Il passa sa main dans ses cheveux avant de lever les yeux vers elle.) Puis-je ?

Elle avait hoché la tête, mais elle tremblait de peur.

— Avant que nous nous rencontrions, toi et moi, Ruby et moi étions mariés. Pas comme nous deux, à la mairie, mais des époux dans l'âme. Elle était belle, talentueuse, et elle m'a appris à être libre. Regarde, dit-il en prenant un cliché sur le bureau. (Une femme aux yeux langoureux, aux cheveux bouclés sur les épaules, allongée, le regard détourné de l'objectif.) C'est elle. C'est Ruby.

Elle était splendide, envoûtante. Helena avait un peu la nausée.

— Que lui est-il arrivé ?

— Ils l'ont tuée.

— Qui ça ? s'enquit-elle, même si elle n'était pas certaine d'avoir envie de le savoir.

— Eux tous. Le monde et sa sordide jalousie. Avery avait soupiré avant de s'asseoir par terre en tailleur. On a retrouvé son corps dans sa voiture garée dans une allée près de Sunset. (Il contemplait la photographie.) On l'a étranglée. Les flics ont dit que ça ressemblait à un rendez-vous qui aurait mal tourné. Ils l'ont traitée de prostituée, de pute. Ce sont eux, les ordures. Ruby ne se serait jamais vendue, jamais.

Helena avait la sensation d'être ivre. Ou dans un rêve où l'on sait qu'on est chez soi, mais où on ne reconnaît rien. Elle serra autour d'elle le déshabillé qu'elle avait acheté pour sa nuit de noces.

— Avery, mon chéri, retournons nous coucher. J'ai froid.

Peut-être que s'ils sortaient de cette horrible pièce en refermant la porte derrière eux, ils pourraient faire comme si rien de tout cela ne s'était produit. Regagner la chambre, remonter le temps.

L'expression d'Avery avait changé.

— Je t'ai fait peur, ma pauvre petite souris. (Il s'était relevé pour la prendre dans ses bras.) Ça fait beaucoup de choses à avaler, je m'en rends compte, et ça peut paraître fou, mais j'ai besoin que tu me fasses confiance.

Son étreinte l'avait réchauffée et elle avait pensé à ce qu'il lui avait chuchoté à l'oreille en lui faisant l'amour : « Ma femme, ma star. »

— Elle était en plein tournage quand elle est morte. Un film que j'ai bien l'intention de finir. Il me suffit de rassembler des fonds. Je rachèterai les droits au studio, expliqua-t-il en parlant vite, un peu comme s'il récitait de mémoire. J'aurai recours à une doublure, comme ils l'ont fait pour Jean Harlow dans *Saratoga*. Mais il va falloir qu'elle comprenne vraiment Ruby, qu'elle la connaisse. C'est pour ça que j'ai réuni tout ça. Pour la reconstituer.

— Avery…

Elle s'était écartée de lui.

— Attends, attends, avait-il gémi, lui attrapant la main pour la presser contre sa poitrine. Ne me repousse pas, s'il te plaît, Helena, l'avait-il implorée avec un regard désespéré, infiniment triste. T'est-il déjà arrivé de te sentir seule ? Comme si tu n'étais nulle part à ta place, que tu n'appartenais à personne ? Comme si tu risquais de perdre la tête tant tu as de désirs inassouvis ? (Il avait secoué la tête.) Ne me dis pas que ça ne t'est jamais arrivé, parce que je le sais. Je l'ai compris à la seconde où je t'ai vue dans cette quincaillerie. Toute cette souffrance, cette manière de faire comme si tout allait bien alors que tu étais morte à l'intérieur. Il en a été de même pour moi. Nous faisons la paire, Helena. Nous pouvons nous en sortir. Nous sauver l'un l'autre.

Elle l'avait longuement dévisagé. Oui, elle savait l'effet que ça faisait. D'être toujours la plus gentille, la plus démunie, sans rien à soi. La jolie fille que les garçons tripotaient à leur aise, sachant qu'il n'y aurait pas de répercussions. Trop effrayée, humiliée, trop petite pour oser les dénoncer. Remerciant avec effusion pour la moindre bonté qu'on voulait bien lui accorder – même avec Fen –, comme si elle ne le méritait pas. Elle le méritait. Elle méritait d'être heureuse. Et maintenant, avec Avery, son mari, elle n'aurait plus à se battre toute seule.

Daisy avait une course à faire en chemin. Helena la regarda poser son paquet avec soin sur la banquette arrière, le déplacer jusqu'à ce qu'il soit exactement à la bonne place. Elle reconnut Hughes dans ces gestes précis, délibérés. Il faisait toujours preuve d'une prudence extrême. Si Nick manifestait une totale insouciance envers l'argent, les gens, tout ce qui ne lui appartenait pas au fond, Hughes, lui, passait son temps à arrondir les angles. Il était charmant, plein de sollicitude, en apparence, mais Helena sentait qu'il lui manquait quelque chose en profondeur. Comme s'il avait gardé une partie de son être intacte quelque part en lui et tenait secrètement conseil avec lui-même. Helena aurait plaint Nick si la situation n'avait pas été aussi comique. Elle était enchaînée au seul homme, semblait-il, inapte à réagir aux charmes qui faisaient merveille sur les autres.

Quoi qu'il en soit, même si elle ne le comprenait pas vraiment, Helena avait de la sympathie pour Hughes. Elle savait ce que c'était de cacher son jeu. Elle avait appris à ses dépens que, dès lors que les gens en savent trop sur vous, ils cherchent inévitablement à vous sauver de vous-même. L'une des petites attentions de Nick à son endroit, par exemple, avait consisté à faire disparaître tous les médicaments de la maison, au point qu'on ne pouvait même plus mettre la main sur une aspirine quand on avait mal à la tête. Ça rendait Helena dingue. Comme si en éliminant les cachets, Nick avait le pouvoir de lui en ôter l'appétit, comme si elle avait le moindre contrôle sur ses envies. D'ailleurs, les cachets n'étaient pas le problème. Plus maintenant, tout du moins.

Au début, elle avait essayé d'aider Avery à mettre de l'ordre dans sa collection, à cataloguer les objets ayant appartenu à Ruby. Mais elle était trop maladroite, elle avait même cassé le flacon de parfum, si bien que son soutien n'avait fait qu'accentuer la frustration de son mari. Désormais, elle le laissait donc se démener seul quand il rentrait de son travail aux assurances Sunshine.

Au bout d'un mois environ, elle avait trouvé son rythme. Elle occupait presque toutes ses matinées à préparer le petit déjeuner, ranger, faire les courses, le repassage, en amidonnant soigneusement les chemises d'Avery, à se coiffer. Tout cela ne la menait jamais beaucoup plus loin que 14 heures. Elle n'avait pas de cuisine à faire car Avery tenait à manger dehors, même dans un *diner* minable lorsque l'argent manquait. Ou bien ils sortaient juste pour boire un verre. Elle vivait néanmoins pour ces soirées en compagnie de son mari qui semblait reprendre vie. Bill Fox les invitait parfois à souper ; elle regardait alors Avery avec fierté. On aurait dit qu'hommes et femmes se penchaient vers lui quand il prenait la parole, comme les plantes s'inclinent vers une fenêtre ensoleillée. Il trouvait toujours ce qu'il fallait dire, le compliment, la taquinerie de mise, et, à l'instant où elle commençait à se dire qu'il l'avait oubliée, il croisait son regard, la gratifiant de ce sourire si particulier, comme pour lui laisser entendre qu'ils étaient solidaires.

Il n'empêche que ses après-midi étaient problématiques. Pour faire passer le temps, elle avait entrepris de lire les recueils de poèmes de Nick, mais elle avait fini par épuiser le stock. Elle se promenait des heures durant dans les jardins de la résidence, au point d'en connaître par cœur les moindres recoins. De temps à autre, elle prenait le bus et se baladait en ville jusqu'au souper, mais elle n'aimait pas la manière dont les hommes la regardaient. Elle correspondait avec sa cousine aussi. Elle n'avait pas d'amies proches, en dehors de Nick. Plus maintenant, en tout cas. Au tout début, elle avait écrit à la sœur de Fen, aux épouses de ses amis, mais ses lettres étaient restées sans réponse. À croire que son ancienne vie sur la côte Est avait cessé d'exister. Elle se consolait en se disant que la guerre avait écarté tout le monde.

Un matin au réveil, elle avait trouvé un flacon de pilules sur sa table de chevet, avec un petit mot.

Pour ma petite souris.

Lorsque Avery était rentré du travail, elle avait frappé à la porte de son bureau.

— Qu'est-ce que c'est que ça ? lui avait-elle demandé lorsqu'il avait entrouvert la porte.

Ses yeux noisette étaient fatigués à force de se plisser dans l'obscurité.

— Un petit cadeau. J'ai dit à Bill Fox que tu trouvais les journées un peu longues pendant que je peine au travail. Il m'a recommandé ce médicament. Il en donne à quelques-unes de ses stars. Pour les aider à dormir. À rêver aussi, mon amour, avait-il achevé en lui faisant un clin d'œil.

— Oh !

Elle avait regardé l'étiquette, rédigée de la main du docteur Hofmann, qui portait son nom. Du Nembutal.

— Je ne sais pas, Avery, personne n'a jamais pris de cachets dans ma famille.

— Quand tu as mal à la tête, ne prends-tu pas une aspirine ?

— Si, en effet.

— C'est la même chose, sauf que ce médicament ne soigne pas les migraines. Il est destiné aux jolies petites souris qui se sentent seules parce que leur mari travaille dur. Je sais que tu te sens seule, j'essaie de t'aider, c'est tout. Bien sûr, tu n'es pas obligée de les prendre si tu n'en as pas envie.

— C'est vrai que je me sens un peu, je dirais… inutile. Je pensais intégrer le club de lecture féminin dont je t'ai parlé.

Avery avait éclaté de rire.

— J'ai besoin de toi ici. Tu n'es pas inutile. Tu m'aides plus que tu l'imagines. Je suis plus productif depuis que nous sommes mariés. Pour l'amour de Dieu, ne m'abandonne pas maintenant pour ces dames du club de lecture !

Helena avait ri à son tour.

— D'accord, très cher, je promets de ne pas t'abandonner.

Mais elle avait rangé le flacon au fond du placard de la salle de bains.

Une semaine plus tard, après avoir fini ses corvées, elle s'était retrouvée assise à la table de la cuisine à écouter le tic-tac de la pendule dans la maison vide. Elle avait envisagé d'écrire à Nick, mais elle n'avait pas encore reçu de réponse à sa dernière lettre. Elle avait tenté de minimiser ses soucis d'argent, mais le silence de sa cousine ne lui faisait pas moins l'effet d'une gifle. Tandis qu'elle regardait courir la petite aiguille, elle sentit la colère la gagner peu à peu. Elle pensa aux cernes d'Avery quand il rentrait du travail, à tous les efforts qu'il déployait pour son projet. Et à Nick, qui avait tout. Elle savait qu'ils ne pouvaient pas vraiment se permettre un appel longue distance, mais décida quand même de téléphoner à sa cousine.

À son grand étonnement, à la seconde où elle entendit sa voix, toute sa rancœur s'évanouit. Elle avait oublié à quel point elle aimait son rire et Nick paraissait sincèrement heureuse d'avoir de ses nouvelles. Elle lui raconta une folle histoire : qu'elle narguait ses voisines en se promenant en maillot de bain dans l'allée. L'espace d'un instant, Helena oublia la pendule et ses aiguilles. Pour finir, prenant son courage à deux mains, elle s'enhardit à aborder la question de la vente de la maison.

— Avery… enfin, lui et moi avons pensé que ça pourrait être une solution.

Il aurait été injuste de tout mettre sur le compte d'Avery. Ça n'avait été qu'une suggestion, comme il l'avait souligné lui-même.

— Notre budget est un peu serré, tu comprends. Je ne vois pas trop l'intérêt de la garder alors que nous avons tellement besoin d'argent en ce moment.

— Tu veux vendre la maison ? s'était exclamée Nick d'un ton refroidi.

— Elle m'appartient, avait-elle répondu à voix basse.

— Bon sang, Helena ! À quoi penses-tu ? C'est mon père qui l'a construite. Et maintenant ton mari pense que tu devrais tout bonnement la vendre parce que vous êtes à court d'argent ?

— Tu ne comprends pas, Nick.

Elle sentit des larmes perler au bout de ses cils.

— C'était la maison de ta mère, Helena. Comment oses-tu ?

— Laisse tomber, avait-elle répondu, le combiné trem-
blant dans sa main. Tu as raison, évidemment. Nous trou-
verons un autre moyen, j'en suis sûre.

Après avoir raccroché, toutefois, elle était allée chercher
le flacon dans la salle de bains. Elle avait avalé une petite
pilule jaune avec un verre d'eau du robinet puis s'était allongée sur son lit et avait attendu, en proie à une sensation
d'engourdissement et de picotements qui lui montaient le
long des membres. Au moment où elle avait commencé à
avoir l'impression d'être une gomme, tout était devenu noir.

En se réveillant ce soir-là elle s'était sentie lourde. Un
martini au Mocambo, et elle se retrouva trébuchante au bras
d'Avery. Il s'était trompé à propos des rêves. Elle n'en avait
fait aucun. Juste une sorte de néant profond. Il n'empêche
que cela faisait passer les longues heures de solitude dans la
maison de Blue Sky Road. Plus tard, il y avait eu d'autres
pilules, les gros opiacés dorés – comme du sucre dans le
sang –, les amphétamines, accompagnées de vifs bourdon-
nements.

Quand Helena tomba enceinte, elle fit finalement la
connaissance du docteur Hofmann qui comblait les vides
de ses interminables journées. Il avait exactement la tête
qu'elle avait imaginée, ce qui l'étonna. Des cheveux argentés, clairsemés, autour d'un crâne dégarni, étincelant, par-
semé de taches de vieillesse, des sourcils broussailleux, d'un
noir qui détonnait avec le reste, un visage doux, une attitude
distraite, avunculaire.

— Madame Lewis, commença-t-il en parcourant un dossier – le sien, vraisemblablement. Vous attendez un enfant
maintenant, oui. Il va falloir que vous arrêtiez le Nembutal
et le euh… (Là, il marqua une pause en continuant à lire.)
Oui, le Démerol et le Dilaudid aussi. Les opiacés, sans
aucun doute. Ainsi que la Benzédrine.

Il avait relevé les yeux. Elle était assise en face de lui,
immobile. Elle avait mis des gants, pensant que c'est ce

que Nick aurait fait, mais ses paumes la grattaient et elle se demandait si ça ferait bizarre qu'elle les ôte maintenant.

— L'anxiété que vous éprouvez sans doute, madame Lewis, disparaîtra à la naissance de l'enfant, rendant toute médication inutile. Nous avons déjà observé ce phénomène. Néanmoins, si durant votre grossesse vous ressentez le besoin de prendre quelque chose, optez pour un quart ou un demi-Nembutal. Ça devrait suffire.

— Entendu, avait répondu Helena d'un ton hésitant.

— À présent, laissez-moi vous examiner, avait-il conclu en tapotant la table métallique à étriers.

Elle avait réussi à se passer de la plupart des cachets. Elle avait passablement vomi les premières semaines, des nausées matinales probablement ; elle avait eu du mal à dormir aussi, ce qui arrivait souvent pendant la grossesse, elle l'avait lu quelque part. Mais il y avait des tas de préparatifs à faire pour l'arrivée du bébé. Elle commanda plusieurs livres de patrons dans le catalogue de Sears Roebuck et cousait toute la journée, des barboteuses de toutes les couleurs et tailles, en veillant à ne pas se cantonner au rose et au bleu.

Elle prévoyait également un voyage sur la côte Est pour rendre visite à Nick et Hughes.

— Il y a tellement longtemps que je ne les ai pas vus, mon chéri, et je ne pourrai plus y aller après la naissance du bébé, avait-elle dit à Avery dans l'espoir de lui soutirer les cent quarante dollars pour le billet aller-retour.

— Écoute, ma souris, je ne suis pas sûr que ce soit le meilleur usage à faire de notre argent. Nous avons besoin de tout ce dont nous disposons pour le projet, tu le sais. Surtout si tu refuses de vendre la maison.

— J'arriverai peut-être à la convaincre en discutant avec elle.

— Je ne comprends toujours pas pourquoi il est nécessaire de la convaincre.

— C'est compliqué. (Elle avait posé la main sur le bras de son mari.) Des histoires de famille.

— Seigneur ! s'était-il récrié en écartant sa main. Je croyais en faire partie de cette famille. Si tu veux me quitter, va-t'en, avait-il ajouté en secouant la tête.

— Mon chéri...

Elle s'était sentie désespérée.

— Laisse tomber. Si tu tiens tant à ce billet de train, demande à ta radine de cousine de te le payer.

Lorsqu'elles rentrèrent du Shelley's Salon une heure plus tard, Helena commença à avoir des tressaillements dans la paupière droite.

— Je suis vraiment désolée, tante Helena, balbutia Daisy, mais Helena refusait de la regarder.

D'ailleurs, pendant tout le trajet du retour, elle ne lui avait pas adressé la parole.

Il y avait de la musique dans la maison. Sinatra. *Something stupid.* Helena éclata de rire. Son œil clignota de plus belle. Elles suivirent la musique jusqu'au salon bleu où elles trouvèrent Nick, vêtue d'une tunique en soie blanche, en train de chanter en se trémoussant, une coupe de champagne à la main. Elle laissait des gouttes mousseuses sur le tapis dans son sillage.

Hughes était en train de préparer un cocktail au bar.

La paupière de Helena sautillait à plein régime maintenant ; elle appuya son index dessus.

Nick se retourna tout en continuant à fredonner. La surprise se lut sur son visage quand elle les vit sur le seuil.

— Oh mon Dieu ! s'écria-t-elle en portant la main à la bouche pour dissimuler son hilarité. Qu'est-ce que cette folle de Shelley a fait à tes cheveux, Helena ?

— Oh maman ! répondit Daisy, cédant elle-même à un fou rire nerveux. Cette femme est une calamité... Pauvre Helena !

— Effectivement.

Nick riait maintenant à gorge déployée. Helena remarqua qu'une mèche de cheveux lisse lui tomba sur l'œil à point nommé.

— Pour l'amour du ciel, Daisy, cherches-tu à ridiculiser ta tante ?

— Je trouve cette coiffure charmante, intervint Hughes en souriant gentiment à Helena.

Celle-ci se toucha les cheveux. C'était une catastrophe. Elle l'avait su à l'instant où Shelley en avait fini avec elle. Elle avait l'air d'un caniche qui se serait pris la foudre. Elle aurait voulu disparaître sous terre. Elle avait envie d'aller chercher ses ciseaux de couture pour taillader toute la maison et ses occupants au grand complet.

— Eh bien, lança Nick, pas de panique : un bon shampooing et le tour est joué.

Helena se borna à la dévisager.

— Ou pas, ajouta Nick d'un ton enjoué. Bref, je suppose qu'une coupe de champagne vous ferait du bien, mesdames.

— Ce ne serait pas très raisonnable, répondit Helena en parlant d'une voix contenue comme elle avait appris à le faire à l'hôpital pour réprimer sa rage.

— Pour l'amour du ciel, Helena, c'est ton anniversaire ! Tu as le droit à une coupe, bien sûr. Même à dix, si tu le souhaites. Tu en as bien besoin, on dirait.

— Sans façon, répondit Helena en continuant à presser son doigt sur son œil. En revanche, je prendrais volontiers une aspirine.

Nick scruta son visage un instant avant de répondre :

— Eh bien, ma chérie, j'ai peur que nous n'en ayons pas.

Tout le monde sombra dans le silence. Helena sentit le regard de Daisy se poser sur elle, elle entendit son petit soupir mais elle continua à toiser sa cousine. Finalement elle hocha la tête, tourna les talons et regagna le couloir.

— Helena !

— Laisse-la partir, Nick, entendit-elle dire Hughes.

— J'essayais juste d'avoir le cœur en fête, bon sang ! Ça fait cinq ans, pour l'amour du ciel ! Quand va-t-elle se décider à me pardonner ?

Helena se rendit dans la cuisine, ouvrit le réfrigérateur. Elle sortit la bouteille de champagne et retira la cuillère en argent du goulot avant de boire une généreuse lampée. Après avoir remis la bouteille en place aussi discrètement que possible, elle regarda autour d'elle. La clarté du soleil inondait les fenêtres, les murs jaunes la narguaient par leur éclat. Dans le coin près du fourneau, sous un vieux torchon imprimé de petits Hollandais, se terrait le gâteau de Savoie. Elle s'en approcha, souleva le torchon. Elle inspecta la surface dorée et soufflée du gâteau autour du trou central, se sourit à elle-même. Elle enfonça son doigt dans la matière spongieuse jusqu'à ce que le bout de son ongle cogne le plat en dessous. Elle porta son doigt à sa bouche pour goûter la saveur sucrée, floconneuse, et serra les dents.

Après avoir jeté le torchon près du fourneau, elle souleva le plat, se dirigea vers la porte de derrière, poussa la moustiquaire jusqu'à ce qu'elle se pose sans bruit contre l'encadrement. Puis elle marcha à pas feutrés sur le gazon, le plat serré contre sa poitrine.

— Tiens, petit, roucoula-t-elle quand elle atteignit la barrière blanche.

Le chien noir des voisins traversa la pelouse d'un bond, piétinant au passage le parterre de fleurs qu'il était en train de flairer. Elle tendit le bras et le gratta derrière l'oreille. Il agita la queue.

Elle se pencha par-dessus la barrière, autant qu'elle le put, les pointes s'enfonçant dans les chairs de son ventre, et posa le plat sur l'herbe. Après l'avoir reniflé, l'animal s'attaqua au gâteau, avalant tout rond de gros morceaux.

Helena se sentit calme pour la première fois de la journée. Sereine même. Elle le regarda jusqu'à ce qu'il ait fini.
— Brave bête, dit-elle d'une voix douce à l'adresse de l'animal qui avait relevé la tête et la regardait d'un air plein d'attente. Tu es un bon toutou.

Novembre 1962

Elle les entendait devant la porte. Il y avait longtemps que cette voix n'était pas parvenue à ses oreilles. C'était la Garce, sans aucun doute. La Garce et le Producteur. Elle dit quelque chose, puis ce fut son tour à lui. La Garce, le Producteur. Comme un match de tennis. La Garce et le Producteur jouaient au tennis. Helena rit, étouffa son accès d'hilarité dans son oreiller. Il ne fallait pas qu'ils sachent qu'elle était là.

— Comment ça, vous n'avez pas la clé ?

— Eh bien, eh bien… euh… madame Derringer, c'est ça ?

— Oui.

La Garce n'avait pas l'air contente.

— Eh bien, madame Derringer, je n'ai pas pour habitude de garder la clé des autres.

De nouveaux coups à la porte.

— Nom d'un chien, Avery, ouvrez cette porte ! Helena ? Es-tu là, ma chérie ?

— Je ne pense pas qu'il soit chez lui, madame Derringer.

— Que voulez-vous dire ? Où est-il donc passé ?

— Comme je vous l'ai dit au téléphone, je ne tiens pas mes amis à l'œil. Je ne l'ai pas vu récemment en tout cas.

— Eh bien, monsieur Fox. Monsieur Fox, c'est bien ça ?

Elle avait un ton glacial maintenant. Il est vrai qu'elle était capable d'être glaciale mieux que personne. C'est pour ça qu'elle l'appelait la Garce : Avery avait raison à son sujet.

— Si ce n'est pas trop vous demander, pourriez-vous faire un effort, rien qu'une fois, et essayer de vous rappeler la dernière fois que vous l'avez vu ?

— Ça fait deux semaines au moins, je dirais.

— Deux semaines ?

— Un mois peut-être.

— Un mois. Vous plaisantez ! Où était-il passé pendant tout ce temps, bon sang ?

— Je suis bien en peine de vous le dire, madame Derringer.

— Vous êtes en peine de me le dire.

— Oui, madame.

— Très bien, monsieur Fox. Ne vous fatiguez pas. Voilà ce que je vais vous dire, moi : je vais trouver Avery Lewis moi-même et, quand ce sera chose faite, sachant qu'il aura fait des siennes, je provoquerai un scandale de tous les diables et tout le monde en ville saura qu'il a perpétré ses méfaits sur votre propriété. Sous *votre* toit. À présent, si vous ne me dénichez pas la clé de cette porte sur-le-champ, j'appelle la police pour qu'ils la défoncent. Je n'ai pas fait trois mille kilomètres pour que vous, ou qui que ce soit, me mette des bâtons dans les roues. Nous sommes-nous bien compris ?

Avantage pour la Garce. Helena mordit son oreiller.

— Allons, allons, madame Derringer.

Il y eut un silence, et Helena pensa qu'elle avait peut-être somnolé jusqu'à ce que la voix du Producteur résonne à nouveau à ses oreilles.

— Je crois avoir entendu dire qu'Avery auditionnait des actrices pour son projet de film. Il me semble qu'il a loué un espace quelque part à cette fin, pour ses affaires. Il se pourrait donc qu'il soit là-bas.

— Je veux l'adresse. Et allez me chercher cette fichue clé.

— Comme je vous l'ai dit, je ne l'ai pas. Mais je vais me mettre en quête du jardinier. Il devrait être en mesure de nous aider.

— Excellente idée, monsieur Fox.

À ce moment-là, Helena s'assoupit pour de bon. C'était à cause du Dilaudid. Ou du Démerol. Elle n'arrivait plus à se rappeler lequel était sur sa table de nuit. De vagues cognements retentirent quelque part dans son rêve, puis une main glacée se posa sur son front.

— Oh, Helena, ma chérie !

Elle ouvrit les yeux. C'était elle. Elle pleurait ? Non, la Garce ne pleurait jamais. Quel motif aurait-elle pour pleurer ?

— Tu m'entends, ma chérie ? C'est Nick. Ma pauvre Helena. Je vais t'emmener loin d'ici.

Elle avait trop sommeil pour lui dire qu'elle n'avait pas envie d'aller où que ce soit. Avec elle !

— Avery.

— Ne t'inquiète pas. Je vais m'occuper de tout.

Helena hocha la tête. Elle ne savait pas pourquoi, elle voulait juste qu'on cesse de lui parler pour qu'elle puisse se rendormir. Elle était tellement fatiguée. Elle ferma les yeux, mais continua à entendre des balles de tennis taper sur le court.

— Seigneur ! Il faut faire venir un médecin.

— C'est juste les pillules, madame Derringer. (Le Producteur était là lui aussi.) Tout ira bien quand elle aura dormi. Cependant, si vous êtes inquiète, je peux appeler le docteur Hofmann. C'est le médecin de Helena… euh, de Mme Lewis.

— Vous avez perdu la tête ? Regardez-la. Vous êtes encore plus fou que je ne le pensais. Vous vous imaginez que je vais laisser ce charlatan l'approcher. Où est le téléphone ?

Helena était de retour à Tiger House. C'était l'été, les rideaux en lin que sa grand-mère avait confectionnés volti-geaient sur le palier. En regardant par la fenêtre, elle vit ses parents en train de prendre le thé sur la pelouse de l'autre côté de la rue avec son oncle et sa tante. Un coup de vent souleva le chapeau de sa mère qui tenta de l'épingler d'une main en tenant sa tasse de l'autre.

Elle avait mal au tibia, là où Nick lui avait donné un coup de pied. Pourquoi l'avait-elle frappée ? C'était elle qui avait fait des bêtises. Lui promettant une surprise, elle l'avait emmenée dans Main Street qu'on était en train de goudronner. Horrifiée, Helena l'avait regardée prélever une bande de goudron chaud et la porter à sa bouche. Après quoi sa cousine l'avait incitée à en faire autant. Helena avait refusé et Nick l'avait traitée de bébé. Elle lui avait jeté du goudron dessus, tachant sa robe. Helena avait pleuré, sachant que sa mère serait furieuse, et menacé sa cousine de la dénoncer. C'est à ce moment-là que Nick lui avait flanqué un coup de pied magistral dans le tibia.

Nick la cherchait maintenant, mais elle s'était cachée derrière les rideaux du palier. Elle entendit la voix de son grand-père en bas.

— Ah te voilà, petite diablesse ! dit-il à Nick. Quelle sottise as-tu encore faite ?

— J'ai rien fait, grand-père.

— C'est du goudron que tu as sur les dents ? remarqua-t-il, puis éclata de rire. Cette vieille Nick, tu es vraiment une diablesse. Enfin, peu importe. Je voulais te montrer ce que j'ai rapporté des Indes... N'est-ce pas magnifique ?

Helena mourait d'envie de voir, mais elle redoutait d'abandonner sa cachette.

— Tu vois ces tigres ? Quand vous serez assez grandes, ta cousine et toi, je vous ferai faire des robes à toutes les deux. Qu'en dis-tu ?

— J'adore, répondit Nick, un peu essoufflée.

— Bon, je vais au Reading Room boire un verre. Ne le dis pas à ta grand-mère.

— Entendu, grand-père. (D'une voix un peu plus forte, elle ajouta :) J'ai horreur des rapporteurs.

— Moi aussi. Tu as parfaitement raison.

Helena attendit encore un peu qu'il n'y ait plus aucun bruit avant de risquer un coup d'œil par-dessus la rampe. Nick était là, dans l'entrée, la tête légèrement penchée de côté. Helena aspira sa salive en rentrant les joues pour en avoir suffisamment sur la langue, puis elle se pencha autant que possible au-dessus de la balustrade et cracha. Elle suivit son glaviot des yeux jusqu'à ce qu'il atterrisse avec un bruit satisfaisant sur la tête de sa cousine.

Quand Helena ouvrit les yeux, elle l'entendit de nouveau, mais elle était dans une autre chambre. Plus grande. Elle s'en rendit compte parce qu'il y avait davantage de distance entre le lit et le mur. Les murs étaient vert menthe. Il y avait une table de chevet, mais pas de flacons de cachets posés dessus. Juste un verre d'eau. Elle avait envie de l'attraper, elle avait la bouche sèche, mais elle ne voulait pas qu'ils sachent qu'elle était réveillée.

— J'ai appelé le docteur Hofmann. Je lui ai énuméré tout ce qu'elle a pris et, franchement, madame Derringer, je m'étonne qu'elle n'ait pas fait une overdose. Un sacré cocktail !

— Je vois. Ce pseudo-médecin vous a-t-il précisé pourquoi elle prenait toutes ces pilules ?

— La litanie habituelle : anxiété, dépression, insomnie, agitation.

— Tout ça ?

— À mon avis, certaines de ces pillules ont dû provoquer d'autres symptômes auxquels on s'est alors attaqué avec un nouveau traitement. Je n'ai aucune certitude dans la mesure où je n'ai pas suivi la patiente moi-même. Il semble qu'elle ait pris ces cachets dans des doses raisonnables pendant une assez longue période. En revanche, au cours des trois dernières années, elle en aurait fait ce que j'appellerais un usage abusif.

— Si je trouve son mari, je vais l'étrangler. Ainsi que ce foutu charlatan.

— Je comprends. Quoi qu'il en soit, il est clair qu'on ne peut interrompre le traitement.

— Ne me dites pas que vous suggérez qu'elle continue à se droguer ?

— C'est exactement ça. Un sevrage brutal pourrait la tuer. À présent, permettez-moi d'insister à nouveau sur le fait que votre cousine devrait être hospitalisée. Les doses doivent lui être administrées d'une manière précise et régulière. Il est préférable qu'une personne expérimentée s'en charge. Je doute qu'un hôtel soit le lieu le mieux approprié pour faire face à une situation aussi grave.

— Pas question de la faire hospitaliser. J'estime que les médecins de cette ville ont fait suffisamment de dégâts.

— Nous ne sommes pas tous des monstres, madame Derringer.

— Le docteur Monty vous a recommandé, et j'ai confiance en lui, mais je ne peux pas dire à ce stade que ça me rassure vraiment, comme vous le comprendrez, j'en suis sûre. Maintenant, dites-moi ce que je dois faire.

— C'est à vous de voir. J'ai rédigé une nouvelle ordonnance en précisant les doses et les heures auxquelles vous devez les administrer. Je vais vous donner le numéro de téléphone d'une infirmière privée. Rien ne prouve que Mme Lewis ne présentera pas des symptômes de sevrage, mais ils devraient être limités. Cauchemars, irritabilité, vomissements, transpiration, crises nerveuses. Vous devez vous attendre à tout ça. Me suis-je bien fait comprendre ?

— Oui. (La Garce paraissait moins à l'aise maintenant.) Quand sera-t-elle en mesure de voyager ? Je souhaiterais la ramener à la maison le plus rapidement possible.

— Certainement pas avant une semaine. Voire deux. Bon, commençons par le phénobarbital. Il semble que votre cousine ait absorbé d'importantes doses d'opiacées, mais ce sont les barbituriques qui m'inquiètent le plus...

Helena n'avait pas envie d'en entendre davantage. Elle voulait voir Avery. Où était-il ? Il ne reviendrait pas tant que la Garce serait là. Elle l'avait attendu, attendu, en vain. Il avait dit qu'il avait trouvé Ruby, mais ce n'était pas elle. Elle était blonde. Ruby avait les cheveux roux. Elle se rappelait le lui avoir dit. Ça ne pouvait pas être Ruby puisqu'elle était rousse. Avery lui avait répondu qu'il ferait d'elle une rousse. C'était ça. Il avait auditionné des actrices, et il avait trouvé Ruby. Il lui avait recommandé de dormir. Quand elle aurait repris des forces, elle devait appeler la Garce pour récupérer l'argent. Une bonne fois pour toutes. Alors il reviendrait. Elle était là maintenant, la Garce. Avait-elle téléphoné ? Elle n'arrivait pas à s'en souvenir. Si elle avait l'argent, où était Avery ? Pourquoi ne lui avait-elle pas remis la somme ? Combien de fois l'avait-elle suppliée ? La Garce n'en avait rien à faire. Elle lui avait pris Ed. Sous prétexte qu'il devait aller à l'école. Parce qu'il était différent. Avery l'avait quittée. Elle avait échoué. Elle n'avait pas eu l'argent, et elle les avait laissés emmener Ed. Avery ne l'aimait plus.

— Chut, chérie. Tout va bien. Je suis là auprès de toi. Oh, Helena, ne pleure pas !

Elle ne voulait pas la voir. Pourquoi ne fichait-elle pas le camp ?

— Il est l'heure de prendre tes pillules. Le docteur dit que ça t'aidera à te sentir mieux.

De l'eau fraîche. Et puis les ténèbres.

Elm Street. À travers la porte moustiquaire, Helena aperçut Nick en train de lire sur les marches de derrière.

— Je me suis encore emmêlée les pinceaux. Ce n'était pas le jour de la viande. J'ai rapporté du maïs en boîte, enfin, je crois que c'en est.

Nick releva les yeux en haussant un sourcil.

— Ça ne m'étonne pas de toi.

— Arrête, protesta Helena en riant. Je suis incorrigible, je sais, mais j'ai une bonne excuse cette fois-ci. (Elle poussa la porte et s'assit à côté de sa cousine.) J'ai rencontré quelqu'un. Chez le marchand de couleurs. Ils n'avaient plus d'aiguilles pour tourne-disque, au fait. Tout le métal est destiné aux troupes. M. Denby m'a regardée d'un sale œil en plus, comme si j'étais une espionne à la solde des Allemands.

— On arrivera peut-être à aiguiser celle qu'on a. Du maïs en boîte et des disques rayés. La barbe !

— N'as-tu pas envie d'en savoir plus sur l'homme que j'ai rencontré ?

— Si j'en ai envie ? Quel est son problème ? Des pieds plats, ou est-ce un tire-au-flanc ?

— Ne sois pas méchante. Il travaille pour le Bureau des informations de guerre à Hollywood. N'est-ce pas excitant ?

— Fascinant, ma chérie. Aurait-il des aiguilles pour tourne-disque en sa possession ? Voilà qui serait vraiment excitant.

— Non, mais il m'a invitée à dîner. Et il me trouve belle, aussi belle que Jane Russell.

— Jane Russell, hein ! (Nick la toisa du regard en éclatant de rire, puis elle lança son livre sur l'herbe avant d'enlacer sa cousine.) Tu es belle. Très belle. À ta façon. Mais rien à voir avec cette coureuse de Jane Russell.

Helena posa la tête sur son épaule.

— Un rendez-vous.

— Oui, un rendez-vous.

— Ce sera ma première sortie avec un homme depuis Fen. (Helena releva les yeux vers Nick.) Puis-je te demander un grand service ? Me prêterais-tu tes bas ? Je sais que c'est ta dernière paire.

— Je te les prête volontiers, ma chérie. Ce sera ma contribution à l'effort de guerre. Il faut fêter ça. Sors le gin et les pots à confiture. Je vais te chercher ces fichus bas.

Helena était déjà en train de siroter son cocktail quand Nick revint dans la cuisine, les commissures de ses lèvres abaissées en une version vaudevillesque de la tristesse.

— J'ai une mauvaise nouvelle à t'annoncer, ma chérie. Tu ferais bien de venir avec moi.

Helena la suivit dans la petite salle de bains encombrée. Sur la tringle du rideau de douche pendait un cintre vide. Helena se tourna vers Nick qui désigna d'un air grave un petit tas de poussière marron au fond de la baignoire.

— Il semblerait que mes bas s'en soient allés.

— Doux Jésus ! s'exclama Helena en relevant les yeux. Ils se sont désintégrés. C'est… tragique.

— Je sais.

— Qu'allons-nous faire ?

— Eh bien, je pense qu'ils méritent des funérailles dignes de ce nom.

— Comme le requiert la charité chrétienne.

— Je vais creuser un trou. À toi de choisir la musique pour la procession puisque tu devais en prendre possession.

Nick recueillit le tas de poussière qu'elle déposa dans sa jupe.

Helena sélectionna un disque et, dès que Nick lui en donna le signal depuis le jardin, elle posa l'aiguille usée sur le vinyle.

Elle vit sa cousine rire à gorge déployée quand la musique flotta par la fenêtre.

— Oh, Helena, je t'aime, s'exclama Nick. La *Sonate au clair de lune* ? Tu es vraiment formidable !

Helena ouvrit les yeux. L'espace d'un instant, elle se crut seule. La pièce paraissait tellement vide. Ses paumes, la plante de ses pieds la grattaient, elle avait mal partout. Son oreiller était humide. Avait-elle pleuré ? De la fumée de cigarette lui chatouilla les narines. Cela lui souleva le cœur. Elle entendit renifler quelque part derrière elle.

— Oui, je l'ai trouvé. C'était d'un sordide ! Il était enfermé dans une piaule en ville avec une pute. Tu aurais dû voir son expression quand il a ouvert la porte. Pleine de morgue, comme s'il s'attendait à me voir.

Helena retint son souffle. La Garce parlait d'Avery. Il fallait qu'elle écoute attentivement, elle ne devait pas se rendormir.

— Nous devons vendre la maison, Hughes… Non. Nous n'en avons pas les moyens. Il m'a indiqué son prix, j'ai accepté. Il n'y avait rien d'autre à faire. Elle pourra vivre avec ce qui reste. Il nous faudra payer la facture de l'hôpital et l'école d'Ed.

Helena sentit une onde de paix l'envahir. Avery avait eu l'argent. Il allait lui revenir maintenant. Tout allait s'arranger.

— Nous n'avons pas le choix. Ça me rend malade, tu penses bien. J'aurais pu le tuer. Le pire, c'est qu'il a eu ce qu'il voulait à la fin. Et ne me parle pas de cette ordure de Fox. L'argent de la maison de mon père ira directement dans sa poche, tu peux en être sûr. Tu te souviens de cette histoire de collection ? Tu aurais dû voir ce ramassis de vieilleries. Un foutu sanctuaire. Immonde.

Elle renifla à nouveau.

— Je m'en veux terriblement de l'avoir abandonnée aux mains de cet individu.

La Garce et son apitoiement sur elle-même, d'une hypocrisie sans nom. Alors qu'elle n'aurait fait qu'une bouchée d'elle si Avery n'avait pas été là.

— As-tu pris les dispositions ? Oui. Et qu'a dit le docteur Monty ? Je sais que c'est un imbécile, Hughes, mais il nous rend bien service. Elle sera dans une institution convenable, respectable au moins, où elle pourra se faire aider jusqu'à ce qu'elle ait repris des forces.

Que mijotait-elle encore ? Avery ne les laissera pas l'emmener. Il ne fallait pas qu'elle s'énerve.

— Nous en parlerons à mon retour, d'accord ? Que t'ont-ils dit à l'école ? Oh, pour l'amour du ciel ! Ce sont des bêtises de petit garçon. Tu es trop dur avec lui, je t'assure. Le pauvre a attendu encore et encore que quelqu'un vienne le chercher pour les vacances, et personne n'est venu. Il y a de quoi vous donner envie de ruer un peu dans les brancards.

Ed, son bébé. C'est de lui qu'elle parlait. Quelles vacances ? Les vacances scolaires. Une histoire de billet d'avion. Pour Ed. Afin qu'il rentre à la maison. Était-ce déjà Thanksgiving ? Elle avait encore manqué à ses devoirs. Comment pouvait-elle être aussi bête ? Mais Ed s'était montré cruel envers elle. Il avait essayé d'anéantir le projet d'Avery. Ni plus ni moins. Ce n'était pas sa faute, en même temps. C'était son enfant, et elle l'avait laissé tomber. Tout ça à cause de ce qu'il avait vu. La morte. Non, ce n'était pas ça. La morte, c'était après. Elle voulait ses cachets. Pourquoi la Garce refusait-elle de lui en donner un autre ?

— Bill donne une réception, avait dit Avery, assis par terre dans son bureau, devant un éventail de photos de jeunes actrices. Pour des gens très importants. Tu sais à quel point il te trouve belle. C'est la raison pour laquelle il se demandait si tu honorerais sa soirée de ta présence. Il est prêt à payer.

— Comment ça, payer ? Qu'est-ce que ça veut dire, Avery ?

Elle était transie tout à coup.

— Non, non, ce n'est pas ce que tu crois, protesta Avery, surprenant son expression, puis il se leva et la saisit par les épaules. Il aimerait juste que tu sois là, que tu boives une coupe de champagne en bavardant avec ses invités. Tu es resplendissante, t'en rends-tu compte ? Sais-tu que les gens seraient prêts à débourser de l'argent rien que pour te regarder ?

— Je n'en crois pas un mot.

Avery s'esclaffa.

— Tu ne comprends pas Hollywood, mon cœur. C'est ce que j'aime chez toi. Ça fait bientôt quinze ans, et tu es toujours aussi pure et fraîche.

Il posa ses lèvres sur les siennes.

— Maman ?

En faisant volte-face, elle découvrit son fils sur le seuil. Il emplissait presque l'embrasure de la petite porte. Depuis quand était-il aussi grand ?

Son mari la repoussa en lui jetant un coup d'œil accusateur.

— Pourquoi passe-t-il son temps à nous épier ? Qu'est-ce qu'il a à rôder dans les couloirs comme ça ?

— Avery.

— Ed, ce qui se passe entre un homme et une femme amoureux l'un de l'autre ne regarde qu'eux. Ils sont libres. Tu comprends ? Tu ne dois pas nous observer comme un voyeur.

— Avery, répéta-t-elle d'un ton brusque. Arrête. (Elle se tourna vers son fils.) Je suis désolée, mon chéri, je n'ai pas eu le temps de lui demander. Avery, Ed voulait savoir s'il pouvait te donner un coup de main pour ton travail. Il a treize ans et il désire t'aider. Il sait à quel point tu te démènes.

— Je ne suis pas un voyeur, lança Ed. Je fais des recherches, comme toi.

Avery le regarda durement, puis hocha lentement la tête comme s'il avait pris une décision.

— D'accord. Tu es en train de devenir un homme, je vois. Un homme a le droit de travailler, d'être libre, de créer, j'en ai la conviction.

Helena avait ressenti un certain malaise en entendant ça.

— Avery, je t'en conjure, ne lui montre pas les photos de tu sais quoi. Quant à toi, Ed, tu dois aussi faire tes devoirs. Je ne veux pas que tu restes enfermé toute la journée dans cette pièce sombre.

— Non, ma souris. Si Ed est un homme, je le traiterai en conséquence. Il est en bonne voie.

Ed resta planté là à dévisager son père sans que Helena parvienne à déchiffrer son expression. C'était sans doute une très mauvaise idée, pensa-t-elle, en les observant l'un et l'autre, avant de tourner son attention vers la pièce avec ses affiches jaunies et les vêtements en lambeaux.

Elle répugnait à l'idée qu'Ed voie ces horribles photos de scène de crime. En revanche, elle se réjouissait qu'Avery et lui passent plus de temps ensemble. Ils n'avaient jamais été proches. Avery avait toujours considéré leur fils comme une sorte d'appendice agaçant de sa femme. À cet instant, elle prit la décision d'emmener à nouveau Ed à Tiger House cet été, histoire de l'éloigner de son père quelque temps, qu'il joue au tennis et s'amuse avec Daisy. Pour éviter que la situation dérape.

— Bon, fiston, je voudrais discuter avec ta mère en privé, reprit Avery. Et ne t'imagine pas que tu peux nous épier sans que je m'en aperçoive.

Avery attendit d'être sûr qu'il était loin avant de se tourner vers elle.

— Tu veux bien aller à la réception de Bill, alors ?

— Oui, dès lors qu'il ne se passe pas quelque chose de… je ne sais pas… d'étrange.

— Si tu juges étrange que des hommes aient envie d'admirer une jolie souris…

— Avery…

— Je souhaitais aussi te parler d'autre chose. Le docteur Hofmann a appelé. Il a dit que tu n'avais pas renouvelé tes ordonnances récemment. Il est inquiet, je le suis aussi.

— C'est juste que ces cachets me fatiguent tellement. Et puis Ed n'est plus un bébé. Je ne peux pas l'envoyer jouer ni le forcer à rester dans sa chambre. Il pourrait avoir besoin de moi pour une chose ou une autre. Avec ces pilules, j'ai l'impression que ça ne tourne pas rond dans ma tête.

— Ed est un homme maintenant, mon amour. N'était-ce pas l'objet de la conversation que nous venons d'avoir ? Nous avons tous les deux besoin que tu sois en forme, reposée. Je prendrai soin d'Ed.

— Je n'ai plus vraiment envie de prendre ces médicaments, mon chéri. Je ne pense pas en avoir besoin. Rappelle-toi pendant ma grossesse, et après. Je n'en prenais plus et tout allait bien.

— Tu es libre de faire comme bon te semble, Helena, tu le sais bien. Promets-moi juste d'être en forme pour cette soirée. Si tu n'es pas reposée, cela se verra et Bill sera déçu. Songes-y.

Helena hocha la tête. Elle prendrait peut-être une pilule, juste avant d'aller chez Bill. Après cela, elle arrêterait complètement. De toute façon, les cachets ne la faisaient plus dormir, sauf si elle en prenait beaucoup. Et là, elle se sentait mal. Elle savait depuis un certain temps que ce n'était pas bon pour elle, sans s'en soucier outre mesure. Sauf que maintenant elle avait les mains qui tremblaient et des palpitations terribles. Parfois elle oubliait même des choses. Elle s'abstiendrait certainement d'en prendre à Tiger House. À coup sûr, Nick désapprouverait et ce serait plus difficile à cacher s'ils vivaient tous sous le même toit. Si elle ne se sentait pas dans son assiette, elle boirait un whisky, comme tout le monde.

— Eh bien, eh bien ! s'était exclamé Bill un peu plus tard ce soir-là en ouvrant la lourde porte sculptée de sa villa. J'ai bien pensé que c'était vous. Alors je me suis dit : pourquoi n'irais-je pas ouvrir moi-même pour que notre Jane Russell se sente la bienvenue ? Rien de tel qu'un accueil personnel, pas vrai, trésor ?

— Bonjour, Bill.

Elle détestait le Producteur. Il faisait continuellement des promesses à Avery avant d'en changer les modalités. Le Démerol aidant, toutefois, le mépris qu'il lui inspirait s'était quelque peu émoussé.

— Quelle ravissante robe ! Elle met en valeur vos atouts, qui sont innombrables, la complimenta-t-il en lui faisant un clin d'œil. Entrez donc.

Elle avait mis une robe satinée turquoise qu'elle s'était fait faire à partir d'un patron envoyé par Nick à Noël. Ses talons faisaient écho sur les dalles Batchelder tandis qu'elle suivait son hôte dans le couloir voûté en direction de la terrasse.

Des serveurs en queue-de-pie blanche chargés de plateaux proposaient du champagne aux convives – quelques actrices que Helena avait déjà vues en compagnie de Bill et un groupe d'hommes plus âgés qui devaient travailler dans le secteur du cinéma.

Un soleil rougeoyant était en train de se coucher derrière les collines. Helena s'accouda à la balustrade en fer forgé et inspira l'air de la nuit. L'atmosphère était différente à la villa située sur les hauteurs. Plus légère, plus aérée. Loin de leur pavillon exigu, de ses rideaux tirés et pourtant juste au sommet de la colline voisine. Elle sentait les parfums qui montaient du verger. Celles des pommes Anna, des citronniers Eureka, des oranges Valencias et des sanguines.

— Prenez donc une coupe de champagne, trésor, dit Bill Fox en faisant signe à un serveur. C'est magnifique ici, n'est-ce pas ? (Il suivit le regard de Helena.) Ma première femme adorait les arbres fruitiers.

— Vraiment ?

— Oh oui, acquiesça-t-il en se penchant vers elle, sa main voltigeant au-dessus de sa cuisse. Vous aussi, vous les aimez ?

Helena se rappela un soir où, passablement éméchés, Avery et elle étaient sortis en catimini pour voler des fruits. Rien qu'une poignée de pommes, qui n'étaient pas mûres d'ailleurs. Elle avait regretté que Nick ne soit pas là. C'était le genre de frasque que sa cousine aurait adorée.

— Oui, répondit-elle en s'écartant de quelques centimètres.

— Allons, allons, ne me dites pas que je vous intimide, chérie ?

— Pourquoi m'intimideriez-vous, Bill ? Nous nous connaissons depuis si longtemps.

— C'est vrai. Nous formons presque une famille, Avery, vous et moi. Sans oublier notre chère défunte. Ruby. Elle aussi fait partie de la famille.

Helena remarqua qu'une jeune actrice, Vicki, Kiki, quelque chose comme ça, ne les quittait pas des yeux.

— C'est votre petite amie ? demanda-t-elle en plantant son coude dans les côtes de Bill.

Il se retourna vers la jeune femme.

— Ma petite amie ? Oh, je suis un peu vieux pour avoir des petites amies. Je n'arriverais pas à suivre. Sans compter qu'elles sont de plus en plus maigrichonnes. Je les aime plus…, enfin, davantage comme vous, ma chérie. Rondes et douces.

Helena attrapa une autre coupe de champagne.

— Veuillez m'excuser, dit-elle, il faut que j'aille me repoudrer le nez.

Dans la salle de bains, elle avala un autre cachet. Elle regrettait qu'Avery ne l'ait pas accompagnée. Elle n'était venue qu'une poignée de fois chez Bill au fil des ans, et jamais sans son mari. Elle se demanda combien le Producteur le payait. Une bonne somme, espérait-elle. Elle n'en revenait pas que Bill ait souhaité sa présence. Il l'avait toujours tripotée un peu, mais pas plus que les autres. Il était âgé maintenant. Elle l'avait déjà trouvé vieux, avec ses cheveux argentés, le jour où elle avait fait sa connaissance, chez Ciro. Désormais, il avait des taches brunes sur les joues et les mains, comme une vieille bique. Elle frissonna. On lui demandait juste d'être jolie et charmante. Ensuite, elle pourrait rentrer se coucher.

Beaucoup plus tard, elle se retrouva seule avec Bill Fox sur la terrasse. Tout le monde était parti sans qu'elle s'en aperçoive, bizarrement. Elle avait bavardé avec une actrice qui se plaignait de devoir coucher pour décrocher des rôles. Son principal grief, semblait-il, n'était pas tant la question du sexe que le fait qu'on ne l'invitait jamais à dîner après coup. Helena avait hoché la tête en buvant tant et plus. Puis la fille s'était éclipsée et il n'était plus resté que Bill et elle. Elle savait pertinemment ce qu'il voulait. Elle l'avait su toute la soirée. Pas besoin d'être un génie pour le comprendre. Adossé à l'encadrement de la porte-fenêtre, il lui souriait.

Sur le chemin du retour au bungalow, elle avait trébuché contre une marche et s'était tordu la cheville. Il l'avait rattrapée par le coude.

— Attention, trésor.

— Pourquoi allons-nous chez moi ?

Elle n'arrivait plus à s'en souvenir.

— Vous y serez plus à votre aise.

— Avery…

— Il n'est pas là, chérie. Il travaille, vous avez oublié ?

Ça lui était sorti de la tête.

Dans la chambre, il avait tenu à garder la lumière allumée.

— Je veux pouvoir vous regarder. Voir ce pour quoi je paie. Je n'ai pas eu à raquer depuis l'âge de seize ans, gloussa-t-il.

Helena l'imita tout en sachant que la plaisanterie se faisait à ses dépens.

Bill gigotait sur elle en gémissant. Il était à bout de souffle. Elle avait envie de rire de ce vieil homme qui avait plus besoin d'une infirmière que d'une partie de jambes en l'air. Mais il lui en voudrait, et ils n'auraient pas leur argent. Aussi le laissa-t-elle se démener tout son saoul en fixant obstinément le mur.

— Tu es une petite pute, toussa-t-il au creux de son oreille. Je l'ai toujours su.

Il approchait du dénouement, elle le sentait.

— Maman ?

Son corps se raidit comme une planche. Les grognements du Producteur, la lumière, le lit, tout tourbillonna comme de l'eau s'engouffrant dans un siphon. Ce n'était pas possible.

— Maman ?

Ed. Comment avait-elle pu l'oublier ? Elle repoussa Bill avec une telle vigueur qu'il tomba du lit, tout pantelant. Elle se redressa en se couvrant la poitrine.

Ed se tenait sur le seuil. En pyjama. Comment avait-elle pu le trouver grand ? Ce n'était qu'un gamin, mais son regard était plat, dur. Il la dévisageait d'un air plus curieux qu'apeuré ou fâché.

— Ed, balbutia-t-elle sans parvenir à trouver autre chose à dire.

L'enfant se tourna vers le Producteur en train de le lorgner par-dessus le bord du matelas. Ses habits étaient trop loin pour qu'il puisse les attraper sans s'offrir à sa vue.

— Écoute, fiston.

— Je ne suis pas votre fiston, répliqua Ed d'un ton cassant. Vous ne devriez pas être là. Ma mère n'est pas bien.

— J'étais juste... euh.

Bill paraissait tout aussi désemparé.

Mais Ed ne broncha pas. Il resta planté là, immobile, jusqu'à ce que le vieil homme se rue sur ses vêtements et prenne la fuite. Helena aurait ri de sa couardise face à un gamin de treize ans si elle n'avait pas senti son cœur se briser.

— Ed, mon chaton, dit-elle quand le Producteur fut parti.

Elle s'était enveloppée dans le drap. Elle avait envie de lui tendre la main, comme une sorte d'offrande de paix, mais ce geste, rien que l'idée, lui semblait grotesque.

— Ton père... il a travaillé si dur pendant si longtemps...

Elle s'interrompit. Elle ne pouvait pas expliquer ça à son fils.

— Je comprends, dit Ed. Ses recherches.

Sur ce, il la laissa seule dans la chambre éclairée.

Helena fut réveillée par la radio.

Un bus transportant de jeunes activistes du mouvement pour les droits civils en route pour Birmingham, dans l'Alabama, a été attaqué mardi après-midi dans la périphérie de Anniston.

Elle avait les nerfs à vif, des élancements dans le crâne, mais la nausée était passée et elle pouvait s'asseoir sans avoir le vertige. Elle tendit le bras vers la carafe pour se servir un peu d'eau qui avait un goût sucré, citronné. Elle engloutit goulûment le verre avant de se resservir.

— Helena ?

En levant les yeux, elle découvrit sa cousine sur le seuil de la chambre.

— Comment te sens-tu ?

— J'ai mal à la tête.

— Oh, ma chérie, tu es de retour parmi les vivants. (Elle vint s'asseoir au bord du lit.) Voilà des jours que tu n'as pas dit un mot. Je commençais à me demander si on entendrait à nouveau le son de ta voix. (Nick essaya de lui prendre la main mais elle se déroba.) Qu'est-ce qu'il y a ?

— Je veux voir Avery.

— Ah. (Nick baissa les yeux en tripotant un angle du drap.) Je ne pense pas qu'il viendra, ma chérie.

— C'est toi qui l'en empêches, c'est ça ? Sait-il où je suis au moins ?

— Je ne pense pas, non.

Helena vit le masque de douce compassion sur le visage de sa cousine.

— Ne me regarde pas comme ça. Je ne veux pas de ta pitié. Je veux parler à mon mari.

— Nous allons rentrer à la maison, ma chérie. Tu n'as pas été bien, tu sais. Nous allons te remettre sur pied et nous souhaitons que tu reviennes auprès de nous, Hughes et moi. Tu m'as manqué, je ne veux plus me passer de toi.

Helena rit. Un frémissement creux, chaud dans ses poumons.

— Je t'ai manqué ?

— Oui, Helena, tu m'as manqué. Je veux...

— Tu veux, tu veux. (Elle recommençait à avoir des démangeaisons ; elle avait envie de s'arracher la peau avec les ongles.) Et moi, ce que je veux, qu'est-ce que tu en fais ?

— Pour l'amour du ciel, Helena, sois raisonnable, ma chérie. Tiens-tu vraiment à retourner dans cette horrible bicoque, toute seule ?

— Je ne suis pas toute seule. Je suis mariée, au cas où tu l'aurais oublié.

Elle vit le regard de sa cousine s'assombrir.

— Je n'ai pas oublié, lui répondit-elle d'un ton glacial. En revanche, il semblerait que ton époux, lui, ait oublié.

— Ne dis pas ça, protesta Helena qui sentait ses forces s'amoindrir. Il n'est pas parfait, je sais, contrairement à ton divin mari. Il n'empêche que je veux lui parler.

— Je suis désolée, ma chérie, mais je ne peux pas te laisser faire ça, répondit Nick en détachant ses mots. Pas maintenant en tout cas.

— Tu n'as pas le droit de me garder prisonnière, ni de m'empêcher d'être avec Avery.

— Je ne te garde pas prisonnière. Je te protège, et je me fiche de ce que tu dis.

— Oh, ça je le sais. Avery avait raison depuis le début. Tu n'as jamais tenu à moi, pas vraiment. Je suis ton ombre, un faire-valoir. Tu me laisses généreusement les restes. Je ne peux jamais avoir quoi que ce soit qui m'appartienne en propre. Ça te tuerait, hein ?

— Comment peux-tu dire ça ? s'écria Nick, les yeux brillants. Je t'aime. Tu ne comprends donc pas ?

— Eh bien moi je ne t'aime pas. Plus maintenant.

— Tu n'es pas bien, ma chérie, répéta Nick, prête à quitter la pièce. Je sais que tu ne le penses pas.

Helena l'entendit pleurer dans la pièce voisine. Et, malgré elle, elle ne put s'empêcher de s'en réjouir.

Août 1967

II

Après sa petite incartade avec le chien des voisins, Helena avait essayé d'anéantir à coups de brosse l'horrible perruque qu'elle semblait avoir sur la tête. Ça n'avait pas servi à grand-chose. Pour finir, elle s'était allongée sur la méridienne où elle avait sombré dans le sommeil, pour se réveiller un peu plus tard quand on frappa à sa porte. Le soleil descendait sur l'océan, elle entendait les stridulations des criquets sur la pelouse de devant. Brûlée par un été long et torride, l'herbe avait bruni depuis des semaines.

— Helena, appelait Nick à voix basse. Puis-je entrer, ma chérie ?

Elle soupira.

Sa cousine n'attendit pas sa réponse, bien sûr. Elle poussa lentement la porte et passa la tête par l'entrebâillement.

— Je ne veux pas qu'on soit fâchées. Pas le jour de ton anniversaire.

Helena la regarda sans rien dire. Il y avait tellement de sujets qu'elles ne pouvaient plus aborder qu'il leur était devenu presque impossible de se parler. Voire d'échanger des civilités ou de faire des petits compromis.

— On n'est pas fâchées, dit-elle d'un ton plein de lassitude.

— Je t'ai apporté quelque chose. Une offrande de paix, ainsi qu'un cadeau. Puis-je entrer ? répéta-t-elle.

— Évidemment. Tu es chez toi.

Nick fit mine de ne pas avoir entendu sa remarque. Elle avait un paquet brun sous le bras. Sur la petite table à côté de la méridienne, elle posa un petit comprimé blanc.

— J'ai trouvé une aspirine, annonça-t-elle comme si elle s'attendait que Helena bondisse de joie.

— Merci, répondit-elle, en gardant les mains serrées autour de son livre.

— Et puis je tenais à te donner ton cadeau avant le dîner. Elle déposa le paquet près d'elle.

Helena attendit dans l'espoir qu'elle s'en irait sans l'obliger à le déballer et à feindre la gratitude.

— Allez, chérie, ouvre-le. Je suis assez contente de mon idée, ajouta Nick en lui décochant un sourire triomphant.

Helena lui rendit son sourire, malgré elle. Elle prit le paquet et déchira le papier, révélant une étoffe soigneusement pliée : de la mousseline bleu clair, brodée de tigres dorés. Elle la sortit de l'emballage et déplia une robe mi-longue, cintrée à la taille, avec une jupe cloche.

— J'ai ressorti un de tes vieux patrons, légèrement modifié pour le mettre au goût du jour. Je l'ai fait faire pour toi. Qu'en penses-tu ?

Helena effleura délicatement le tissu. Il était magnifique.

— Elle te plaît ?

— Oui, bien sûr.

— Je le savais ! Hughes craignait que non, dans la mesure où je l'ai portée moi-même jadis, mais je lui ai expliqué que grand-père avait rapporté cette étoffe pour nous deux et que, égoïstement, je me l'étais accaparée. Je sais que c'était égoïste, chérie, je m'en excuse, acheva-t-elle en joignant les mains.

— Tu avais dit que tu en ferais des coussins, souligna Helena en veillant à ne pas avoir un ton de reproche.

— Je sais, je sais, et finalement j'en ai fait une robe. Bon, j'ai dit que je regrettais, et c'est vrai.

Nick leva les yeux au ciel un instant, et Helena se rendit compte qu'elle se faisait violence pour ne pas s'énerver. Cela la fit sourire intérieurement.

— En tout cas, ma chérie, je suis enchantée qu'elle te plaise.

Helena posa la robe sur ses genoux et lissa l'étoffe du plat de la main.

— Eh bien, reprit Nick d'un ton ferme, voyant qu'elle gardait le silence, je vais te laisser. Il faut que j'aille préparer ton repas d'anniversaire. (Elle se leva, se retourna.) Oh, j'ai oublié de te dire. Navrée, ma chérie, mais il semble que ton gâteau ait été volé, crois-le ou non. Par un des gamins du voisinage, probablement. On l'a cherché partout, il s'est volatilisé. C'est on ne peut plus bizarre. Désolée. Je sais que tu raffoles du gâteau de Savoie.

— Surprenant, commenta Helena.

Nick se dirigea vers la porte.

— J'aime vraiment beaucoup cette chambre, dit-elle. Je l'ai toujours aimée, surtout ces oiseaux bleus.

Elle referma la porte doucement derrière elle.

Helena se rallongea sur la méridienne. Seigneur, ce qu'elle pouvait la détester ! Le pire, c'est qu'en même temps elle lui avait manqué. Elle était charmante, drôle, horrible, tout à la fois. Ce n'était pas tant qu'elle refusait de lui pardonner. Elle en était tout bonnement incapable. Nick était allée trop loin. Helena n'avait jamais vraiment désiré qu'une seule chose, et sa cousine avait tout gâché.

— *Pourquoi pensez-vous qu'elle est plus forte que vous ?*

— *Ce n'est pas ce que je pense.*

— *Si ce n'est pas le cas, comment a-t-elle pu éloigner votre mari de vous ?*

— *Elle fait partie de ces gens qui obtiennent tout ce qu'ils veulent. Elle avait décidé que j'avais commis une erreur.*

— *Qui sont ces gens qui obtiennent tout ce qu'ils veulent ? Pourquoi estimez-vous ne pas en faire partie ?*

— *Je ne suis pas une imbécile, docteur Knoll. Je sais comment fonctionne le monde.*

— *Et comment fonctionne-t-il, madame Lewis ?*

— *Il est cruel vis-à-vis des innocents.*

— *Et vous êtes innocente ?*

— *Je l'étais, oui, j'en suis convaincue.*

Elle les entendait en bas. Tyler était arrivé, apparemment. Elle reconnut sa voix, puis le rire de Daisy. Un rire particulier, celui qu'ont les filles quand l'élu de leur cœur leur chuchote un compliment à l'oreille.

Elle enfila sa gaine puis se tourna vers la robe étalée sur le lit. Nick trouvait normal de lui donner un vêtement qu'elle avait déjà porté, une robe usée. Helena envisagea de la jeter, mais ils s'inquiéteraient. Ils penseraient qu'elle avait replongé. Elle allait la ranger au fond de sa penderie où elle pouvait rester jusqu'à la fin des temps, pour ce qu'elle en avait à faire.

En la contemplant, là, sur le lit – l'étoffe bleu nuit, les tigres dorés magnifiquement brodés –, elle se ravisa peu à peu. Elle la souleva, la passa, remonta la fermeture Éclair. Elle lui allait à la perfection. Indéniablement.

Elle s'approcha de la coiffeuse, se regarda dans la glace. Le tissu s'harmonisait avec la couleur de ses yeux et, l'espace d'un instant, elle se prit à regretter qu'Avery ne puisse pas la voir. « Je t'aime, ma star », lui aurait-il dit.

Elle ferma les yeux et l'imagina en train de lui tendre les bras. Elle s'abattrait sur sa poitrine et il la serrerait fort contre lui.

Elle rouvrit les yeux et se regarda à nouveau dans la robe bleue au milieu de la pièce. Elle allait la porter, en définitive. Cette robe était faite pour elle ; les tigres lui allaient à merveille. Ils étaient même parfaits.

— *Vous dites que vous êtes des âmes sœurs. Si c'est le cas, pourquoi votre mari n'est-il pas venu vous voir ici, à votre avis ?*

— *Parce qu'il ne sait pas où je suis.*

— *Je vois. Comment est-ce possible ?*

— *Elle refuse de le lui dire. Elle l'a soudoyé pour qu'il reste à l'écart.*

— *Pourquoi accepterait-il une situation pareille, selon vous ? Pourquoi consentirait-il à recevoir de l'argent pour renoncer à son épouse ?*

— *Il a besoin d'argent, docteur Knoll. Pour un projet sur lequel il a travaillé toute sa vie. Rien ne compte plus à ses yeux.*

— *Il pourrait donc se passer de vous.*

— *Je ne suis pas sûre d'être capable de répondre à cette question.*

— *Pour quelle raison, madame Lewis ?*

— *Vous sous-entendez qu'il avait le choix, alors que ce n'était pas le cas.*

— *Ce n'est pas lui qui en a décidé ?*

— *Non. C'est elle. Nous n'avions pas notre mot à dire.*

— Tante Helena ?

Daisy frappait à sa porte.

C'était pire qu'à Grand Central Station, ici ! Ne pouvait-on pas la laisser tranquille une seconde ?

— Oui, mon ange. Que puis-je faire pour toi ?

Daisy ouvrit la porte et, tout comme sa mère quelques instants plus tôt, elle passa la tête par l'entrebâillement.

— J'ai une surprise pour toi.

— Vraiment ? Qu'est-ce que ça peut bien être, mon chaton ? Je trouve qu'on m'a déjà assez gâtée aujourd'hui.

En entendant sa nièce chuchoter derrière la porte, elle se retourna vers le miroir.

— Bonjour, maman.

Elle releva les yeux et découvrit son fils sur le seuil. Il était si beau, elle en eut le souffle coupé.

— Ed, mon chéri ! (Elle se leva pour aller à sa rencontre, hésita, se figea à quelques mètres de lui.) Eh bien, pour une surprise...

— Incroyable, non ! s'écria Daisy en poussant Ed dans la pièce.

Elle était constamment là à le toucher, le menant par le bout du nez, comme s'il n'y avait aucune barrière entre eux. Helena l'enviait.

— N'est-ce pas merveilleux ? Ty l'a amené de la ville.

Ed se tourna vers sa cousine. Comme toujours, son expression resta presque inchangée, bien que Helena y détectât une certaine douceur. Elle se demanda une fois de plus si son fils était amoureux de Daisy. Ce n'était pas tout à fait ça. Il s'agissait d'autre chose, qu'elle n'arrivait pas bien à définir. En tout état de cause, ça lui convenait très bien.

— Ed était très mystérieux quant à ses allées et venues, mais j'ai réussi à lui mettre la main dessus.

Daisy rayonnait, très fière de son coup.

— Joyeux anniversaire, maman.

Ed s'approcha d'elle et l'embrassa sur la joue. Un baiser ni froid ni chaud. Elle n'aurait pas été jusqu'à dire « de pure forme », mais c'était presque ça.

— Tu as eu beaucoup de travail, mon chéri ?

— C'est vrai, Ed Lewis, qu'est-ce que tu as fabriqué pendant tout ce temps ? lança Daisy en tapant du pied, feignant l'indignation. J'ai essayé de te joindre une centaine de fois au bureau. On m'a dit que tu étais en voyage d'affaires. Quel genre d'affaires un type qui fait des études de marché a-t-il à mener en dehors de son bureau ? Je croyais que vous étiez tous là enfermés dans vos cachots à éplucher des colonnes de chiffres.

— J'enquêtais auprès des ménagères de l'Iowa, répondit-il en regardant sa cousine. Pour avoir leur sentiment sur le dernier modèle de Hoover.

— Tu as fait tout le trajet depuis l'Iowa pour mon anniversaire, mon chéri ? Eh bien, je suis extrêmement touchée.

D'un geste hésitant, Helena effleura la joue de son fils. Il était très pâle, comme s'il n'avait pas vu le soleil de l'été.

— Eh bien, dit Daisy, son regard passant de l'un à l'autre, je ferais bien d'aller donner un coup de main à maman. Vous savez comment elle est quand elle prépare un dîner. Ne fais pas de bêtises sans moi, chantonna-t-elle par-dessus son épaule en agitant la main.

Ed la regarda partir avant de se tourner vers sa mère.

— Qu'est-il arrivé à tes cheveux ?

Contrairement à Nick, il n'avait pas l'air de se moquer d'elle. Il semblait sincèrement intrigué.

— J'ai eu un petit démêlé avec la coiffeuse, j'en ai peur, expliqua-t-elle en riant. Un cadeau de Daisy. Je me sentais un peu morose ce matin, je dois dire.

— Qu'est-ce qui a pu l'inciter à croire que ça te remonterait le moral ?

— Elle ne pouvait pas se douter du résultat, Ed. (Helena s'approcha de la glace et tapota sa coiffure.) As-tu salué ta tante ?

Elle s'efforça de prendre un ton léger, sans quitter des yeux le visage de son fils dans la glace.

— Je ne l'ai pas encore vue, répondit-il, impassible.

— C'est sympathique que Tyler ait pu venir pour le dîner. Il s'entend si bien avec la famille, ta tante en particulier.

Elle baissa les yeux sur la collection de bâtons de rouge à lèvres éparpillés sur sa coiffeuse pour choisir la couleur

qui s'harmoniserait le mieux avec la robe. Elle opta pour
« Corail attrape-moi ».

— Quoiqu'il m'arrive de me demander si cela ne met pas
Daisy mal à l'aise quelquefois. Il est gaga de ta tante Nick.

— C'est vrai. Il l'observe.

— Je ne sais pas trop quel effet ça me ferait que mon
fiancé accorde autant d'attention à une autre femme, même
ma mère. (Elle mit du rouge puis s'inclina en arrière sur
son tabouret pour s'inspecter.) Cela dit, Daisy est tellement
gentille. Même si ça la blesse, elle ne le dira jamais.

— Qu'essaies-tu de me dire, maman ?

— Rien, répondit-elle en se retournant vers lui. Je ne
voudrais pas qu'elle souffre, c'est tout. Toi non plus, j'imagine.

— Non, je ne le permettrais pas.

— Évidemment. C'est juste que ta tante, enfin, elle peut
se montrer diablement têtue quand elle est persuadée d'avoir
raison. Les gens comme ça ont parfois besoin qu'on les
oblige à se rendre compte à quel point leur comportement
peut être dangereux. Tu comprends ce que je veux dire ?

Ed la dévisageait en silence.

Elle pivota vers le miroir et essaya d'aplatir sa coiffure une
dernière fois avant de mettre ses boucles d'oreilles en perles.

— Voilà, dit-elle en se tapant les genoux, le regard rivé
sur son fils dans la glace. Si nous descendions rejoindre les
autres ?

Elle tenta d'imiter le sourire resplendissant de Nick, son
regard pétillant, incarnation même du plaisir. En définitive,
elle eut juste l'impression d'avoir montré les dents.

— *Et votre fils, madame Lewis. Vous dites que vous n'avez
pas été proches ces dernières années. Comment l'expliquez-vous ?
Est-ce à cause de votre mari ?*

— *Non. C'est un adolescent. Je ne pense pas que les adoles-
cents s'intéressent beaucoup à leur mère, de manière générale.*

— *Je vois.*

— *Pourquoi me regardez-vous comme ça ?*

— *Je ne suis pas certain d'être d'accord avec vous sur ce point.*

— *Pour l'amour du ciel, docteur Knoll ! Qu'est-ce que vous voulez que je vous dise ?*

— *Vous savez parfaitement à quoi vous en tenir, à mon avis, madame Lewis. Vous m'avez dit qu'il s'était replié sur lui-même après avoir trouvé un cadavre il y a quelques années de cela. Est-ce exact ?*

— *J'ai dit que cela l'avait sans doute traumatisé. Il est devenu plus taciturne après cet été-là, effectivement, mais Ed a toujours été à part. Je sais que ce n'est pas un terme flatteur en ces lieux mais, personnellement, je ne vois pas ce qu'il y a de mal à être différent du commun des mortels.*

— *Cela vous trouble-t-il qu'il se distingue des garçons de son âge ?*

— *Qu'est-ce que je viens de vous dire ?*

— *Vous avez l'air de croire que je n'approuverais peut-être pas, ce qui laisse à penser que vous n'êtes pas tout à fait à l'aise avec cette idée.*

— *Vous êtes nettement plus intelligent que moi, docteur.*

— *Madame Lewis, je suis ici pour vous aider. Je suis conscient que vous n'êtes pas venue nous trouver de votre plein gré mais, d'après nos séances, je peux affirmer sans risquer de me tromper que vous êtes très malheureuse, c'est le moins que l'on puisse dire. Les gens malheureux sont considérés comme souffrants. Nous devons trouver une solution pour que vous vous sentiez mieux. Me comprenez-vous ?*

— *Pour que je puisse me libérer.*

— *Si vous voulez.*

— *Je crois que ça m'ennuyait qu'il se distingue des autres enfants de son âge. Ed, je veux dire. Mais j'estime qu'il a une force intérieure particulière. Il était destiné à de grandes choses. Beaucoup de gens singuliers accomplissent de grandes choses.*

— *Vous pensez qu'il est spécial.*
— *Oui. Spécial. Et fort. Cette force est primordiale.*

Des petits vases de cosmos roses décoraient la table de la salle à manger. On avait déposé une petite couronne en papier doré sur l'assiette de Helena. Au bras de son fils, elle pénétra dans le salon bleu où tout le monde s'était réuni pour l'apéritif, à l'exception de Nick qu'on entendait fredonner dans la cuisine. En robe d'été légère imprimée de lierre, Daisy trônait sur les genoux de Tyler pendant que son père racontait une blague.

— Aha ! fit Hughes en voyant Helena sur le seuil. Que puis-je offrir à notre charmante cousine qui fête son anniversaire ?

— Un peu de champagne ne peut pas me faire de mal, je suppose.

Hughes emplit une coupe qu'il tendit à Tyler afin qu'il relaie.

— Bon anniversaire, tante Helena, dit ce dernier.

Il portait sa tenue habituelle – pantalon en toile et chemise Oxford à rayures –, manches relevées. Le parfait petit gendre.

— Merci, Tyler. C'était vraiment gentil à toi de nous amener Ed pour ma petite fête.

— J'en étais ravi. Nick savait combien cela vous ferait plaisir et Daisy ne s'est accordé aucun répit tant qu'elle ne l'avait pas retrouvé. Où étais-tu déjà, vieux ? En Iowa, auprès des ménagères et de leurs Hoover ?

— C'est ça, répondit Ed. Les ménagères et leurs Hoover.

Helena fut sidérée par la cruauté qui émanait de l'expression de son fils. L'espace d'un instant, elle eut l'étrange sensation qu'il allait mettre le fiancé de Daisy en pièces.

Tyler se recroquevilla même un peu.

Elle les observa encore un moment avant de boire une gorgée de champagne.

— Absolument délicieux.

— Vous savez, dit Nick en entrant dans la pièce, je crois que je déteste les dîners. (Elle portait toujours sa tunique en soie blanche.) Me voilà enfermée dans une cuisine torride pendant que tout le monde fait assaut d'humour et de civilités.

— Ma pauvre chérie, dit Hughes. Il faut vraiment que nous cessions de t'imposer ça.

— C'est vrai, maman, nous savons tous que tu as les dîners en horreur, railla Daisy. Quelle comédienne tu fais !

— Moque-toi de moi, va ! Tu sais que si je me suis mise à la tambouille, c'est uniquement pour que ton père m'aime. Pathétique, non ?

— Ça a marché en tout cas, roucoula Hughes en s'approchant d'elle.

Une vision du couple avant leur mariage surgit dans l'esprit de Helena : dans la rue, devant la maison. Nick l'appelant à tue-tête tandis que son mari, un bras autour de ses épaules, la dévorait des yeux comme s'il n'en revenait pas de la chance qu'il avait.

— Pour ma part, je prendrais la défense de Nick, lança Tyler en se passant la main dans les cheveux, avec ce sourire en coin, puéril, si agaçant. C'est injuste envers elle, mais vis-à-vis de nous aussi, parce que sa compagnie nous manque.

— Ce que tu peux être génial, Tyler Pierce, fit Daisy, le regardant en plissant les yeux. Si je ne prends pas garde, tu vas te changer en une sorte de salonnard.

— Je ne serai jamais à court de mots, au moins.

— Que Dieu nous en préserve ! gémit Helena.

Une fois installée à table, elle mit la couronne. À la seconde où elle la posa sur sa tête, elle eut envie de la retirer mais, redoutant que ce geste ne passe pour hostile, elle resta assise là à se sentir ridicule.

— Les dernières tomates de l'été ! annonça Nick en déposant des assiettes devant eux.

La chair rouge des tomates fit tressaillir Helena ; elle étincelait d'une manière presque indécente sur la porcelaine tendre. Le silence se fit. On n'entendit plus que le cliquetis des fourchettes contre les assiettes.

— Vous ne devinerez jamais qui j'ai vu à Morning Glory Farm, lança soudain Nick. Cet horrible crapaud de Frank Wilcox. En train de faire des emplettes au bras de sa nouvelle femme qui, soit dit en passant, a l'air d'avoir douze ans et s'émerveille de tout et n'importe quoi.

— J'ignorais que les Wilcox avaient divorcé, commenta Helena.

— Et comment ! Après cette sombre affaire avec leur domestique, elle a pris la poudre d'escampette en emportant l'argent de sa famille.

Ed releva la tête.

— J'ignorais qu'il était encore dans les parages.

— Moi aussi, avoua Nick. Mais il était bel et bien là, en chair et en os. C'est bizarre mais, pour je ne sais quelle raison, le voir m'a mise hors de moi.

— Ça faisait des siècles que je n'avais pas pensé à ça, lança Daisy en posant sa fourchette.

— Eh bien, on ne vous l'a jamais dit, vous étiez trop jeunes. Frank Wilcox fricotait avec cette fille, figurez-vous. Comment s'appelait-elle déjà ? Votre père les a vus.

— On le sait, répondit Daisy. On écoutait à la porte de la salle à manger quand il a raconté l'histoire.

— Polissons ! Il n'est donc plus possible d'avoir une conversation privée de nos jours ? Franchement !

— Vous discutiez avec cinq autres personnes, maman. On ne peut pas vraiment parler d'une conversation privée, précisa Daisy avant de mordre dans une tranche de tomate.

— Frank Wilcox m'a emmenée danser un été, avant la guerre, intervint Helena. Il m'a quelque peu rudoyée dans la voiture au retour. Il ne s'est rien passé, je vous le précise, mais j'ai eu le sentiment de ne pas être passé loin, si vous voyez ce que je veux dire.

— On voit très bien, commenta Nick.

Helena se souvenait des mains de Frank sur elle. Des mains méchantes. Il l'avait pincée. Elle avait découvert de minuscules meurtrissures sur sa peau le lendemain.

Elle surprit Ed en train de la dévisager, impassible.

— Je n'arrive pas à croire qu'on n'ait jamais retrouvé l'assassin, reprit Daisy.

Helena remarqua un échange de regards entre Hughes et Ed. Pas très aimable, du reste, constata-t-elle.

— Je ne suis pas sûr que cela aurait changé quoi que ce soit, nota Hughes. Le mal était fait.

— Comment peux-tu dire ça, papa ? Évidemment que ça aurait changé les choses. Cette pauvre femme ! Il faut bien que justice lui soit rendue. Quelqu'un doit payer.

— Quelle fougue, ma chérie ! s'exclama Tyler.

— Daisy a raison, murmura Nick d'un air songeur. Ça aurait peut-être arrangé la situation que l'on punisse le coupable.

— Ce n'est pas ce que j'ai voulu dire, affirma Hughes.

— Je sais, mon chéri, répondit Nick d'une voix douce. Je sais ce que tu as voulu dire.

— En tout cas, c'est l'été où je suis tombée amoureuse de toi, reprit Daisy en regardant son fiancé. Dire que tu as eu le culot d'embrasser Peaches Montgomery. Saligaud !

Son adoration était palpable, aussi doucereuse et lourde que le gâteau de Savoie.

— J'avais très mauvais goût dans les années 1950, déclara Tyler en lui décochant un clin d'œil.

Nick éclata de rire.

— Honnêtement, Ty, elle est horrible, cette fille.

— Bon d'accord, fit-il en levant les mains, c'était une erreur, je le reconnais. Mais moi aussi, d'une certaine manière, je suis tombé amoureux de toi cet été-là, même si j'étais trop bête pour m'en rendre compte. (Son regard enveloppa Daisy.) Amoureux de ta famille, en tout cas. De tout ça. (Il brandit son verre.) Un toast en l'honneur des Derringer-Lewis. Merci de m'avoir épargné un ennui éternel.

— Oyez, oyez ! lança Hughes en levant son verre à son tour. À notre belle Helena aussi. Bon anniversaire.

— Bon anniversaire, ma chérie, dit Nick en se penchant pour trinquer avec elle.

— Merci, merci, mes amis, dit Helena en effleurant sa couronne. Sans vous tous, je ne serais pas là pour ce merveilleux anniversaire.

— *Vous semblez très contente aujourd'hui.*

— *Mon fils est venu me rendre visite. J'étais heureuse de le voir. Il a tellement grandi. Ça m'a un peu effrayée.*

— *Depuis combien de temps ne l'aviez-vous pas vu ?*

— *Je… je ne sais pas très bien. Les cachets, vous comprenez.*

— *Vous avez perdu beaucoup de temps avec ces médicaments.*

— *C'est vrai.*

— *Quel effet cela vous fait-il ?*

— *Eh bien, je ne me sens pas coupable, si c'est ce que vous essayez de me faire dire. J'étais très fatiguée, à l'époque.*

— *Je n'essaie pas de vous faire dire quoi que ce soit. Vous souvenez-vous de la dernière fois où vous avez vu votre fils ?*

— *C'est difficile, en fait. J'ai bien des souvenirs de lui adolescent, plus jeune. Après, elle l'a mis en pension et je ne l'ai plus revu.*

— *Elle. Vous voulez parler de votre cousine, Nick.*

— *Oui.*

— *Vous avez le sentiment qu'elle vous l'a pris.*

— *Il fallait s'y attendre. Mais je ne vais pas continuer à me plaindre de ça, nous en avons discuté. C'est le passé. Comme vous dites, elle a cru bien faire. Mais c'était une telle joie de le voir aujourd'hui. Il a changé, il est... davantage une vraie personne, je dirais.*

— *Qu'entendez-vous par « vraie personne » ?*

— *Il semble maître de lui, ce qui est une bonne chose, je pense.*

— *Que voulez-vous dire ?*

— *Je ne sais pas exactement. Il ne dévoile rien de ses sentiments.*

— *Et vous estimez que c'est un trait positif ?*

— *Peut-être. J'ai dit maître de lui.*

— *Vous avez ajouté qu'il ne révélait pas ses sentiments.*

— *Jouer avec les mots n'est pas mon fort, docteur Knoll.*

— *D'accord. Que pense votre fils de votre présence ici ?*

— *Je ne sais pas très bien. Il a dit que j'étais souffrante. Que ce n'était pas grave. Il a paru s'intéresser à cet établissement.*

— *A-t-il une attitude protectrice envers vous ?*

— *Je n'y ai jamais songé. Non, pas vraiment. En revanche, il est très protecteur envers ma nièce, Daisy, si c'est le mot approprié.*

— *Que ressent-il envers vous, à votre avis ?*

— *Je l'ignore. Comme je vous l'ai déjà précisé, il a tendance à...*

— *Dissimuler ses sentiments. Vous avez dit plus tôt que cela vous avait effrayée qu'il ait autant grandi. Pourquoi ?*

— *Je ne saurais vous le dire, mais c'est incontestable. Il m'a paru plus fort que dans mon souvenir.*

— *Vous m'avez déjà laissé entendre que vous espériez qu'il serait fort.*

— *C'est une qualité. Les gens forts obtiennent ce qu'ils veulent. Vous me l'avez appris vous-même lors d'une de nos premières séances.*

— *Ce n'est pas ce que j'ai voulu dire, je ne pense pas.*

— *Si. Il faut être fort pour repousser les autres individus qui savent se défendre. Je ne veux pas que mon fils se fasse dévorer.*

— *C'est le sentiment que vous avez eu vous-même ?*

— *Oui, et, maintenant que j'ai revu Ed, je suis sûre que si quelqu'un s'en prend à mon fils c'est lui qui dévorera et non pas l'inverse.*

— *Et cela vous fait plaisir ?*

— *Oui, docteur Knoll. Cela me ravit.*

Il n'y avait pas de dessert, bien sûr, mais Hughes alla chercher la carafe en cristal de porto.

— Des amateurs pour un petit verre avant d'aller se coucher ?

— Je ne sais pas, répondit Nick. Ce vin était terriblement lourd.

— Allons, Nick, protesta Tyler en posant nonchalamment une main sur son épaule, comme si de rien n'était. On fait la fête ce soir.

— Helena, ma chérie ? fit Nick d'un ton plein de sollicitude, mais Helena sentit qu'elle la mettait à l'épreuve.

— Non merci. De toute façon, elle n'avait jamais beaucoup apprécié le porto.

— Tante Helena, j'ai failli oublier, intervint Daisy. Ton cadeau. Le vrai. Allons tous dans le salon.

— Tu sais, Daisy, je pense que tu lui as peut-être fait assez de cadeaux pour aujourd'hui.

Daisy leva les yeux au ciel.

— Papa ? J'ai besoin de ton soutien.

— Je serai le porteur de porto, répondit-il d'un ton enjoué. Allons-y gaiement.

Il avait l'air de s'amuser en tout cas.

— Entendu, mon chaton, dit Helena en posant ses mains à plat sur la table pour s'extirper de sa chaise. C'est toi qui décides.

— Oui, mon chaton, renchérit Tyler, tendant à sa fiancée une main sans doute encore chaude du contact avec l'épaule de Nick. Allons-y gaiement.

Daisy écarta sa main d'une tape.

— Allez-y. Je reviens tout de suite.

Ils s'acheminèrent vers le salon bleu.

— Quelque chose d'autre que du porto te ferait-il plaisir, Helena ? demanda Hughes.

— Oh, je ne devrais peut-être pas, répondit-elle.

Légèrement peiné, Hughes jeta un coup d'œil en direction de sa femme qui se borna à hausser les épaules. Helena rit sous cape. Ils étaient ridicules, tous autant qu'ils étaient.

— Un scotch ? C'est ton anniversaire.

— Tu as raison. C'est mon anniversaire. Allons-y pour un scotch.

Elle adressa un doux sourire à sa cousine qui détourna les yeux. Il y avait un bout de temps qu'elle ne s'était pas sentie aussi pleine d'entrain et ça faisait du bien.

Nick s'approcha d'une fenêtre, posa la main sur la moustiquaire.

— La fin de l'été approche. L'automne est presque tangible dans l'air, vous ne trouvez pas ?

— J'aime l'automne, dit Helena. Ça sent le changement à cette époque-ci de l'année.

— Vraiment ? Nick la dévisagea. Ça sent plutôt la mort, à mon avis, toutes ces feuilles qui pourrissent.

— C'est la même chose, commenta Ed.

— Je te trouve morbide, Ed, riposta Tyler d'un air un peu écœuré.

— Pourquoi ?

Tyler ouvrit la bouche mais se contenta finalement de hausser les épaules en buvant une gorgée de porto.

— Ed a raison, je pense, dit Nick. À propos des saisons et tout ça. Seulement, ça me rend triste. Je n'ai jamais aimé le changement, pas plus que la mort.

— Mais tu es le diable. Tu vivras éternellement ! lança Helena. Cette vieille Nick, comme disait grand-père.

— Merci, ma chérie, tu es trop bonne.

— Ce n'est pas ça ? Tu nous as abusés, alors.

Helena tenta de rire mais, même à ses oreilles, le son qui sortit de sa bouche parut dur.

— Eh bien, tu as raison, je suppose. C'est le cas. Et alors ? Je ne vais pas m'en excuser.

— Non, non, bien sûr que non, protesta Helena avant de boire une autre gorgée de scotch.

— Ça te plairait, j'imagine ?

— Depuis quand est-ce que tu te préoccupes de ce qui me plaît ?

— Pour l'amour du ciel, Helena, pourquoi ne dis-tu pas franchement ce que tu as sur le cœur !

— Je ne vois pas du tout de quoi tu veux parler, ma chérie.

— D'accord. À toi de voir. (Nick secouait la tête d'une manière qui donna à Helena envie de la gifler.) Je suis peut-être le diable, mais bon sang je suis ton diable à toi et tu as intérêt à t'y faire.

Un long silence s'ensuivit. Tyler regardait par terre ; Ed avait les yeux rivés sur Nick. Quant à Hughes, il avait disparu. Typique, pensa Helena.

— Bon, tout le monde, lança Daisy en entrant dans la pièce avec un paquet carré tout mince sous le bras, ignorant tout de la situation, comme d'habitude. Et voilà ! Papa ? Reviens. On a besoin de toi. Où est-il passé ?

Helena déchira l'emballage avec une véhémence qui la surprit elle-même. C'était un disque. Sur la pochette, le profil d'une sorte de hippy entouré d'un halo. « *Van Morrison Blowin' Your Mind !* » lisait-on en gros caractères arrondis. Helena éclata de rire en brandissant le disque pour que tout le monde le voie.

Le regard plongé dans les yeux de sa cousine, Nick porta sa main à sa bouche pour tenter de réprimer son propre accès d'hilarité.

— Daisy, ma chérie, vraiment ! Tu penses que c'est un cadeau approprié pour ta tante ?

— Oh, ne sois pas si vieux jeu ! Il n'est même pas question de drogue, riposta Daisy en prenant le disque avant de se diriger vers le tourne-disque. Il faut que tu écoutes cette chanson, tante Helena. Ça s'appelle *Brown-Eyed Girl*, « la fille aux yeux bruns ». Il s'agit de toi. Sauf que toi, tu as les yeux bleus. (Elle pouffa de rire.) Oh et puis flûte, je ne m'en sors pas trop bien aujourd'hui, hein ? acheva-t-elle en posant l'aiguille sur le vinyle.

Un petit battement de tambour et puis les accents d'une guitare, tel un calypso. Helena sourit. C'était une bonne chanson, un air joyeux qui donnait envie d'être heureux, même si ce n'était pas dans vos intentions.

Daisy attrapa Tyler par la main et commença à danser le twist. Au bout d'un moment, elle tira Ed vers elle et ils formèrent un cercle tous les trois.

Helena les observa. Une petite bande de jeunes bohémiens, avec toute la vie devant eux. Même son fils, si sérieux parfois, souriait en se livrant à une version toute personnelle du twist de Daisy dans le style Chubby Checker.

Elle se tourna vers Nick. Celle-ci lui tendit la main. Helena la prit en soupirant. Nick l'aida à se lever, lui enlaça la taille.

— Nous sommes de vieilles chnoques, dit-elle.

En proie à une nostalgie indescriptible, Helena posa son front contre la joue douce de sa cousine. Par-dessus son épaule, elle voyait les jeunes qui leur souriaient. À l'exception d'Ed. Elle se réjouit qu'il ne fasse pas semblant. Elle avait engagé le processus. Il fallait qu'il soit fort et sincère désormais.

En humant le parfum de Nick, elle pensa à ces feuilles humides dont elle avait parlé. Comment pouvait-elle encore l'aimer, après tout ça ? Elle avait l'impression que sa tête allait éclater. Il ne fallait pas penser à tout ça. C'était insoutenable. À la place, elle serra sa cousine contre elle, comme si c'était la dernière fois.

HUGHES

Juillet 1959

I

Le téléphone sonnait dans la maison.

Plus tard, quand il repenserait à cet instant, Hughes jurerait qu'il avait entendu la première sonnerie à un pâté de maisons de là. C'était peut-être sa mémoire qui lui jouait des tours. En tout cas, il se souvenait très bien du sentiment de terreur qui l'avait envahi alors.

Il marchait tranquillement dans Traill Street, agitant la main à travers les nuées de moucherons qui flottaient dans l'air chaud. C'était la fin de l'après-midi. Après une matinée de travail infructueux chez un client, il avait quitté le bureau de bonne heure ; il était arrivé juste à temps pour la séance de *Laura* au Nickelodeon, à Harvard Square.

C'était l'un des plaisirs associés au fait de passer l'été en ville. Il pouvait partir de bonne heure ; personne ne se préoccupait de savoir où il allait. Loin de sa famille en exil sur l'île, il éprouvait une sensation de rare légèreté dans son quotidien. Il dînait seul dans la cuisine – un sandwich ou un steak s'il avait envie de faire à manger –, puis il montait dans son bureau et bouquinait jusqu'à ce qu'il s'assoupisse sur le petit lit. Il allait uniquement dans la chambre conjugale pour se changer. Dans ces moments-là, il avait l'impression d'être une ville-fantôme à lui tout seul. La photo de

Daisy avec son cadre en argent sur sa table, les boutons de manchettes dans le bol en porcelaine bleue, les oreillers parfaitement alignés sur le lit, tout cela semblait appartenir à la vie de quelqu'un d'autre. En regardant autour de lui, il se demandait parfois ce qu'un archéologue penserait de tout ça, de lui. Comment le décrirait-on ? Un homme qui cirait lui-même ses chaussures, qui rangeait ses chaussettes. Qui aimait sa famille. Ce profil lui correspondait-il ? Lorsqu'il montait dans son bureau, il savait mieux qui il était, et cela l'apaisait.

Ces derniers temps, il avait eu le sentiment, lancinant, que quelque chose n'allait pas. Il s'en apercevait parfois quand il allait au travail en voiture, ou quand il lisait et se retrouvait dans l'obligation de s'interrompre tant que cette sensation n'était pas passée. Il ne parvenait pas à mettre le doigt précisément dessus. Cela s'apparentait à la peur, mais ce n'était pas tout à fait ça. Il savait que cela avait à voir avec Nick, avec l'idée de la perdre. Pourtant, il ne l'avait pas perdue, même s'il lui arrivait de s'imaginer que c'était le cas. Cette pensée le rendait malade, comme le bruit d'un os qui se brise.

Quand il avait entendu le téléphone sonner dans la maison, alors qu'il remontait sa rue cet après-midi d'été, ce même malaise l'avait envahi, telle une alarme retentissant dans sa tête.

Tout avait commencé un mois plus tôt, début juin. Nick et Daisy avaient pris leurs quartiers à Tiger House depuis peu ; il était venu passer le week-end pour préparer le bateau. Après avoir lessivé *Star*, vérifié la coque et le gréement à l'affût de dommages éventuels, il était allé boire un verre au Reading Room où il avait fait deux parties de rami et descendu trois gin tonic – s'y attardant plus longtemps qu'il ne l'avait prévu.

Toujours alerte, il avait décidé d'aller faire une promenade au port pour respirer l'air de l'océan et regarder les lumières qui émaillaient Chappaquiddick. En passant devant le Yacht Club, il avait résolu d'entrer. Il était resté un moment sur la jetée à écouter les hors-bord passer. Il adorait cette île. Il se demandait parfois si les choses se seraient passées différemment s'ils étaient revenus y vivre après la guerre, comme Nick le souhaitait. Il pensa à elle à la maison, en train de se préparer à se mettre au lit peut-être, au petit soupir qui s'échappait de ses lèvres quand elle s'asseyait devant sa coiffeuse en fin de soirée. En reportant son regard sur les eaux sombres, il chassa cette vision de son esprit.

Il prit Simpson's Lane, parce que c'était le chemin le plus tranquille. Il se réjouissait que cette allée soit restée presque une sente alors que tout le reste de l'île était en train de changer. Il songeait à ça quand, en arrivant au coin, il vit Frank sortir du Hideaway avec une fille dont la tête sombre s'appuyait sur son épaule.

Interloqué, il ralentit le pas pour ne pas se faire voir et les regarda s'éloigner. Hésitant à poursuivre sa route, il décida de tuer le temps avec une cigarette. Tout en fumant, il essaya de se ressaisir. Ce n'était pas tant l'implication évidente qui le déconcertait que l'imprudence de Frank. Étrange. N'importe qui aurait compris au premier coup d'œil ce qui se passait entre eux, et l'île n'était pas bien grande. Tout le monde se connaissait. Faire étalage de ses secrets était périlleux. Si on avait la bêtise de s'y risquer, il fallait s'attendre que, en un rien de temps, l'affaire fasse le tour de la ville.

Hughes écrasa sa cigarette avec son talon et prit la direction de la villa. Alors qu'il approchait de l'allée du côté de North Summer Street, il aperçut Ed, du moins sa silhouette. Et, un peu plus loin, Frank Wilcox, toujours en compagnie de la bonne, en pleine conversation intime avec elle. Hughes se demanda comment Ed s'était débrouillé pour sortir de la maison à une heure si tardive sans que personne le remarque. Il cessa vite de s'en préoccuper lorsqu'il le vit suivre le couple, à pas feutrés, tel un chat, en longeant la haie de troènes qui bordait la rue. Frank et la fille tournèrent dans Morse Street, en direction des courts de tennis. Son neveu dans leur sillage. Ed se pencha pour ramasser quelque chose à l'endroit où Frank s'était tenu quelques instants plus tôt avant de franchir l'angle à son tour et de disparaître.

Hughes resta planté là, se sentant ridicule. L'idée de filer Ed qui talonnait lui-même Frank lui faisait l'effet d'une farce grotesque. Mais avait-il le choix ? Il ne pouvait pas le laisser les espionner ainsi, sachant ce qu'ils s'apprêtaient vraisemblablement à faire.

Pour finir, il décida d'attraper son neveu et de le ramener par la peau du cou à Tiger House. Il s'élança mais lorsqu'il atteignit Morse Street il n'y avait plus personne. Il descendit la rue à grandes foulées et s'engagea dans l'allée envahie par la végétation qui longeait les courts de tennis en direction de Sheriff's Meadow. Il s'arrêta un instant, tendit l'oreille. Il entendit des bruits de pas devant lui.

Ce passage était rarement emprunté désormais, dans la mesure où la municipalité avait aménagé une vraie piste pour rejoindre le pré depuis Pease's Point Way. À mesure qu'il avançait, la chaleur de la nuit ranimait autour de lui les senteurs de plantes jamais bousculées. Le croissant de lune n'offrait qu'un faible éclairage, il devait progresser avec précaution pour ne pas buter contre des racines ou des branches basses.

En apercevant la cabane délabrée devant lui, près d'Ice Pond, il s'immobilisa. Cela semblait un endroit approprié pour une partie de jambes en l'air avec une femme qui n'était pas la vôtre. Après avoir dressé l'oreille un instant, cependant, il en arriva à la conclusion qu'il n'y avait personne à l'intérieur. Il regarda autour de lui en quête d'un indice. Il se trouvait dans les futaies derrière le pré, face au marais flanqué d'épais sous-bois. Des lieux peu propices aux batifolages. Constatant que ses chaussures étaient mouillées à force de marcher dans la terre détrempée, il jura entre ses dents. Quand il mettrait la main sur Ed, il allait lui passer un savon pour l'avoir fait courir partout pour rien. S'il arrivait à le trouver.

Il envisagea de laisser tomber et de l'attendre à la maison quand il entendit des pas dans les fourrés sur sa gauche. Il essaya d'y discerner quelque chose. Il ne vit rien, mais les pas s'éloignaient. Zut ! Il s'enfonça dans la végétation en se couvrant le visage pour se protéger des ronces.

Il finit par émerger sur un sentier sinueux bordé de part et d'autre d'une haie sauvage. Des parfums de chèvrefeuille embaumaient l'air. Hughes se prit à penser à la première fois qu'il avait embrassé Nick devant chez sa mère, au retour d'un bal. Elle était adossée au flanc de la maison, légèrement appuyée contre un massif de fleurs soutenu par un treillage. Depuis lors, ces senteurs étaient liées à elle dans son esprit.

Parvenu à une trouée, il se figea. La lune avait un peu grimpé dans le ciel. Sous un vieil abri en bordure de la clairière, Frank Wilcox, son pantalon sur les chevilles, prenait la fille par-derrière, en lui tenant la tête de côté.

À mi-chemin de la bicoque se tenait Ed, le dos tourné. Sans proférer aucun son, il agitait sa main droite à une cadence frénétique.

Nom de Dieu ! pensa Hughes. Sacré nom de Dieu !

Il s'approcha de lui aussi discrètement que possible et lui saisit l'épaule avec vigueur. La main cessa son va-et-vient mais, en dehors de ça, il n'eut aucune réaction. Ni cri ni sursaut. Hughes entendit la fermeture Éclair remonter avant que le gamin ne se retourne. Son visage n'exprimait rien. Hughes, lui, faisait la grimace. Un doigt sur ses lèvres, il indiqua la direction du sentier. Ed le dévisagea un instant avant de rebrousser chemin en direction des courts de tennis.

Écumant de rage, Hughes garda le silence tout le long du trajet, se bornant à suivre des yeux les pas tranquilles du garçon devant lui. Dès qu'ils atteignirent la route, toutefois, il le força à lui faire face.

— Qu'est-ce que tu foutais là ?

— Je ne suis pas un pervers, répondit Ed d'un ton neutre.

— Je n'en suis pas si sûr. Qu'est-ce qui t'a pris, à la fin ?

Ed resta planté là, le regard étonnamment vide. Impossible de déterminer ce qui se passait dans sa tête. Hughes songea que lui aussi avait fait des choses étranges quand il avait son âge et qu'il s'était senti plutôt minable, à l'époque.

— Écoute, dit-il, résolu à changer de tactique. Il est normal de s'interroger sur ces choses-là.

— Quelles choses ?

Bon sang !

— À propos des hommes et des femmes.

Ed ne répondit rien.

— Quand j'avais ton âge, il y avait une fille qui me plaisait beaucoup...

Hughes ne savait pas trop où il voulait en venir.

— Je n'aime pas Frank Wilcox, déclara Ed. La fille non plus, je ne l'apprécie pas particulièrement...

Ce garçon était-il bouché à l'émeri ? Hughes s'efforça de ne pas hausser le ton.

— Ce que j'essaie de te dire, Ed, c'est que tu n'as pas le droit d'épier les gens au milieu de la nuit. Surtout... dans ces circonstances... !

— Je ne les épiais pas.

— Je crois que nous savons tous les deux ce que tu étais en train de faire.

— Des recherches.

— Ce n'est pas ce qu'on appelle des recherches, répliqua Hughes qui recommençait à perdre son sang-froid. Et ce que tu avais sous les yeux n'avait rien d'un spectacle agréable.

— Pourquoi faudrait-il que ce soit agréable ?

Ed s'exprimait d'un ton neutre, mais Hughes avait la nette impression qu'il se moquait de lui.

— Écoute, je sais que la situation chez toi n'est pas facile, avec ton père…

— Ne parle pas de mon père, coupa Ed, et Hughes perçut de la tension dans sa voix.

— Écoute, répéta-t-il.

— J'essaie de m'éduquer sur les gens. Ce qu'ils ont en eux.

Hughes se figea.

— Pardon ? Qu'entends-tu par « ce qu'ils ont en eux » ?

— Je fais beaucoup de recherches. Des recherches que les autres n'ont pas envie de faire. (Il regarda intensément son oncle.) Ce n'est pas toujours *agréable*.

Ce fut la manière dont il le dit, une légère inflexion de la voix peut-être. Hughes sentit un frisson le parcourir. Il avait un mauvais pressentiment.

— Que veux-tu dire ? demanda-t-il en détachant ses mots.

— Par exemple, je suis au courant pour tes lettres. Celles que t'a envoyées cette dame en Angleterre. Eva.

Hughes en eut le souffle coupé. Puis il eut une poussée d'adrénaline. Eva. Ce n'était pas possible. Il avait le cerveau embrumé, un instinct primal montait en lui. Il se jeta sur Ed et le saisit par le col en rapprochant son visage du sien. Si près qu'il sentait l'odeur de son shampooing, de sa transpiration.

— Qu'est-ce que tu viens de dire ?

Sa propre voix lui semblait étrangère, glaciale, mais posée.

— Les lettres, celles que tu as cachées dans la cave, débita Ed, comme si la proximité de son oncle l'excitait.

— Les lettres que j'ai cachées dans la cave. (Sa fureur émanait de lui, comme une puanteur.) Mes lettres. Petit salopard.

Il allait le démolir. Il n'arriverait pas à se contenir, il le sentait. Et puis il pensa à Nick. Il fallait qu'il réfléchisse, qu'il force sa cervelle à fonctionner. Pour finir, au prix de ce qui lui parut un effort impossible, il lâcha le gamin.

— Non, Ed, dit-il d'un ton calme. Je ne pense pas que tu aies trouvé ces lettres. Tu ne sais rien. (Il le regarda droit dans les yeux.) Je pense que tu es un pathétique gosse de treize ans surpris en train de se masturber devant deux inconnus en pleine action. C'est une bien triste histoire. Le genre d'histoire qui incite les gens à se dire : ce garçon est détraqué, il débloque. Et puis ils se mettent à réfléchir, à penser qu'il est peut-être trop instable pour aller et venir à sa guise. Tu vois ce que je veux dire ?

— Je ne pense pas être détraqué, répondit Ed, soutenant son regard. Cela dit, je pourrais toujours poser la question à tante Nick. Elle saura sûrement à quoi s'en tenir.

Hughes hocha lentement la tête puis il le gifla à toute volée, l'envoyant valdinguer sur le trottoir. Ed porta la main à sa lèvre, sans se relever.

— Debout, ordonna Hughes.

Dès qu'il se fut exécuté, Hughes saisit son visage entre ses deux mains et le tourna dans un sens puis dans l'autre. Pas de sang.

— Rentre à la maison maintenant, et ne réveille pas ta mère, le somma-t-il d'une voix rauque, comme s'il avait couru dans le froid. Ne t'avise pas de me menacer à nouveau.

Ed le dévisagea sans verser une larme, ni se moquer de lui, ni se plaindre du coup qu'il venait d'encaisser. Il pencha légèrement la tête de côté avant de pivoter sur lui-même et de remonter Morse Street en direction de la maison.

Quand Hughes rentra à son tour, tout était tranquille. Il descendit s'enquérir de ses lettres qu'il avait rangées dans une boîte à outils sous son établi au sous-sol – un endroit que ni Nick ni Daisy n'avaient de raison d'aller explorer.

Sous un plateau rempli de clous et vis divers, il les trouva, apparemment intactes. Le ravissant papier à lettres crème d'Eva, entassé en une pile bien nette. Il prit celle du dessus.

Southampton, 3 mars 1945
Cher Hughes,
Tu dois être quelque part dans l'Atlantique, ballotté par la houle, alors que je suis assise là à t'écrire dans mon sinistre bureau, rêvant encore de ce merveilleux steak que nous avons mangé la semaine dernière.

J'avoue avoir trouvé très libérateur, et légèrement scandaleux, de fêter ainsi mon divorce. Champagne et steak! Que dirait le ministère de la Guerre? Peu importe. Je suis une femme perdue désormais et cela m'enchante.

Une amie a proposé de nous prêter sa maison à Devon pour ta prochaine permission. Ce n'est qu'un petit cottage, mais nous n'avons pas besoin de grand-chose, à part un lit. Je ne suis même pas capable de faire un œuf à la coque (m'en voudras-tu?), alors on peut se passer d'une cuisine. Nous nous baladerons toute la journée en tenue d'Adam et Eve et je me jetterai sur toi à la moindre occasion.

Hughes, je ne suis pas sûre d'être capable de supporter tant de bonheur. Garde-toi du danger, je t'en conjure. Il y a tant de tristesse alentour, ça me fait peur. Je suis consciente que cela semble un peu dramatique, mais je n'y peux rien. Le monde est en feu, après tout. Reviens-moi vite.

Je t'aime,

Eva

Hughes reposa la lettre avec soin puis il monta tout le paquet dans son bureau où il l'enferma dans le tiroir, le cœur gros, avant de glisser la clé dans sa poche.

Il ne parla à personne de l'incident qu'il s'efforça de relativiser à mesure que les jours passaient. Ed était vraiment perdu, sans un véritable modèle de père. Il contrôlait mal ses impulsions, se dit-il. Ce n'était qu'un gamin, et il passait par une phase bizarre, légèrement contre nature, de l'adolescence. Tout allait s'arranger. Hughes retourna en ville, à ses après-midi oisives, à ses nuits passées dans son bureau à la maison. Il n'en continua pas moins de penser à Frank et à la domestique, aux lettres, à Nick.

Le téléphone sonnait dans la maison. Parvenu sur le seuil, Hughes glissa la clé dans la serrure. Le cœur battant, il bondit dans l'escalier, gravit les deux volées de marches pour gagner la bibliothèque et s'empara du combiné noir tout froid.

— Allô ?

— Hughes. Dieu merci ! s'écria Nick.

— Que se passe-t-il ?

— C'est Daisy. Ed et elle ont trouvé un cadavre.

Hughes s'adossa au mur, une main sur sa poitrine.

— Bon sang, Hughes, elle l'a vu !

— Qui est-ce ?

Il avait du mal à respirer.

— On ne sait pas très bien, à vrai dire. Selon la rumeur, il pourrait s'agir d'une domestique. Une de ces Portugaises, apparemment.

— La domestique de qui ?

Il savait pertinemment de qui il s'agissait. Cela ne servait plus à rien de faire semblant.

Décembre 1944

Même après Noël, il régnait encore une atmosphère festive à la gare. On sentait presque des odeurs de pin dans l'air. Les gens tourbillonnaient autour de Hughes, telle une toile en mouvement, pétrie d'attentes. Une jolie officière de marine qui passait à côté de lui en faisant tinter les clochettes cousues autour de l'ourlet de son manteau gris égaya momentanément son humeur. Il avait raté le train pour Londres et était donc condamné à la triste perspective de passer un de ses précieux jours de liberté à bord du *Jones*, qu'il venait à peine de quitter.

Les rues de Southampton le démoralisèrent encore plus. Les Allemands avaient bombardé la ville sans relâche, de sorte que ses sites les plus remarquables se réduisaient désormais à des monceaux de métal serpentant entre la gare et les docks – un dédale de ruelles hérissé de tours et de grues. Les immeubles n'étaient plus qu'un tas de ruines, structures noircies, déchiquetées, dressées vers le ciel. Les escaliers ne menant nulle part le perturbaient particulièrement. Il semblait y en avoir partout, formes futiles se détachant à l'arrière des maisons effondrées. Il avait pris l'habitude de garder les yeux rivés au sol quand il allait en ville.

Tout de même, c'était mieux que Le Havre où ils venaient de déposer toute une division motorisée. Le port avait tellement souffert au cours de sa libération que, au lieu de rentrer directement au pays, le *Jones* avait été forcé de faire un détour par l'Angleterre pour se réapprovisionner.

Hughes reprit la direction des docks, déterminé à se rendre à la cantine de la Croix-Rouge où on avait au moins droit à un café qui n'était pas de la vase tiède, voire à un beignet, tout en s'offrant le plaisir de reluquer les employées dans leur salopette bleu clair.

La longue file d'attente le fit maudire son sort une fois de plus. Il était sur le point de laisser tomber et de se mettre en quête d'un pub quand il entendit la voix de Charlie Wells.

— Derringer ! (À peu près au milieu de la queue, il lui faisait signe de le rejoindre.) Je croyais que tu avais pris le train pour Londres. Que s'est-il passé ? Tu as décidé que tu ne pouvais pas te passer des charmes de Southampton ?

— J'ai raté ce fichu train, pesta-t-il, ignorant les hommes qui râlaient contre les resquilleurs derrière lui.

— Eh bien, tu n'as qu'à venir en mission avec mes hommes et moi. Tu apprendras peut-être quelque chose.

— Va te faire voir.

— Allons, répondit Charlie en lui administrant une tape dans le dos. Ne te vexe pas. Il faut qu'on fasse de toi un homme, un vrai ! Tu pourras te débarrasser de ce col raide au moins.

Hughes n'était pas d'humeur à se coltiner Charlie. En fait, il n'avait goût à rien, ces temps-ci. Il y avait trois mois qu'il n'avait pas vu Nick, il avait passé un Noël sinistre, à bord du *Jones*, qui avait tangué tout du long depuis Brooklyn. Une dinde congelée, de la sauce aux airelles qui avait le goût d'urine, rouge, sucrée. Il en avait par-dessus la tête de ces villes détruites, anéanties, de ces ports qui n'arrêtaient pas d'exploser, de ce mal de mer qu'il n'arrivait pas à surmonter. En voyant les gars de l'armée débarquer en France après dix jours de traversée de l'Atlantique, il n'avait pas pu s'empêcher de rire en son for intérieur. Leur teint évoquait la soupe aux pois. Sans doute à la perspective de la marche forcée contre les boches, en plein hiver.

— Lieutenant Derringer.

En se retournant, il se retrouva nez à nez avec le commandant Lindsey en uniforme bleu, comme lui.

— Capitaine.

— Je suis content de tomber sur vous. Vous allez à Londres, si je ne m'abuse. Trois jours de liberté ?

— Oui, capitaine, mais j'ai loupé le train. Je ne vais pas pouvoir partir avant demain, semble-t-il.

— Vous avez raté votre train, hein ?

Lindsey se frotta le dessus de la lèvre du bout du doigt, un geste qu'il faisait souvent quand il réfléchissait. La première fois que c'était arrivé, croyant qu'il cherchait à lui indiquer qu'il avait quelque chose sur la figure, Hughes l'avait imité jusqu'à ce que le commandant lui demande pourquoi il semblait aussi fébrile.

— C'est regrettable, ajouta Lindsey. J'ai une dépêche qui doit parvenir à la salle de contrôle naval ce soir au plus tard. Les lieutenants Wilson et Jacks sont déjà partis, j'imagine.

— Oui, capitaine. Je crois qu'ils ont eu leur train.

— Écoutez, lieutenant, on pourrait peut-être faire d'une pierre deux coups, si j'ose dire. Je vais aller trouver les Britanniques pour leur demander s'ils n'auraient pas une estafette dont ils pourraient se passer. On arrivera peut-être à vous envoyer à Londres dès ce soir en définitive.

— Ce serait formidable, capitaine.

— Buvez votre café, lieutenant, mais faites vite. Je vous retrouve devant.

— Merci, capitaine.

— Monsieur Wells.

Lindsey adressa un signe de tête à Charlie avant de tourner les talons et de se diriger vers la porte.

— Il est d'Annapolis, ce salopard, bougonna Charlie dès qu'il se fut éloigné. On dirait qu'il a avalé un parapluie.

— Tu as reçu tes ordres. Et puis ne sois pas si susceptible, répondit Hughes en lui décochant un sourire jusqu'aux oreilles.

— Allons prendre ce café, dit Charlie en fronçant les sourcils et son visage s'illumina quand une préposée de la Croix-Rouge à la poitrine opulente se tourna vers eux pour les servir. De toute façon, je ne vois pas ce que Londres aurait à offrir que je ne puisse trouver ici, ajouta-t-il en faisant un clin d'œil à la fille qui lui sourit en retour.

Hughes s'esclaffa. Il se sentait déjà nettement mieux.

À l'Amirauté de la Marine royale, dans l'un des bâtiments municipaux qui tenaient encore debout, Hughes attendait dans le hall pendant que le commandant Lindsey s'entretenait avec son homologue britannique. Le tourbillon d'activité autour de lui lui rappelait la gare, sans les décorations de Noël, à son grand soulagement. Deux semaines avant les fêtes, il avait écrit à Nick, avec l'espoir que sa lettre arriverait à temps. Il n'avait pas trop su quoi lui dire à part qu'il l'aimait et qu'elle lui manquait. Il ne pouvait pas lui raconter ce qu'il faisait, où il était allé, où il allait.

Durant toute cette année de service actif, le temps semblait s'être arrêté. Il y avait le monde qu'il avait laissé derrière lui et cet autre endroit où il avait atterri : les explosions constantes de grenades sous-marines provenant de lanceurs K qui secouaient le navire, les visages blêmes des membres de l'équipage dans les lumières rouges des postes de combat, les zigzags au milieu de l'Atlantique dans le noir complet, à décoder des messages jusqu'à ce qu'il ait l'impression que ses yeux allaient lui sortir de la tête. Nick continuait à vivre dans le vrai monde, un lieu auquel il rêvait parfois quand il montait dans sa couchette pour prendre un peu de repos. Mais le monde dans lequel il se trouvait, il ne pouvait y faire allusion, sans parler d'expliquer la situation.

— Lieutenant Derringer.

En levant les yeux, il aperçut le commandant Lindsey, à une petite distance. Il lui fallut plusieurs secondes pour se rendre compte qu'il était accompagné d'une femme vêtue d'une combinaison, d'une veste d'homme trop grande pour elle et de ce qui ressemblait à des bottes d'aviateur. Il aurait été bien en peine de lui donner un âge. À mesure qu'ils approchaient, toutefois, il conclut à son front lisse sous une masse de cheveux étroitement épinglés qu'elle devait avoir à peu près l'âge de Nick.

— La chance vous sourit, lieutenant. L'estafette Eva Brooke ici présente a une livraison à faire à Londres.

Hughes crut détecter un sourire aux commissures des lèvres du capitaine.

— Capitaine, fit-il, puis, se tournant vers la jeune femme : Mademoiselle Brooke.

— Madame, rectifia-t-elle d'une voix sonore comme une cloche d'église.

— Je vous prie de m'excuser, madame Brooke.

— Bon, lieutenant, cette dépêche est destinée au lieutenant commandant Napier, à la Citadelle de l'Amirauté. Assurez-vous de la lui remettre en mains propres avant de profiter des charmes londoniens.

— Entendu, capitaine.

Lindsey se tourna vers Eva.

— Madame Brooke.

— Capitaine, fit-elle avec un brusque hochement de tête.

En contournant le bâtiment pour gagner le parking rempli des décombres des immeubles voisins, ils tombèrent sur une bande d'enfants en train de faire étalage de leurs collections d'éclats d'obus. L'un d'eux avait un œil au beurre noir. Hughes fut pris de vertige tout à coup.

— Je n'aurai pas besoin de ça, j'imagine, dit Eva, jetant son casque de moto sur la banquette arrière tout en lorgnant la voiture avec une moue de dégoût.

Elle ouvrit la portière côté conducteur et s'engouffra à l'intérieur.

— En quoi roulez-vous d'ordinaire ?

— En moto, répondit-elle en lui décochant un sourire malicieux.

— J'avais compris. Quelle marque ?

— Vous vous y connaissez ?

— Non.

— C'est bien ce que je pensais, dit-elle en débrayant avant de sortir du parking en marche arrière.

Elle klaxonna à deux reprises à l'adresse des gamins qui se dispersèrent comme une nuée de pigeons.

Hughes glissa sa main sur le tableau de bord.

— Une Daimler. Allemande.

— Très perspicace. Vous êtes toujours aussi clairvoyant ?

Il se tourna vers elle. Elle avait les yeux rivés sur la route.

— Pas toujours. J'ai mes moments de lucidité.

— Pour tout vous dire, nous avions une usine General Motors, jusqu'à ce que la Luftwaffe jette son dévolu dessus, avec perte et fracas.

— Il leur arrive d'avoir ce genre de lubie.

Il tapota sa poche poitrine pour s'assurer qu'il y avait mis sa brosse à dents. Il avait aussi plusieurs cols de rechange dans sa veste. Un maigre bagage, pour quelques jours de liberté.

— Que devez-vous livrer à l'Amirauté ?

— Cette fichue voiture, croyez-le ou non. Il semblerait qu'ils en aient perdu plusieurs, lors des raids aériens de la semaine dernière. (Lorsqu'elle orienta son regard vers lui, il remarqua que ses yeux étaient presque du même brun que ses cheveux.) Sans vouloir être méchante, je doute que la Marine royale gaspille sa précieuse essence rien que pour porter une lettre à Londres. Même pour vous.

Ils laissèrent derrière eux les vestiges de Southampton et la route s'élargit au milieu de champs en friche pour l'hiver.

— Pourquoi votre capitaine n'a-t-il pas porté cette lettre lui-même ? reprit-elle au bout d'un moment.

Sa voix résonnait vraiment comme une cloche d'église. Hughes songea au carillon de St. Andrew, sur l'île, où Nick et lui avaient échangé leurs vœux. Le corps nu de sa femme jaillit subitement dans son esprit tel un éclair de lumière intense, brûlant.

— Il a une fille en ville, je crois.

— Ah oui, la fameuse fille en ville.

— Vous semblez désapprouver.

— Je n'approuve pas plus que je désapprouve. C'est un cliché, voilà tout.

— Il y a pire qu'un cliché, à mon avis.

— Vous pensez ? Je trouve que c'est la pire chose qui soit.

— Chacun de nous veut faire croire qu'il est différent. À tort. Nous sommes tous les mêmes.

Il pensait au *Jones* – deux cents marins, douze officiers, deux cent douze hommes en tout, secoués par ces fichues grenades sous-marines.

— C'est terrible de penser ça, lieutenant, souffla-t-elle d'une voix suave qui l'irrita. Appelez-moi Eva, voulez-vous. Je ne suis pas sûre d'être capable de supporter vos « madame Brooke » pendant les trois heures à venir.

— Où est votre mari à l'heure qu'il est ? demanda-t-il, plaignant le pauvre bougre en son for intérieur.

— Je ne saurais vous le dire. La dernière fois que nous nous sommes vus, il revenait d'Afrique du Nord.

— Il est dans la Marine lui aussi ?

— Oui, soupira-t-elle.

Hughes sombra dans le silence. Il ne se sentait pas d'humeur à endurer un monologue à propos de M. Brooke, qui ne pouvait manquer de suivre après ce soupir. Cela dit, on n'était jamais sûr de rien, surtout venant d'une fille qui roulait en moto. Il posa la tête contre le dossier de son siège et regarda par la fenêtre.

— Vous êtes d'ici ?

— Quand vous dites ça, vous autres Américains, je ne sais jamais ce que cela signifie exactement.

— D'ici, répondit-il en passant la main devant le pare-brise, agacé par son petit ton snob.

— Le Hampshire ? Non.

Il regarda des petits ronds de buée se former sur la vitre sous l'effet de son souffle, puis disparaître. Le ciel d'un gris métallique triste les enveloppait. Il sortit son Zippo de sa poche et l'actionna à plusieurs reprises d'une chiquenaude en écoutant les clics.

— Et vous, d'où êtes-vous ? demanda-t-elle finalement comme si elle s'était résignée à converser avec lui.

— De Cambridge, dans le Massachusetts, répondit-il, pensant à ses parents déambulant seuls dans leur vaste demeure.

Il avait écrit à sa mère aussi, des lettres pleines d'optimisme quant à l'issue de la guerre. Cela l'écœurait un peu, le ton de ces missives, mais elle lui en avait tellement voulu de partir qu'il estimait de son devoir de lui présenter la situation sous le meilleur jour possible. Il l'imaginait à présent, sur sa méridienne, les poings serrés de rage à la lecture de ses courriers.

Au loin, il vit ce qui ressemblait à des mouettes à tête noire. Il les regarda tournoyer en songeant aux avions allemands, à l'océan. Au Havre aussi, se demandant où était cette division maintenant, combien de ces hommes avaient été déchiquetés par les Panzers, combien avaient des engelures, combien seraient rapatriés outre-Atlantique à bord du *Jones*. Bercé par le ronronnement du moteur qui vibrait, il s'assoupit.

Lorsqu'il se réveilla, les vitres étaient tout embuées. Il plongea la main dans la poche de sa veste et sortit son paquet de Lucky Strikes. Il entrouvrit la fenêtre et glissa une cigarette entre ses lèvres.

Puis il se tourna vers Eva et lui en offrit une.

— Oh oui, avec plaisir ! s'exclama-t-elle et pour la première fois elle eut l'air de ce qu'elle était : une toute jeune femme, ravie à la perspective de fumer.

— Quel âge avez-vous ? demanda-t-il en allumant la cigarette avant de la lui tendre.

— Vingt-quatre ans.

La fenêtre entrouverte laissait filtrer des odeurs d'herbe mouillée et de feuilles mortes.

— Qu'est-ce qui vous a donné envie d'être estafette ?

Il tira nonchalamment sur sa cigarette, se sentant plus détendu qu'il ne l'avait été depuis longtemps.

— Pourquoi me demandez-vous ça ?

— La raison me paraît évidente.

— Oui, bien sûr. Je suppose que la réponse doit l'être tout autant.

— Ça vous grise ?

— Oui, et puis… je n'aime pas me sentir coincée.

— Je donnerais n'importe quoi pour être coincé quelque part à l'instant précis, répondit-il.

— Je ne parle pas forcément d'un lieu. J'entends par là engluée dans quelque chose, quoi que ce soit.

Elle avait dit ça d'un ton affirmé, mais Hughes eut l'étrange impression qu'elle était au bord des larmes.

Quelques épingles à cheveux avaient glissé, libérant des mèches qui bouclaient autour de son visage, dans son cou. Il se rendit compte qu'elle était jolie, en dépit de sa salopette et de cette veste trop grande. Ses mains sur le volant paraissaient toutes petites ; il eut envie de voir ses poignets qu'il imaginait fins comme le cou d'un oiseau.

— Ainsi, vous disposez d'une moto et vous partez en balade chaque fois que vous en éprouvez le désir ?

Il souffla la fumée dans la voiture.

— Le règlement est un peu plus strict que ça.

— Votre mari doit être content que vous apportiez votre contribution, que vous vous battiez à ses côtés, en quelque sorte.

— Les maris sont-ils comme ça ? Je n'ai jamais bien compris ces choses-là, commenta-t-elle avec mépris. C'est donc ce que fait votre épouse ? Apporter sa contribution.

— En un sens, oui, répondit Hughes en la regardant durement. (Son ton ne lui avait pas plu.) Elle existe. Ça me suffit.

— Tout à fait charmant.

Hughes ignora cette pique.

— Ce doit être une vraie merveille pour que sa seule existence vous procure un tel réconfort.

— Absolument.

Elle se tourna vers lui, l'air effroyablement triste tout à coup.

— Et puis flûte ! s'exclama-t-elle en reportant son attention sur la route.

Le silence se prolongea quelques minutes. Seigneur, ce qu'elle pouvait être susceptible !

— On est encore loin ?

— Pas très.

Sa voix avait retrouvé sa clarté, son énergie.

Hughes se sentit soulagé.

— Je ne suis jamais allé à la Citadelle de l'Amirauté, ajouta-t-il. À quoi est-ce que ça ressemble ?

— Oh, vous savez. Des cartes, tout ça. Tout le monde s'affaire là-dedans.

Il alluma une autre cigarette.

— Quels sont vos projets pour le Nouvel An ?

— C'est une invitation ?

— Comment ? (Il se sentit rougir comme une gamine.)
Non, je vous posais juste la question.

— Ne vous emballez pas. Je plaisantais, lança-t-elle en
lui décochant un sourire espiègle.

Il rit. Drôle d'oiseau, cette Eva Brooke. Une actrice
jouant un millier de rôles différents.

— Je ne sais pas encore, répondit-elle finalement. J'ai
quelques jours de permission. J'irai peut-être voir ma famille.

— Oh !

— Votre commandant a dit que vous disposiez de trois
jours. Il y aura des bals, j'en suis sûre, si vous cherchez à
vous occuper.

Hughes garda le silence.

— Pourquoi faites-vous cette tête ? Vous n'aimez pas
danser ?

— En ce moment, pas beaucoup. Ça me rappelle ma
femme.

Il pensa à Nick dans sa robe au décolleté en forme de
cœur. Il aimait beaucoup cette robe.

— Eh bien, vous êtes sacrément amoureux, ma parole !
lança-t-elle. Il va falloir voir ce qu'on peut faire à cet égard.

À cet instant Hughes résolut de la boucler jusqu'à la fin
du trajet.

En arrivant à Londres, Eva conduisit plus prudemment,
manœuvrant avec habileté pour se frayer un passage entre
les véhicules en stationnement, les camions de pompiers et
les décombres. C'était si étrange d'être passés d'une ville
bombardée à une autre, séparées par de vastes étendues de
champs, avec un village de temps à autre. En apercevant ce
qui avait été jadis la boutique Dunhill, Hughes repensa à sa
dernière visite à Londres, avant la guerre. Il s'y était rendu

avec l'équipe d'aviron de son université ; quelque peu éméchés, ils y avaient fait une descente pour s'approvisionner en cigares en prévision de leur victoire contre leurs adversaires britanniques. Il ne restait plus désormais que l'enseigne, suspendue au-dessus d'un tas de ruines.

— Ces fichus Allemands, bougonna-t-il. Regardez-moi ça.

— On a parfois l'impression que le monde entier est en feu, n'est-ce pas ?

Après s'être garée, Eva flanqua sa carte militaire d'un geste dédaigneux contre le pare-brise.

— Je ne sais pas trop ce qu'ils vont faire pour régler le problème, ajouta-t-elle, se parlant à elle-même.

Elle se dirigea d'un pas alerte vers la Citadelle de l'Amirauté, un imposant bloc en béton surmonté d'une tour carrée et de postes de tir qu'on aurait dits tout droit sortis du Moyen Âge.

— Charmant, non ? dit-elle en souriant.

Elle s'était débrouillée pour mettre du rouge à lèvres et se recoiffer. Quand ? Croyait-elle vraiment qu'un peu de maquillage suffirait à faire oublier cette tenue qui lui allait si mal ? Il n'empêche que cela avait un côté sexy. Hughes se demanda s'il avait déjà vu une femme en combinaison.

Ils montrèrent leurs papiers aux sentinelles postées à l'entrée du bâtiment et au bas de l'escalier avant de descendre plusieurs volées de marches. Eva avait l'air de bien connaître les lieux. Parvenue à un certain niveau, elle enfila un couloir, puis un autre. Ils durent se faufiler à côté d'une poignée d'officiers de marine en train d'extraire des cartes des tiroirs de grosses commodes. Un téléphone mural, blanc, sonna obstinément jusqu'à ce qu'une femme décroche. Dans ce sous-sol obscur, tout en béton peint en vert et en acier, Hughes avait l'impression de se retrouver sous le pont du *Jones*. Ils atteignirent finalement l'entrée de la salle des opérations, protégée par des sacs de sable, où ils durent montrer patte blanche une fois de plus.

Une grande carte couvrait tout le mur du fond, indiquant les emplacements des sous-marins allemands et les mouvements des convois alliés. Des officières allaient et venaient sur la passerelle métallique juste dedans, déplaçant les marqueurs à mesure qu'on leur criait de nouvelles coordonnées depuis la salle. Hughes sentit son cœur se soulever en constatant la proximité entre les convois et les marqueurs noirs. À bord du navire, on n'endurait que les grenades sous-marines qui, bien que tirées en permanence, atteignaient rarement leur cible. On savait qu'ils rôdaient probablement dans les parages, ces sous-marins, mais, dans la mesure où ils étaient invisibles, on pouvait se croire en sécurité. À certains moments, en tout cas. Eva avait raison à propos de la citadelle. « Des cartes, tout ça. Tout le monde s'affaire là-dedans. » Une fois dans la place, cependant, son commentaire prenait une tournure différente, sinistre.

Un lieutenant commandant s'approcha de lui.

— Je crois savoir que vous avez une dépêche pour moi, lieutenant.

Hughes eut la sensation que son regard le transperçait de part en part.

— Commandant Napier, dit-il en se mettant au garde-à-vous. Oui, mon commandant.

Il sortit l'enveloppe et la lui tendit.

Napier hocha la tête sans dire un mot avant de s'éloigner. En regardant autour de lui, Hughes s'aperçut qu'Eva discutait avec un officier. Elle riait à gorge déployée, faisant trembler sa cascade de cheveux bouclés. Devait-il l'attendre ? Cela lui semblait grossier de filer sans rien dire après ce trajet si étrange mais, en un sens, ce serait peut-être préférable.

Il jeta un dernier coup d'œil à la carte avant de sortir de la pièce en passant devant les sentinelles. Une fois dans le couloir, il hésita, incapable de se rappeler s'ils étaient arri-

vés par la gauche ou par la droite. Il venait de se décider à
prendre à gauche quand il sentit une main lui presser le bras.

— Vous ne croyiez tout de même pas que j'allais vous
infliger l'expérience terrifiante de danser tout seul ? lança
Eva.

À cet instant, sans qu'il sache vraiment pourquoi, une
vague de soulagement l'envahit.

Ils se débrouillèrent pour trouver un taxi, Eva avait insisté.
Cela ne posait pas de problèmes, dans la mesure où Hughes
venait de toucher sa paie. Lorsqu'elle pria le chauffeur de
les conduire au Claridge, toutefois, il eut un moment de
panique. Elle s'esclaffa en voyant son expression.

— Ne vous inquiétez pas, lieutenant, je ne vais pas vous
obliger à m'inviter à dîner. Ma famille a une chambre à
disposition là-bas.

Elle semblait s'être métamorphosée une fois de plus
depuis leur arrivée à Londres. Elle était plus détendue,
moins revêche, moins triste aussi. Dans le taxi, elle ôta les
épingles de ses cheveux et les mit dans sa poche.

Hughes se garda de lui demander ce que faisait sa famille
pour bénéficier d'une chambre en permanence au Claridge.
En réalité, ça lui était bien égal. L'occasion de découvrir
l'hôtel où tout le beau monde descendait, y compris son
héros, Churchill, lui suffisait.

Lorsque le taxi se rangea devant l'établissement, il esquissa
un sourire. L'imposante entrée disparaissait presque entièrement sous des monceaux de sacs de sable, tout comme
la salle des opérations à la Citadelle, à croire qu'il n'y
avait aucune distinction entre le travail et les loisirs. Tout
comme à la Citadelle, Eva pénétra d'un pas décidé dans le
lobby, faisant claquer ses drôles de bottes sur les dalles en
marbre blanc et noir. Cette fois, Hughes ne lui emboîta
pas le pas. Il prit le temps d'admirer le lustre à étages,
les confortables fauteuils club. Le portrait troublant d'une

femme d'une raideur extrême surmontait la cheminée où flamboyait par contraste un feu ardent. Hughes rejoignit Eva à la réception.

— Bonsoir, lady Eva, fit le vieil homme derrière le comptoir.

Lady Eva ? Qui était cette fille, à la fin ?

— Bonsoir, Winson.

— Vous n'avez pas eu trop froid pendant le trajet, j'espère, ajouta-t-il en lui tendant une clé nantie d'une plaque en cuivre indiquant : « Claridge. Chambre 201. »

— Je suis venue en voiture aujourd'hui.

— Tant mieux.

Eva se tourna vers Hughes.

— L'ascenseur est par là, dit-elle en lui prenant le bras pour le guider vers le fond du hall.

— Cet homme m'a l'air fort efficace, commenta-t-il en souriant. Lady Eva.

— Winson est indispensable, répondit-elle, ignorant l'évocation de son titre. Ne serait-ce que pour son esprit. J'ai juste besoin de prendre un bain rapide et de me changer, ajouta-t-elle pendant qu'ils attendaient l'ascenseur. Ensuite, je vous offre un verre à la Causerie.

Hughes écarta gentiment sa main de son coude.

— Je ferais mieux de vous attendre ici, dit-il, se sentant un peu nigaud. Ensuite, c'est moi qui vous offrirai un verre.

— Ne soyez pas ridicule. Personne ne fait le pied de grue dans le lobby.

Sur ce, elle le poussa dans l'ascenseur.

Sans quitter le plafond des yeux, le groom ferma la porte intérieure de la cabine.

Alors qu'ils approchaient de la chambre 201, Hughes s'arrêta brusquement.

— Écoutez, je vais attendre ici. Et ne me dites pas que personne n'attend dans le couloir.

— Ils vont vous prendre pour un pervers. Ou pour mon amant, attendant mon signal. Mais faites comme bon vous semble.

— Seigneur ! marmonna-t-il en s'engouffrant dans la chambre derrière elle.

Il promena son regard sur les cabinets en bois de rose arrondis, l'épaisse moquette, sans cesser de se maudire. Cette fille allait lui causer des ennuis. Pour être honnête, il l'avait su depuis le début. En pensant à Nick dans cette maison pleine de courants d'air qu'elle louait avec Helena dans Elm Street, il se sentit coupable. Il n'avait rien à faire là, mais il mourait d'envie de rester. Sa culpabilité tenait au fait que, à cet instant, il ne se préoccupait pas le moins du monde du sort de Nick.

— Asseyez-vous, dit Eva en désignant un fauteuil couleur crème.

Il resta debout.

— Ne soyez pas ridicule. Lisez ça pour vous occuper, ajouta-t-elle en lui tendant un exemplaire de l'*Illustrated London News*.

En première page, il était question de l'offensive des Ardennes qui faisait rage en Belgique et des terribles conditions climatiques qui régnaient là-bas. Hughes songea à nouveau à la division qu'ils avaient déposée au Havre. Il s'enfonça dans le fauteuil et se passa les mains dans les cheveux.

— J'en ai pour une seconde, cria Eva depuis la salle de bains.

En relevant les yeux, il entrevit un lavabo en marbre vert avant que la porte ne se ferme.

Il entendit Eva ouvrir les robinets, le fracas de l'eau. Il aurait mieux fait de s'en aller. Il n'avait qu'à descendre au bar et l'attendre là-bas.

En définitive, il feuilleta le journal et commença à lire un article à propos de l'ingéniosité des familles londoniennes pour confectionner des gâteaux de Noël avec leurs maigres rations. Cela lui donna faim. Il se demanda ce que Nick avait mangé pour Noël. Elle avait passé les fêtes avec ses parents. Susan, leur cuisinière, ne manquait pas d'astuce pour ce qui était de trouver des denrées sur le marché noir. C'était en tout cas ce que Nick lui avait écrit sur un ton qui laissait supposer un certain degré de jalousie. Nick avait un appétit vorace pour la vie, qui s'accordait mal avec le rationnement et les ersatz. Il gloussa en l'imaginant mettre soigneusement de côté ses tickets de beurre pour avoir de quoi faire de la pâte à tarte. Elle était impatiente, excessive parfois, mais c'est ce qui l'avait séduit d'emblée. Cette conviction que le monde lui appartenait. Alliée à une curieuse vulnérabilité. Cela l'avait fasciné dès leur première rencontre et lui avait donné envie d'être partie prenante de tout ce qu'elle promettait. Il n'avait plus les mêmes certitudes désormais, pourtant Nick n'avait pas changé, ce qu'il trouvait déconcertant.

Il entendait Eva barboter dans son bain en chantonnant. La situation était absurde. Hughes se leva et s'approcha du secrétaire impeccablement ciré devant la fenêtre. Il allait lui écrire un petit mot pour lui dire de le rejoindre au bar. Il prit le stylo et une feuille du papier à en-tête de l'hôtel dans le coffret. Mais comment libeller son message ? Chère Eva, ou simplement Eva. Madame Brooke ? Rien peut-être. Simplement « Suis au bar en bas », mais cela lui parut un peu cavalier. Il regarda fixement le papier avant de reprendre la plume et d'écrire :

J'attends Votre Lady au bar, Hughes

Il sourit en se relisant. Ça va lui taper sur les nerfs, pensa-t-il. Mais, au moment où il déposait le mot sur l'oreiller, où elle ne pourrait pas le manquer, il entendit la porte de la salle de bains s'ouvrir derrière lui. En se retournant, il la vit, nue comme un ver, encadrée par un carrelage d'un noir profond.

— Bonjour !

Il fallut une minute pour que son cerveau enregistre ce qu'il avait véritablement sous les yeux. Elle était petite, claire de peau, avec de magnifiques seins lourds, que sa veste informe avait dissimulés jusque-là. Des hanches larges aussi. Un sablier miniature. Les pointes de ses cheveux collaient à ses épaules mouillées. Mais c'était sa toison, épaisse, sombre qui attira irrésistiblement son regard. Il lui vint l'idée étrange qu'elle ne ressemblait pas du tout à celle de sa femme, pareille à une vigne plate grimpant sur un treillis.

Eva le regardait d'un air innocent, les mains sur les hanches, sans la moindre gêne. Son attitude le mit hors de lui.

— Habillez-vous, dit-il froidement en froissant le petit mot dans sa main.

— Cela m'était-il adressé ? Qu'avez-vous écrit ?

Hughes refusait de se détourner. C'eût été un geste de faiblesse.

— Pour l'amour du ciel, madame « Brooke », couvrez-vous !

Il était fou de rage, mais se contint.

Elle secoua la tête d'un air contrit.

— Nous en sommes revenus au « madame Brooke », à ce que je vois ?

— Il ne s'agit pas d'en revenir à quoi que ce soit, répliqua-t-il, conscient que ses mains tremblaient. Vous êtes *madame* Brooke, un fait que vous semblez oublier.

— Croyez-moi, lieutenant, je n'ai pas oublié.

Elle se dirigea à pas lents vers la penderie qu'elle ouvrit avant de glisser les mains d'une tenue à l'autre, comme si elle n'arrivait pas à se décider.

Hughes comprit qu'il ne s'en irait pas. Il n'y arriverait pas. Aussi regarda-t-il ses pieds le temps qu'elle se vêtisse.

— Bon, me voilà suffisamment décente, même pour un pasteur, lança-t-elle finalement.

Cette remarque se voulait spirituelle, mais on sentait de la lassitude dans sa voix.

En relevant les yeux, il fut bizarrement déçu de la voir enveloppée de laine bleu marine. Une ceinture lui marquait la taille.

— Ne me dites pas que vous avez changé d'avis pour ce verre, dit-elle, comme si c'était lui qui s'était montré déraisonnable. D'ailleurs, vous semblez en avoir besoin. Je vous trouve bien pâle. J'espère que vous n'êtes pas malade.

Il eut envie de la frapper. Mais pas question qu'il se laisse rabrouer, humilier par une fille qui se déshabillait si facilement.

— J'en ai besoin, effectivement, répondit-il d'un ton qui se voulait désinvolte. Ce n'est pas tous les jours que des femmes se jettent à mon cou.

Il la vit s'empourprer, ce qui lui procura une certaine satisfaction.

— Oui, eh bien, je comprends pourquoi, répliqua-t-elle sèchement. Vu que vous vous comportez comme une nigaude d'écolière.

Hughes ouvrit la porte. Après avoir récupéré son sac à main sur le secrétaire, Eva le précéda dans le couloir brillamment éclairé.

— Nous allons à la Causerie, annonça-t-elle. Ils servent des smörgåsbord[1]. On peut manger à satiété pour le prix d'une consommation.

— Bonne affaire, commenta Hughes.

---

1. Buffet scandinave composé de différents plats.

Il avait résolu de lui offrir un verre, après quoi il ficherait le camp et se mettrait en quête d'une permanence de la Croix-Rouge où passer la nuit.

— C'est une manière comme une autre de contourner les restrictions, voyez-vous, dit-elle. Très audacieux, ma foi !

Le bar était une débauche de rose et de vert. Le buffet, le long d'un mur, regorgeait de plats de viande, de poissons fumés, et d'une foison de petits plats chauds. Un serveur vint les accueillir.

— Bonsoir, lady Eva. Une table pour deux ?

— S'il vous plaît, dit-elle en tendant le cou par-dessus son épaule. Celle dans le coin là-bas peut-être ? demanda-t-elle en brandissant son sac à main dans cette direction.

La table se situait près d'une fenêtre mais des rideaux noirs opaques bloquaient la vue. Le serveur tira une chaise pour Eva. Hughes s'assit en face d'elle mais, très vite, il se releva.

— Excusez-moi.

— Je vous en prie, fit-elle, les sourcils froncés.

Il ressortit dans le hall et se mit en quête des toilettes. Il se glissa dans un box et tenta de se soulager, pour se rendre compte en définitive qu'il n'en avait nul besoin. Il remonta sa fermeture Éclair et se dirigea vers la rangée de lavabos en marbre. Un préposé lui ouvrit les robinets et lui tendit un petit savon. Hughes se passa les mains sous l'eau chaude en se regardant dans la glace. Il vit ressurgir le corps d'Eva dans son esprit, le triangle foncé entre ses cuisses. Il se sentait un peu honteux. Il s'était comporté comme un imbécile. Il se souvenait de ses yeux, de ce regard sans équivoque. Il n'y avait pas la moindre volonté de séduction dans son expression. Elle n'avait pas battu des cils comme certaines filles le faisaient quand elles flirtaient. Pas de gestes d'intimité. Rien qu'une pureté dévoilée, et il comprit que c'était cette simplicité, cette honnêteté, quel que soit le terme qu'on voulait lui attribuer, qui l'avaient perturbé.

En dehors de Nick, il n'avait jamais vu de femme entièrement nue, hormis sur quelques cartes postales françaises. Dans le cas de Nick, c'était sa beauté, son inconstance qui lui procuraient du plaisir. Comme s'il ne savait jamais, jusqu'à la dernière minute, s'il allait arriver à ses fins. Il en était ainsi entre eux. Elle ne s'offrait jamais à son regard comme Eva l'avait fait. Soudain, ce numéro, ces jeux de rôle auxquels ils s'adonnaient, lui parurent puérils, malhonnêtes, somme toute assommants.

— Monsieur ?

Le préposé lui tendait toujours une serviette. Hughes se rendit compte qu'il était resté planté là bêtement à laisser l'eau couler.

— Merci, dit-il en se séchant les mains, puis il sortit des toilettes et regagna la Causerie.

De retour à la table, il découvrit qu'un gin tonic l'attendait.

— Je ne savais pas ce que vous vouliez, mais j'ai pensé qu'avec un gin tonic je ne prenais pas trop de risques. Le viande-pommes de terre des cocktails.

— C'est parfait. Merci.

— Avez-vous faim ? ajouta Eva d'un ton affable.

— Pas encore.

— La journée a été riche en péripéties, dit-elle. Lorsque les choses sont un peu mouvementées, l'appétit en souffre parfois. L'avez-vous remarqué ?

Ne sachant que dire, il garda le silence. Comment répond-on à une fille qui se promène nue devant vous et qui, l'instant d'après, tient des discours dignes d'une mamie ? Il remua son drink avec le petit touilleur en argent, histoire de se donner une contenance.

— Écoutez, reprit finalement Eva. Je suis navrée de m'être mal comportée tout à l'heure. La situation que je vis actuellement est assez... déconcertante...

Elle laissa sa phrase en suspens.

— Oublions cela, répondit-il en continuant à remuer. Inutile de revenir là-dessus.

— Non vraiment, je vous prie de m'excuser.

Elle posa le bout de ses doigts sur la main libre de Hughes et les retira prestement dès qu'il leva les yeux. Elle se mit à tripoter le petit napperon en lin sous son verre.

— Je vais quitter mon mari, comprenez-vous.

— Je vois.

— Non, vous ne voyez pas, répliqua-t-elle en déchirant la dentelle avec vigueur. Je ne cherche pas à vous piéger ou quoi que ce soit. Ce n'est pas ça du tout. Toute cette histoire m'a rendue quelque peu intrépide, je suppose.

— Ce n'est pas grave, répondit-il. Vous n'avez pas à vous disculper, je vous assure.

Au fond, il plaignait cette fille motocycliste au patronyme noble et au mariage raté.

— Merci, souffla-t-elle avant de boire une gorgée. Je vais bien, vraiment, poursuivit-elle. Je ne voudrais pas que vous voyiez en moi une déséquilibrée qui se jette à la tête de tous les soldats. Je ne l'aime pas, c'est tout. Mon mari, je veux dire, et je ne vois pas l'intérêt de faire semblant.

— Vous n'avez pas à m'en convaincre.

— J'en suis consciente, répondit-elle, mais j'en ai envie. Comprenez-vous ?

Hughes sentit quelque chose s'ébranler en lui. Il se rendait compte de ce que cela avait représenté pour elle de s'exposer à lui et s'en voulut d'y avoir vu une attitude salace. Il aurait donné cher pour revenir en arrière, tout reprendre à zéro, si ce n'est que cette fois-ci il lui tendrait la main et se montrerait plus indulgent.

— Je comprends, dit-il à voix basse.

— Quand on se marie, on choisit la meilleure personne de son entourage et puis on prie pour que ce cercle ne s'agrandisse jamais, reprit-elle. Sauf que ça ne marche pas comme ça.

— C'est vrai. (Il saisissait parfaitement ce qu'elle avait voulu dire.) Votre cercle s'est donc élargi, je présume.

— Le monde est plus vaste.

— Je ne sais pas si mon monde est plus vaste, répondit-il d'un ton songeur. Cela dit, en toute franchise, je ne suis sûr de rien ces temps-ci, ce qui est curieux dans la mesure où j'étais sacrément sûr de moi quand je me suis engagé dans tout ça.

— Notre guerre dure depuis plus longtemps que la vôtre, dit Eva. Nous avons eu davantage de temps pour nous habituer aux décombres.

— Y compris ceux de votre couple.

— Effectivement. (Elle avait réussi à arracher une partie de la dentelle en lin.) Mon Dieu, je suis le cliché par excellence ! La fiancée de temps de guerre, et tout le tremblement.

— Non, protesta-t-il en lui effleurant le poignet. C'est moi qui me suis fourvoyé. Tout le monde ne fonctionne pas de la même manière.

Elle sourit et Hughes sentit son cœur se serrer dans sa poitrine.

— Si vous cessiez de martyriser ce pauvre napperon, ajouta-t-il en lui rendant son sourire.

— Vous avez raison. Aimez-vous votre femme ?

— Oui, je l'aime, répondit-il en laissant sa main sur sa peau toute chaude. Mais je n'ai pas envie de parler d'elle maintenant.

— Bien sûr.

— Je croyais que vous alliez m'emmener danser, enchaîna-t-il. Me faire découvrir la ville, tout ça.

— Vous n'y allez pas par quatre chemins, vous autres Américains, s'esclaffa-t-elle.

— On est comme ça. Que voulez-vous que j'y fasse ? C'est à cause de tous ces grands espaces, la vie saine, tout ça.

— Il y a de la musique ici même, dans la salle de bal, si vous tenez vraiment à danser.

— Reste-t-il de la place dans votre carnet de bal ?

— Il se trouve que, à cet instant, il est complètement vide.

Après quelques cocktails supplémentaires, Hughes se retrouva avec Eva dans les bras au milieu de la salle de bal, ornée de plafonds à la française et de miroirs aux cadres dorés. Un petit orchestre jouait *We'll meet again*. Le menton de sa partenaire ne lui arrivait pas tout à fait à l'épaule ; elle avait détourné le visage, de sorte qu'il se surprit en train de contempler son profil.

— Comment a réagi votre mari quand vous lui avez annoncé la nouvelle ? chuchota-t-il comme s'ils partageaient un secret.

— Je ne lui ai envoyé la lettre qu'hier, répondit-elle, la bouche pressée contre sa veste.

Il se demanda si elle l'avait aimé, si elle tenait encore à lui en dépit de ses dires. Cela l'affola un peu. Peut-être avait-elle déjà quelqu'un d'autre dans sa vie ? On ne savait jamais à quoi s'en tenir avec les femmes. Au fond de lui, cependant, il était conscient de se mentir à lui-même afin que son désir d'elle n'ait pas de raison d'être.

— Pensez-vous vous remarier un jour ? ajouta-t-il, et une petite décharge d'adrénaline le traversa pendant qu'il attendait la réponse.

— Non, répondit-elle au bout d'une longue minute. Jamais.

Beaucoup plus tard, il la serra contre lui dans la pénombre de la chambre. Les draps étaient tout emmêlés à leurs pieds. Tandis qu'il caressait la courbe d'un sein, son regard se posa sur le contour indistinct de son uniforme drapé sur la chaise du secrétaire. La peau humide d'Eva exhalait une odeur de savon. Tout était tranquille. L'espace d'un instant, il regretta presque le bruit des grenades sous-marines à bord du *Jones*. Il avait envie d'entendre le son de sa voix, mais redoutait ce qu'elle risquait de dire, autant que ce qu'il aurait eu envie de l'entendre dire. Alors il resta muet, s'abstenant de lui demander quoi que ce soit, jusqu'à ce qu'un V2 volant au-dessus d'eux brise le silence.

— Il est minuit, dit-il finalement. C'est le Nouvel An.

— Oui.

— La guerre s'achèvera peut-être cette année.

— Peut-être.

Il perçut les non-dits entre eux, comme s'ils les avaient exprimés.

Eva tourna la tête et le regarda. Son visage fut la dernière chose qu'il vit avant de s'endormir.

Il se réveilla de bonne heure avec l'impression de suffoquer. Il se leva sans bruit, s'habilla. Écarta légèrement les rideaux noirs pour découvrir que la nouvelle année était d'un gris uniforme. Un pâle soleil tentait vainement de percer la couverture nuageuse. Il s'en alla sans regarder Eva, laissant la porte se refermer sans la verrouiller.

Le calme régnait dans l'hôtel. Pas un bruit dans le hall, à part ses semelles claquant sur le sol en marbre. Une fois dehors, après avoir avalé une grande bouffée d'air frais, il fourra les mains dans ses poches et se mit en marche.

À cette heure-là, la ville paraissait laide. Sale, anéantie. Il regretta que le ciel ne soit pas dégagé, l'air pur, comme c'était le cas à Cambridge à cette époque de l'année. Il essaya de ne pas penser à Nick mais, plus il se faisait violence, plus elle s'imposait à son esprit. Sa femme au joli sourire, attendant son retour. Il se haïssait. C'était la guerre qui mettait tout sens dessus dessous. On ne pouvait pas être quelqu'un un jour, et une tout autre personne le lendemain. C'était pourtant l'effet que cette fichue guerre avait sur vous. Il n'aimait vraiment pas l'homme affaibli qu'il était ce matin. Il s'était engagé à aimer Nick, à la protéger. Et il l'avait trahie. Elle lui faisait confiance. Plus encore, elle avait besoin de lui. Elle l'aimait. Il se dégoûtait.

Il erra sans but quelque temps avant d'orienter ses pas vers Piccadilly où se trouvait une cantine de la Croix-Rouge. Il y avait un monde fou à l'intérieur. Hughes regarda sa montre. Il était 8 h 30. Il fit la queue pour une tasse de café et un beignet avant de s'asseoir à une petite table près de la fenêtre. Tout en buvant son café, il regarda le soleil s'intensifier. Puis il mangea sa pâtisserie en trempant le bout dans les dernières gouttes au fond de sa tasse. Il commençait à se sentir mieux et savait désormais ce qu'il lui restait à faire.

S'approchant du comptoir, il pria une des employées de lui prêter un stylo et une feuille de papier. Puis il retourna s'asseoir et se mit en devoir d'écrire à Nick :

Cette lettre te surprendra sans doute. Je ne veux pas que tu t'inquiètes, mais il y a un certain nombre de choses qu'il faut que je te dise. La guerre rend le monde bizarre, et moi avec. Aussi, je tiens à ce que tu saches que, quoi qu'il arrive, je t'aime. Je t'ai aimée la première fois que nous avons dansé ensemble et que tu m'as taquiné en m'accusant d'avoir deux pieds gauches. Je t'ai aimée quand tu as détourné ton visage lorsque je t'ai demandé ta main. Je t'ai aimée le jour de notre mariage quand je t'ai trouvée cachée au premier comme une gamine malheureuse. Et, plus que tout, j'ai aimé l'idée de toi alors que je sillonnais ce foutu océan dans une perpétuelle attente, à prier de rentrer chez nous.

Je ne suis plus l'homme que j'étais lorsque je suis parti en garnison il y a un an. Il s'est passé des choses dont je ne suis pas fier, que j'aimerais pouvoir effacer. Mais je souhaite te revenir au moins aussi bon que lorsque je t'ai laissée. Je ne veux plus faire semblant de croire que je suis le même, que tu es la même, que nous n'avons pas changé. Je tiens à être honnête avec toi.

Si je sors vivant de tout ça, je promets de faire tout ce qui est en mon pouvoir pour rendre notre vie heureuse et essayer d'être le mari dont tu as besoin.

Je t'aime, Nick.

Hughes

Il plia la lettre en trois, la glissa dans sa poche poitrine, puis il rapporta le stylo à la fille et commanda un autre café. Le soleil était d'un gris pâle argenté à présent. Il se sentait plus léger maintenant qu'il avait rédigé cette lettre, mais se rendit compte que ses pensées s'orientaient à nouveau vers Eva. Il l'avait quittée sans un mot. Il songea à cet instant, la veille au soir, où il avait eu la sensation de la connaître, intuitivement. Il se frotta les yeux. Il allait retourner auprès d'elle et lui expliquer que ça avait été une erreur. Ils avaient trop bu tous les deux et s'étaient laissés emporter. Ils se sentaient seuls l'un et l'autre et c'était cette solitude qui les avait rapprochés. S'il ne prenait pas cette initiative, il ne pourrait jamais devenir l'homme qu'il souhaitait être. En attendant, il était terrifié à la perspective de lui dire en la regardant dans le blanc des yeux que tout cela avait été anodin.

Il se leva et sortit de la cantine, longea des magasins – certains fermés, barricadés, d'autres proposant encore, non sans optimisme, quelques maigres marchandises à une clientèle qui n'achèterait pas grand-chose. Il entra dans l'une d'elles et choisit une paire de gants en vachette rouge vif pour Nick. Il les lui enverrait, mais pas avec la lettre. Plus tard, peut-être pour son anniversaire.

Il finit par se retrouver dans Hyde Park dont les arbres dénudés se détachaient sur le ciel. Il s'assit sur un banc pour regarder les gens passer. Un soldat enlaçait une fille qu'il pressa contre lui en s'adossant à un arbre. Hughes se rappela que c'était le 1er janvier. Il aurait dû réserver un lit à la Croix-Rouge. Il s'en occuperait après avoir vu Eva. Assez tergiversé. Il épousseta son uniforme avant de se diriger d'un pas décidé vers le Claridge.

Arrivé à l'hôtel, il ne prit même pas la peine de faire sonner dans sa chambre. Il s'engouffra sans hésiter dans l'ascenseur, attendit impatiemment que le groom accroche la chaîne en travers de la porte. Il voulait juste boucler cette affaire le plus rapidement possible.

Il frappa à la porte de la chambre 201. Elle lui ouvrit et resta plantée sur le seuil, en robe de chambre. Il lui rendit son regard et elle s'effaça finalement pour le laisser entrer.

— Je n'étais pas sûre que tu reviendrais.

Ce n'était pas une accusation. Une simple constatation. Hughes comprit alors qu'il n'en avait rien à faire de la lettre, de la guerre ou de son intention de devenir un homme meilleur. La seule chose qui comptait, c'était ce qu'il éprouvait quand il était auprès d'elle.

— Moi non plus, répondit-il, mais me voilà.

— Oui, dit-elle en lui tendant la main. Te voilà.

Quand le soleil eut totalement disparu, alors que les vrombissements des V2 ébranlaient la nuit comme des feux d'artifice, Hughes se libéra du corps endormi d'Eva enchevêtré avec le sien et se leva. Il avança à tâtons vers la chaise où il avait pendu sa veste et glissa la main dans la poche poitrine. Il en sortit la lettre, passa sa paume sur le papier comme si la toucher lui révélerait quelque chose. Puis il se rendit dans la salle de bains où il alluma la lumière. Après avoir jeté un dernier coup d'œil au message adressé à Nick, il le déchira en petits morceaux qu'il jeta dans les toilettes. Il les regarda sombrer dans les ténèbres sous la pression de la chasse d'eau. Après quoi il éteignit la lumière et retourna se coucher.

Juillet 1959

II

Depuis le coup de fil de Nick à propos de la morte et du chaos qui régnait à Tiger House, Hughes ne pensait plus qu'à ça. Il avait analysé la situation dans tous les sens pendant le trajet jusqu'à Woods Hole, puis dans le ferry, une tasse de café bouillant entre les mains, sous l'éclairage lugubre du pont supérieur. Il avait eu le dernier bateau de justesse. Quand le *Island Queen* avait largué les amarres, le soleil clignotait à l'horizon avant de s'éclipser, laissant l'océan et le ciel dans les ténèbres.

Nick l'avait prié de faire venir Avery sur la côte Est pour parler de la situation d'Ed et de Helena, mais il n'avait aucune envie qu'il vienne. Au moment de l'appeler, il avait espéré le persuader au contraire de rapatrier sa femme et son fils en Californie. Comme d'habitude, Avery s'était montré laconique et peu coopératif.

— Ce genre d'expériences forge le caractère, avait-il déclaré après que Hughes lui eut parlé du cadavre.

— Je n'en suis pas sûr. J'ai peur que vous ne compreniez pas. Helena est bouleversée et nous estimons qu'il serait préférable qu'ils soient auprès de vous.

— En d'autres termes, vous pensez savoir ce qui est bon pour ma famille.

— Ce n'est pas ce que je suggère, répliqua Hughes, qui avait eu envie de taper le combiné contre la table et dut se forcer à rester calme. Le fait est que vous êtes loin et que vous ne mesurez peut-être pas les faits aussi bien que vous le pourriez.

— Que sous-entendez vous par là ? Que je ne prends pas soin des miens ? Je suis loin, comme vous dites, parce que je travaille. Tout ce que j'entreprends, je le fais pour Helena et mon fils afin de leur assurer une vie qui ne soit pas limitée par les contraintes de la convention et de la servitude. Je n'attends évidemment pas de vous que vous le compreniez.

— Pour l'amour du ciel, Avery, cessez de vous comporter comme un imbécile ! Nick est inquiète. Si vous ne voulez pas qu'ils rentrent à Los Angeles, pourquoi ne venez-vous pas sur l'île, juste une ou deux semaines si vous ne pouvez pas vous absenter plus longtemps.

En prononçant ces mots, il avait prié pour qu'il décline l'invitation.

— Cela m'est impossible en ce moment. J'en suis à une étape cruciale de mon projet.

Hughes ne répondit rien.

— Mais si vous voulez m'envoyer l'argent pour le billet…, avait ajouté Avery subitement, comme si l'idée venait de lui traverser l'esprit.

— Allez vous faire voir ! riposta Hughes avait de raccrocher brutalement.

Nick avait raison depuis le début à propos d'Avery, un charlatan qui, dès l'instant où il avait épousé Helena, s'était ingénié à leur extorquer de l'argent. Hughes avait la certitude qu'en aucun cas elle ne consentirait un centime à ce type. Elle n'était pas du genre à s'en laisser conter, c'était l'une des qualités qu'il appréciait chez elle, et dans les moments comme celui-ci il bénissait le ciel.

Avery s'étant lavé les mains de toute cette affaire, Hughes devait se charger d'Ed. Lorsque le phare de Vineyard Haven se profila à l'horizon, il avait édifié un plan de bataille – tout du moins les prémices. Il avait trouvé ce qu'il fallait pour l'occuper autant que possible loin de la maison. Hughes était allé chez les Scouts, une activité aussi absorbante qu'éreintante, d'après ses souvenirs. Dans le meilleur des cas, cet apprentissage aurait une bonne influence sur l'enfant ; au pire, ce serait une distraction, au moins jusqu'à la fin de l'été. En attendant, Hughes résolut de rester à Tiger House afin de garder un œil sur la situation.

Dans quelle mesure Ed était-il mêlé au meurtre de cette fille ? Il savait peut-être quelque chose, mais rien n'était moins sûr. Hughes ne tenait pas à pousser ses réflexions plus avant. La scène à laquelle il avait assisté plus tôt dans l'été en disait long sur l'état mental de ce gosse. Il était dangereux.

En descendant la passerelle, Hughes vit Nick qui l'attendait, adossée à la berline. La brise soufflant du port plaquait sa robe verte entre ses jambes. Elle était ravissante. En fait, elle était de plus en plus belle, ses traits s'affinaient au fil des ans. Il se demanda comment il avait pu ne pas le remarquer et cela le rendit triste, comme s'il avait gaspillé le temps.

Un bras en travers de la poitrine, se tenant l'épaule d'une main, comme si elle avait froid, elle fumait une cigarette. En arrivant à la voiture, il posa sa valise et l'étreignit.

— Tu es gelée, dit-il, sentant sa peau toute fraîche.

— Il fait frisquet, murmura-t-elle contre son cou.

— Monte. Je vais conduire.

Il rangea son bagage dans le coffre et fit le tour du véhicule pour se glisser au volant.

— Tu restes ? s'enquit-elle.

— Oui.

— Tant mieux, dit-elle avant d'allumer une autre cigarette.

Elle garda le silence tandis qu'ils traversaient Vineyard Haven.

— Comment va Daisy ? demanda-t-il finalement.

— À ton avis ? rétorqua-t-elle en écrasant sa cigarette. Pardonne-moi. J'ai eu une journée épouvantable. Elle semble moins ébranlée que moi, en fin de compte.

— Je suis désolé. Ça a dû être terrible.

— Un cadavre, Hughes. Et pas juste une paisible grand-mère. La pauvre fille a été étranglée... et Dieu sait quoi d'autre.

— Seigneur !

Hughes prit une cigarette dans le paquet posé sur le tableau de bord. Il eut une vision de Frank Wilcox orientant la tête de la fille sur le côté pendant qu'il la prenait par-derrière.

— Lui as-tu parlé ? À Daisy, je veux dire.

— Elle... euh, enfin tu sais comment elle est avec moi. Je suis l'ogre, pas vrai ?

— Ne dis pas ça. Elle t'aime. Elle t'admire.

— C'est à toi qu'elle fait des confidences.

— Elle ne se confie à aucun adulte. Elle a douze ans.

Hughes sourit en songeant à sa fille. Si vive. Toujours avide de décrocher la première place. Il se souvenait du jour où il l'avait emmenée à la foire de West Tisbury. Elle s'était entichée d'une de ces peluches proposées en guise de lots et avait passé une heure et dépensé tout son argent de poche à essayer de faire tomber les quatre bouteilles pour la gagner. Le jeu était truqué. Ça ne faisait aucun doute. Pour finir, il avait payé le fichu jouet cash, faisant ainsi une affaire. Daisy serait restée là toute la nuit jusqu'à ce qu'elle fasse mouche.

— Eh bien, reprit Nick, elle parle à Ed. Ils ne se sont pas quittés d'une semelle. Il sèche les cours de tennis depuis un moment, elle l'a couvert. Ils ont même filé ensemble aujourd'hui, après tous ces événements.

— Où sont-ils allés ?

— Je n'en ai pas la moindre idée. Ils m'ont raconté sur un ton désinvolte qu'ils étaient descendus au Quarterdeck. Comme si Helena et moi n'avions pas suffisamment de soucis comme ça. (Elle posa la tête contre son dossier.) Seigneur, écoute-moi ! Une vraie mégère !

— Tu parles comme une mère, c'est tout, répondit-il en posant une main sur sa cuisse.

— Je me demande parfois s'il y a une différence entre les deux, ajouta-t-elle en écartant sa jambe.

Il était 10 heures passées quand ils arrivèrent à Tiger House, mais les enfants n'étaient pas couchés.

— Papa ! s'exclama Daisy en dévalant l'escalier et en lui sautant au cou.

— Je vais me servir un verre, annonça Nick.

Par-dessus la tête de Daisy, Hughes la regarda disparaître dans le salon bleu. Le dos bien droit, elle évoluait avec son aisance habituelle, mais la tristesse entachait sa grâce.

Hughes baissa les yeux sur sa fille.

— Comment vas-tu, ma chérie ?

— J'ai très faim, répondit-elle. On a raté le déjeuner. Ed m'a acheté un cheeseburger, mais ça fait longtemps.

— Hum. Eh bien, voyons si nous pouvons te concocter quelque chose.

Il la suivit dans la cuisine d'été. En regardant sa tête blonde sautiller devant lui, il sentit son cœur se serrer.

Il jeta un coup d'œil dans le réfrigérateur, qui ne contenait pas grand-chose. Il se sentit coupable de les laisser seuls si souvent. Chaque fois que Nick sombrait dans une de ses humeurs, plus personne ne faisait les courses.

— Que dirais-tu d'un peu de lait chaud ? Ce n'est pas bon de manger juste avant d'aller dormir.

— Bon d'accord, se résigna Daisy en s'installant à table.

Hughes sortit la bouteille de lait et en versa un peu dans une des casseroles en cuivre pendues au-dessus du fourneau.

— Comment va maman ?

— Bien.

Il remua le lait avec une cuiller en bois et y versa une pincée d'extrait de vanille, ce que la cuisinière faisait pour lui quand il était petit.

— Ed a aidé le shérif qui lui a donné deux dollars.

— Vraiment ? En quoi lui a-t-il rendu service ?

— Je ne sais pas. Il était avec le policier quand il a rapporté l'affaire au commissariat, je crois.

— Il n'est pas revenu ici avec toi, alors ? s'étonna Hughes.

— Bonsoir, oncle Hughes.

En levant les yeux, Hughes découvrit son neveu sur le seuil.

— Bonsoir, Ed, répondit-il d'un ton calme. J'apprends que tu as donné un coup de main au shérif.

— Oui.

— Je te félicite.

Hughes versa le lait chaud dans une tasse qu'il tendit à Daisy.

— Vous devriez aller vous coucher maintenant. Il est tard.

Il posa une main sur l'épaule de sa fille sans quitter Ed des yeux. Le garçon fut le premier à ciller.

Nick attendait au pied de l'escalier, un verre de gin tonic à la main, destiné à son mari.

— Dis bonsoir à ta mère.

— Bonne nuit, maman.

— Bonne nuit, Daisy.

Elle commença à gravir les marches, mais Ed ne bougea pas d'un pouce.

— Toi aussi, Ed, monte te coucher, dit Hughes.

— Bonne nuit, tante Nick, lança Ed sans cesser de le regarder fixement.

Sentant les poils se hérisser sur sa nuque, Hughes se rapprocha imperceptiblement de sa femme.

— Bonsoir, fit Nick.

Hughes suivit son neveu des yeux jusqu'à ce qu'il disparaisse à l'étage avant de se tourner vers elle.

— Où est Helena ?

— Elle dort, répondit Nick en pointant le menton en direction du salon. Qu'est-ce qu'a dit Avery ?

— J'ai fait tout mon possible, mais il n'a rien voulu entendre, Nick, mentit-il. En toute honnêteté, il n'avait pas l'air très concerné. Il a dit que ce genre d'expériences forgeait le caractère. J'ai trouvé ça bizarre.

— Saligaud ! bougonna Nick en pressant son verre contre son front.

Ils se retournèrent tous les deux en entendant un soupir venant du seuil. Helena était là, en train de les observer, un verre de scotch dans son poing.

— Je suis navrée, chérie, dit Nick en la suivant dans le salon.

Helena se dirigea vers la carafe et se resservit.

— Il est très occupé, marmonna-t-elle.

Nick leva les yeux vers Hughes. Il haussa les épaules. Le problème de Helena, c'était son mari. Si elle voulait se bercer d'illusions, qu'à cela ne tienne. Il avait d'autres soucis en tête.

Après avoir écarté le coussin en tapisserie représentant un tigre farouche, il s'installa dans la bergère.

— Alors, mesdames, dit-il en croisant les jambes, en dehors d'un cadavre ici ou là, comment se passe votre été ?

Il leur sourit, bien qu'éreinté.

Helena le regarda d'un air interloqué comme si elle n'avait pas compris la question.

— Tu peux être tellement désinvolte, mon chéri, quand tu t'y mets, commenta Nick.

Elle avait dit ça d'un ton léger mais, en dépit de sa jolie robe verte et de ses cocktails, il décelait une fragilité nouvelle chez elle, comme une fêlure. Il avait envie de la prendre dans ses bras, comme Daisy, petite, quand elle faisait des cauchemars, et de serrer son petit corps fiévreux contre lui.

Un épisode remontant à l'époque où ils étaient jeunes mariés lui revint soudain en mémoire. Il faisait ses études de droit en attendant d'être appelé sous les drapeaux. Un de ses professeurs, convaincu qu'il ne ferait jamais rien de sa vie, et certainement pas un bon avocat, lui avait donné du fil à retordre. Un soir où il rentrait à la maison, angoissé à la perspective d'échouer, il avait reçu une giclée d'eau glacée en arrivant devant le portail. Saisi, fou de rage, il avait levé les yeux pour découvrir Nick sur la pelouse, le tuyau d'arrosage à la main, pliée en deux de rire.

— Je suis désolée, vraiment, avait-elle lancé, à l'évidence ravie de sa petite farce. Tu avais l'air bien trop sérieux.

Il avait inspecté ses chaussures, son pantalon trempés.

— Oh, non, chéri ! Tu as une mine encore plus dépitée maintenant.

— Je te revaudrai ça. Un jour où tu ne t'y attendras pas.

Il était allé s'asseoir sur les marches, tout dégoulinant, et lui avait tenu la main jusqu'à ce que le ciel s'assombrisse. Puis, ensemble, ils étaient rentrés, bien déterminés à fermer la porte au monde.

— Eh bien… (La voix de Nick le ramena à la réalité.) La réception est pour bientôt, et je n'ai strictement rien fait encore.

— Je m'en suis aperçu en ouvrant le réfrigérateur, répondit-il en souriant gentiment, de peur qu'elle ne le prenne mal.

— Oh, ça ! fit-elle en agitant la main. Il y a eu un peu de laisser-aller, n'est-ce pas, ma chérie ? ajouta-t-elle en se tournant vers Helena. Nous avons joué les Robinson Crusoé.

— Oui, acquiesça Helena d'un ton ensommeillé. Du laisser-aller.

Elle avait du mal à articuler.

— Je sais l'effet que ça fait, commenta Hughes en essuyant ses paumes humides sur son pantalon avant d'écluser son verre.

Plus tard, après s'être assuré que Helena avait réussi à monter à l'étage, Hughes gagna sa chambre à son tour. Nick se préparait à se coucher. Il la regarda, fasciné, ôter une boucle d'oreille et la poser délicatement sur le petit coussinet en velours devant elle. Quand elle s'habillait, elle avait toujours des gestes précis, mais il se souvenait de l'avoir vue jeter ses affaires ici et là – vêtements, bijoux, chaussures –, à la fin d'une soirée avec des amis, dans une sorte de joie frénétique d'être enfin libérée. Depuis quand était-elle aussi circonspecte ? Il eut envie de s'approcher, de la supplier de lui pardonner, de lui faire jurer qu'elle ne le quitterait jamais. Mais elle ne comprendrait pas. Elle le prendrait pour un fou. Aussi se contenta-t-il de lui effleurer l'épaule avant de redescendre dans son bureau en triturant la petite clé du tiroir enfouie dans sa poche.

Southampton, juillet 1945

Cher Hughes,

Que te dire ? Je pourrais te supplier. S'il te plaît, ne fais pas ça. T'expliquer que c'est absurde de m'obliger à choisir entre toi et moi. Comment le pourrais-je ?

Je ne me remarierai pas. C'est impossible. Crois-moi, cette décision est définitive, mon amour. Il ne s'agit pas de toi. Ce n'est pas que je ne désire pas t'avoir comme mari, ou que j'ai moindre doute sur le fait que tu es le seul homme que j'aimerai jamais de toutes les fibres de mon être. C'est moi qui suis en cause, mon être profond. Ce n'est pas un choix qu'une femme est censée faire, j'en conviens. Je devrais me réjouir que tu sois prêt à quitter ta femme pour m'épouser, à tout abandonner pour notre amour. Mais je ne veux pas être l'épouse de qui que ce soit. Je veux que tu viennes à moi parce que tu as envie d'être auprès de moi, au lieu d'être un port d'attache, un havre de paix loin de ce fichu monde. Que ce soit honnête et pur entre nous comme ça l'a toujours été.

Tu dis que, si tu dois faire souffrir ta femme (pourquoi suis-je incapable d'écrire son nom ?), il faudrait que ce soit pour tout avoir en échange. Que tu as besoin de savoir que je serai toujours là pour toi. Ce projet de mariage était ta version à toi de l'honnêteté. Mais, chéri, ne vois-tu donc pas que nous avons déjà tout ? Quelle différence ferait un bout de papier ?

Je t'aimerai toujours, Hughes, quoi qu'il advienne. Je serai toujours là pour toi, pour le meilleur et pour le pire. Je le jure.

S'il te plaît, reviens-moi.

Je t'embrasse,

Eva

Hughes posa la lettre et se passa la main dans les cheveux en regardant fixement le petit tas. Il ferait mieux de tout brûler. Il avait eu tort de conserver ces lettres, il l'avait toujours su. Les lire et les relire ne changerait rien. D'ailleurs, au bout d'un moment, il avait cessé de le faire. Seulement, il savait qu'elles étaient là. C'était ça, l'important. Lorsque les journées semblaient s'étirer devant lui comme une interminable marche forcée, leur existence lui rappelait que, une fois dans sa vie, le monde s'était offert à lui.

Quelque chose avait changé. Il avait peur. Il ne savait pas trop si cela venait de lui, de ce qui l'entourait, de la sonnerie de téléphone retentissant dans la maison, de la vision de Nick l'attendant, frigorifiée, à l'arrivée du ferry. Ou encore de l'étrange impression qu'il avait ce soir que les lettres d'Eva ne lui avaient pas été adressées à lui, mais à quelqu'un d'autre. Comme s'il avait été réveillé brusquement par le coup de sifflet signalant le départ d'un train, pour se rendre compte alors qu'il était censé être à bord.

Il entendit le parquet craquer dans le couloir et sa respiration s'accéléra. Il se leva, s'approcha de la porte. En scrutant les ténèbres, il crut voir une ombre s'éloigner en direction de la cuisine mais, quand il y entra, il n'y avait personne. Il verrouilla la porte de derrière qui oscillait un peu sur ses gonds et retourna dans son bureau.

Le lendemain matin, Hughes et Nick allèrent en ville ensemble à pied. Elle voulait relever le courrier à la boîte aux lettres, il avait besoin de reconstituer son stock de whisky, sérieusement mis à mal par la bonne descente de Helena. La journée allait être magnifique, claire, chaude, avec juste assez de brise pour éloigner les moustiques.

— On devrait aller faire un tour en mer, suggéra-t-il.

— Oh, pas aujourd'hui, répondit Nick. On ferait mieux de rester à la maison après ce qui s'est passé.

Elle avait sans doute raison, mais la pureté de l'air l'incitait à penser qu'il avait peut-être exagéré l'impact des récents événements. Tandis qu'il descendait la rue, Nick à côté de lui, balançant son panier en osier, il en arriva presque à oublier la scène entre Frank Wilcox, la domestique et Ed.

— Du reste, ajouta-t-elle, les voisins à quinze kilomètres à la ronde vont nous appeler pour avoir des détails sur ce qui s'est passé.

— On devrait débrancher le téléphone.

— Fichu appareil, pesta-t-elle en soupirant. Ils risquent de se déplacer, dans ce cas.

— Tu n'as pas tort. On laissera sonner. Je n'ai aucune envie de connaître les théories de Caro ou de Dolly à propos de cette affaire.

— Que Dieu nous en préserve !

Sur le coup d'une impulsion, il lui prit la main. Elle se laissa faire. Elle avait la peau toute chaude.

— Tu sais, chéri, j'ai réfléchi. Nous devrions offrir quelque chose à Ed. Un truc de garçon.

— Pourquoi ?

— Je ne sais pas. Il cafouille un peu, j'ai l'impression. Il a sûrement besoin d'un peu d'attention paternelle.

— Je ne suis pas certain qu'un cadeau réglera le problème.

— Si. Je pense vraiment que tu devrais faire un geste. Afin qu'il sache qu'il a un modèle à suivre.

— Doux Jésus, Nick !

Elle retira sa main.

— Si tu refuses, je lui achèterai quelque chose moi-même en disant que ça vient de toi.

— D'accord.

— Je pense qu'un couteau suisse lui ferait plaisir. Il sera fin prêt pour les scouts comme ça.

Hughes n'en revenait pas. Il allait devoir dépenser de l'argent pour ce garnement ! Ed n'allait-il pas s'imaginer qu'il cherchait à acheter son silence ?

Tout cela devenait grotesque. Il allait brûler ces lettres. Tout était fini, et cela depuis belle lurette. Il était le seul à ne pas en avoir pris conscience.

Il pensa à Eva, à la dernière fois qu'il l'avait vue, devant le Claridge, vêtue de sa combinaison, dans le taxi qui l'emportait sans qu'elle lui fasse le moindre signe. Ce n'était qu'une fois de retour à bord du *Jones* qu'il avait trouvé la lettre glissée dans sa poche.

Cher Hughes,

Il n'y a plus rien à dire. En tout cas, il est à l'évidence inutile que je m'obstine à plaider ma cause. Ce que tu éprouves me désole, mais je te souhaite bonne chance. Et beaucoup de bonheur.

Comme tu me l'as demandé, je ne t'écrirai plus. Prends soin de Nick. J'ai enfin réussi à écrire son nom.

Eva

Fidèle à sa parole, elle n'avait plus jamais écrit. Elle avait compris qu'ils vivaient un amour de temps de guerre, voué à l'échec. Un cliché. Alors que lui avait été d'un aveuglement sans nom.

Dans la quincaillerie, il choisit un couteau suisse, avec tous les gadgets, y compris la pince à épiler et le petit cure-dents en os. Nick avait sans doute raison. Ed avait juste besoin d'être guidé.

Il conserva cet espoir pendant tout le trajet du retour, jusqu'à ce qu'il remette son cadeau à son neveu.

Ed tourna le couteau dans tous les sens, les yeux rivés sur l'objet flambant neuf, telle une pie voleuse.

— Merci, fit-il.

— Je suis content que ça te plaise, répondit Hughes. Mon père m'en a donné un quand j'étais petit, avant que j'entre chez les scouts.

Ce n'était pas tout à fait vrai, mais cela lui paraissait la chose à dire.

— Il va m'être très utile, marmonna Ed.

Après quoi il pivota sur ses talons et se dirigea vers la porte d'entrée.

À travers la moustiquaire, Hughes le regarda descendre les marches du perron et s'approcher du portail. Il se maudit. Il y avait quelque chose qui ne tournait pas rond chez ce gosse, et voilà qu'il venait de lui donner un couteau. Le temps qu'il sorte sur le porche, Ed avait disparu, mais il aperçut Nick en train de couper les roses fanées près de la barrière, le visage empourpré par le soleil.

Elle employait un sécateur rouillé qu'elle ne prenait jamais la peine de ranger dans son étui, si bien que l'air marin avait rongé le métal. En revanche, elle traitait les rosiers avec délicatesse, écartant soigneusement les branches de ses bras minces, hâlés, pour atteindre les fleurs flétries à l'intérieur du buisson.

Le panier de jardinage s'était renversé derrière elle, répandant un tapis de pétales rouges autour de ses pieds. Cette scène avait quelque chose de familier. Hughes repensa à l'odeur de la mer dans la petite chambre de bonne à l'étage.

Nick n'avait pas mis de gants. Elle avait dû se piquer parce qu'elle lâcha subitement la tige qu'elle tenait. Les sourcils froncés, elle inspecta son doigt et il crut voir ses yeux s'emplir de larmes. Mais elle n'émit pas un son.

Il s'approcha et examina le petit point vermillon où l'épine avait percé la chair. Il porta le doigt blessé à sa bouche. Nick leva les yeux vers lui en grimaçant dans le soleil. Ils restèrent immobiles un moment en se regardant sans dire un mot. Elle posa son autre main sur sa joue puis récupéra son doigt et se remit à couper les fleurs mortes.

Il trouva la souris un peu plus tard cet après-midi-là, en descendant à son établi pour réparer un cadre cassé. La petite créature avait été sommairement fendue en deux. Il avait poussé un cri primal. Elle avait un petit cure-dents en ivoire planté dans un œil. Hughes l'ôta avec précaution, mais sa main tremblait quand il voulut ramasser la pauvre bête. Plusieurs minutes s'écoulèrent avant qu'il ne parvienne à s'en saisir, et il dut détourner le regard pour la jeter à la poubelle.

Juillet 1959

III

Une semaine après l'arrivée de Hughes, la vague de chaleur qui avait menacé tout l'été finit par s'abattre sur l'île. Hughes retourna à la quincaillerie acheter des ventilateurs pour certaines chambres à l'étage, mais ils n'en avaient plus en stock. À l'intérieur de la maison, l'atmosphère était lourde, humide comme dans un marécage. On suffoquait. Dehors, c'était encore pire. Le soleil brûlait la peau et l'herbe, changeant le sable en lave. Les délicates fleurs de l'albizia tombées par dizaines formaient un tapis fétide sur la pelouse et les marches du perron. Le mur de pierre était jonché de carcasses d'insectes, qui craquaient sous les pieds, comme si ces créatures avaient grillé en un clin d'œil en tentant de gagner l'ombre du porche.

Bizarrement, les enfants semblaient indifférents à la canicule, même s'ils passaient leurs journées en plein air dans la chaleur impitoyable. Totalement concentrée sur le tournoi de tennis, Daisy, Dieu merci, semblait relativement peu perturbée par toute cette affaire avec la bonne. Quant à Ed, comme Hughes l'avait espéré, il paraissait absorbé par ses activités avec les scouts.

Les températures étouffantes avaient un effet bizarre sur Hughes. Contrairement à Helena, plongée dans une langueur bien arrosée, Hugues ressentait une sorte de fièvre, comme lorsque la peau est trop sensible au toucher. Il n'arrêtait pas de penser à Nick et s'aperçut qu'il l'observait de manière presque obsessionnelle.

Ils avaient fait l'amour le lendemain de son arrivée à Tiger House. À quand remontait la dernière fois ? Il n'arrivait pas à s'en souvenir. La brutalité de son désir l'avait pris au dépourvu. Ils s'étaient querellés à propos des cours de tennis que Daisy souhaitait reprendre. Et puis quelque chose avait chaviré. Nick avait mentionné la jeune Portugaise ; elle s'était mise à trembler. Il l'avait prise dans ses bras pour la réconforter, et son visage humide pressé contre son épaule, sa foi en son aptitude à arranger les choses, la proximité même de son corps l'avaient submergé. Il lui avait pratiquement arraché sa robe, goûtant le sel et la crème de beauté sur sa peau.

Depuis lors, il n'arrivait pas à se sortir cette scène de la tête. Que ce soit à cause du meurtre ou de la chaleur, il discernait des fissures dans la façade si lisse de sa femme. Un défaut dans sa cuirasse. Quelque chose de faillible, d'une réalité presque insoutenable. Il y avait longtemps qu'il n'avait pas vu ça.

Il était envoûté. Chaque fois qu'il posait les mains sur elle, il avait l'impression de toucher un fil électrique exposé. Et ce choc, allié à la touffeur, lui laissait à penser qu'il souffrait d'une sorte d'insolation mentale. Nick continuait malgré tout à lui sembler distante, hors d'atteinte en un sens.

En se réveillant un matin, il s'aperçut qu'il était seul au lit. Bien qu'il fût encore tôt, il n'y avait pas la moindre fraîcheur dans l'air ; son pyjama lui collait à la peau. Par la fenêtre, il vit le soleil poindre au-dessus du port. Tout était tranquille dans la maison quand il descendit. Il trouva Nick assise dans la salle à manger devant une pile d'invitations à la soirée, une liste, délaissée, pendant dans une main. Elle lisait un recueil de poèmes, dont il se souvenait des premiers temps de leur mariage, à l'époque où elle lui faisait la lecture au lit. Accoudée à la table en noyer cirée, les cheveux dans les yeux, elle articulait les mots. L'arrière de la maison, face à l'ouest, était sombre à cette heure-ci de la journée, mais il distinguait les gouttes de sueur qui luisaient sur sa nuque, les bords humides de sa chemise de nuit. Il s'attarda sur le seuil, avide de la rejoindre, mais elle paraissait si comblée qu'il eut le sentiment d'être un intrus. Il l'observa encore quelques instants avant de monter prendre un bain.

Il ne s'était jamais senti aussi seul. Peut-être aurait-il été préférable qu'il ne l'ait pas redécouverte. Quelles que soient les pensées qui planaient dans son esprit, Nick les dissimulait sous couvert d'une planification frénétique de la réception à venir. Assise devant son secrétaire, elle rédigeait des menus qu'elle finissait par jeter au panier, établissait des calendriers, cataloguait les choses à partir d'une sorte de liste maîtresse. De temps en temps, elle secouait la main. Quand Hughes lui proposait son aide, elle l'envoyait faire une course, à la poste par exemple, racheter des timbres, ce qui ne l'empêchait pas d'éprouver une animosité irrationnelle vis-à-vis de cette fête, de la poste, des timbres, comme autant de rivaux faisant obstacle à l'affection de sa femme.

Aussi orienta-t-il son attention sur le *Star*, passant des après-midi entiers devant le hangar à bateaux, à poncer, à repeindre la coque en vert foncé tout en s'efforçant de ne pas penser à elle.

Le bateau était en parfait état après tout ce qu'il avait fait en juin, mais le travail répétitif semblait l'apaiser, le ponçage, le polissage, les heures perdues qu'il passait, ruisselant de sueur, à glisser sa main sur le bois en quête d'endroits encore rugueux, l'odeur âcre de l'apprêt. Il mourait de chaleur mais, lorsqu'il n'en pouvait plus, il lui suffisait de sauter du bout du ponton dans l'eau fraîche du port, face aux rives de Chappy, les yeux larmoyants à cause des assauts du sel et du soleil.

Un après-midi, alors qu'il s'apprêtait à attaquer la seconde couche de peinture, le ciel s'ouvrit et il se mit à pleuvoir. De grosses gouttes, lourdes. Jurant entre ses dents, il tira le bateau dans l'abri en traînant les deux chevalets dans son sillage. Ce fut un orage éclair, de ceux qui balaient l'île pour se dissiper presque aussi subitement qu'ils surviennent. Hughes résolut d'attendre un peu. Il attrapa une des serviettes de plage qui pendaient dans le hangar et entreprit de sécher la coque. Il avait hâte de voir le résultat de son labeur.

Le martèlement de la pluie sur le toit fut perturbé par des petits coups portés sur le côté du hangar. Nick apparut en maillot de bain de rouge, un petit panier à la main.

— Bonjour, lança-t-elle avec son grand sourire. J'ai pensé que tu aurais peut-être envie de faire une pause, ajouta-t-elle en désignant la pluie qui se déversait sur ses épaules. J'ai apporté le déjeuner.

Il s'essuya le front avec un pan de sa chemise tout en cherchant quelque chose à dire. Il ne comprenait pas pourquoi il était tellement surpris de la voir. Elle avait surgi comme une idée qui aurait jailli dans son esprit.

— Ça te choque que je sois descendue jusqu'ici en maillot ?

Cela avait effectivement un rapport avec sa tenue, ses cheveux mouillés qui se lovaient autour de ses oreilles, ses longues jambes brunes, ses pieds nus à la cambrure délicate où des brins d'herbe étaient restés collés.

— Non, je trouve ça plutôt sensé, répondit-il bêtement.

— C'est ce que je me suis dit, ajouta-t-elle en posant son panier. Ça me rappelle la Floride, après la guerre, et ce deux-pièces jaune avec lequel j'en mettais plein la vue aux voisines.

Il ne voyait pas du tout de quoi elle voulait parler. La Floride était comme un mauvais rêve dont il n'arrivait pas vraiment à se rappeler, même si la remarque de Nick avait ranimé de vagues souvenirs de cette époque. Qu'il s'empressa de chasser de son esprit. Il n'avait aucune envie de penser à la Floride, à sa tristesse, à Eva. Il voulait que Nick enlève son maillot pour qu'il la voie nue.

À la place, elle déballa le contenu du panier : deux sandwiches au fromage et à la moutarde et un shaker de vodka-martini.

Il la regarda décrocher un coussin de bateau du mur et s'y asseoir en calant ses jambes sous elle puis s'installa à côté d'elle, mais pas trop près. Elle remplit deux gobelets en plastique et lui en tendit un.

Ils gardèrent le silence quelques instants. Nick grignotait son sandwich. Il l'observait du coin de l'œil, se demandant ce qui lui trottait dans la tête, ce qui l'avait amenée là au hangar avec son pique-nique, son maillot rouge et son beau sourire. Il s'imagina curieusement en train de la fendre en deux, tels une noix ou un crabe, pour déterminer ce qu'il y avait à l'intérieur.

— Crois-tu que la pluie fera baisser la température ? demanda-t-elle.

— Non. Ce n'est pas ce genre d'orage, à mon avis.

L'alcool glacé le fit frissonner. C'était délicieux. Il resta là à penser à ça, à Nick, à l'odeur de la peinture.

Le bateau apparaissait par intermittence au gré des éclairs, reflétant les nuances de l'eau du port. Son gobelet à la main, Nick se leva et s'en approcha. Elle posa délicatement son index sur la coque et, découvrant qu'elle était sèche, glissa sa paume dessus, comme Hughes l'avait fait quelques instants plus tôt. Elle but une gorgée, puis elle se rassit et appuya la tête contre le mur. La pluie commençait à se calmer, mais la douce cadence des gouttes sur le toit était encore audible.

— C'est drôle, tout de même, dit-elle au bout d'un moment. Toi qui détestais tellement naviguer pendant la guerre et tout ce travail de remise en état du navire qu'on vous imposait. Voilà que tu passes tes après-midi à t'escrimer tout seul sur ce bateau.

Hughes se tourna vers elle ; elle avait les yeux rivés sur le port. Il avait envie de lui dire quelque chose, mais ne trouvait pas les bons mots. Nick se leva et chassa les miettes de ses cuisses hâlées.

— Bon, je te laisse à ta besogne.

Elle ramassa le papier, les gobelets et sortit du hangar sans un regard derrière elle, ses plantes de pied blanches se détachant sur les planches grises.

Et Hughes se retrouva assis tout seul dans le hangar.

Il transpirait déjà en enfilant une chemise fraîchement repassée en prévision du dîner ce soir-là. Ils avaient un rendez-vous fixé de longue date au Yacht Club, avec les Pritchard. Il avait bien tenté de convaincre Nick de l'annuler, mais elle était restée catégorique.

— On ne peut pas faire ça, Hughes. Je sais qu'il fait chaud comme en enfer, mais il faut absolument que nous y allions. Ils ont un invité assommant chez eux en ce moment et j'ai promis à Dolly de la soulager un peu de ce fardeau. C'était soit au Yacht Club, soit ici.

Elle portait une robe jaune qu'il ne lui avait jamais vue.

— Au moins, je ne serai pas obligé de réapprovisionner le bar une fois de plus, commenta-t-il en détournant les yeux. L'ardoise de Helena me suffit amplement.

— Ne sois pas méchant, lança Nick d'un ton cassant. Il suffirait d'un bon divorce pour régler ses problèmes.

— Tu sais très bien que ça ne se limite pas à ça.

Décidément, il était d'humeur grincheuse.

— Je ne veux pas en parler maintenant, répondit-elle en redressant sa boucle d'oreille. Elle est fatiguée, voilà tout.

Hughes n'avait pas vraiment envie d'en parler non plus. Il était évident que le whisky et la chaleur n'étaient pas seuls en cause. À plusieurs reprises depuis son arrivée, il avait vu Helena extraire un cachet d'une petite boîte en argent cachée dans son sac et l'avaler, convaincue que personne ne l'avait vue.

Nick prit son flacon de parfum, pour le reposer aussitôt sur la coiffeuse.

— Il fait trop chaud pour se parfumer, dit-elle, surprenant Hughes en train d'observer son reflet.

Il effleura sa clavicule en croisant son regard dans la glace. Sa peau était douce et légèrement humide au toucher.

Elle resta totalement immobile, respirant à peine, ses yeux verts semblables à de l'herbe mouillée, puis écarta sa main.

— Arrête, s'il te plaît.

Le Yacht Club résonnait du cliquetis des couverts et d'éclats de rire. Un océan de blazers bleu marine et de cravates rouges.

— Ils sont là-bas, dit Nick.

Dolly Pritchard s'était levée et agitait la main à leur intention, affectant un air peiné.

— Cette pauvre Dolly ! dit Nick alors qu'ils se dirigeaient vers la table, avec vue sur le port.

— Comment s'appelle-t-il ? Leur invité ?

— Henry ? Hank ? Je ne m'en souviens pas. Il travaille avec Rory.

— Encore une éblouissante soirée à discuter de l'entreprise familiale Pritchard.

Nick s'esclaffa puis s'empressa de couvrir sa bouche d'une main gantée.

— Je sais. Si j'entends un seul mot à propos d'investissements, je risque de lui balancer mon verre à la figure.

— Fais-le, puis pars en courant. Je les retiendrai, répondit Hughes en baissant la voix alors qu'ils approchaient de la table.

— Mon héros, lui chuchota-t-elle à l'oreille.

La douceur de son souffle chaud contre son cou lui provoqua une érection.

Pendant les présentations, il la fit passer devant lui en se balançant d'un pied sur l'autre.

— Vous êtes ravissante, Nick ! s'exclama Dolly en lui saisissant la main. Et vous, Hughes, toujours aussi élégant.

— Bonjour Dolly, dit-il en lui déposant un baiser sur la joue.

Elle lui avait toujours fait penser à Eleanor Roosevelt. Sa grande taille, son profil chevalin, sa désinvolture, sa franchise. Elle était plus séduisante qu'Eleanor, certes, mais elle faisait partie de ces femmes vives, perspicaces chez qui une curiosité enjouée constitue une sorte de dogme. Hughes l'appréciait énormément. Il n'avait rien contre Rory au demeurant, mais il n'avait pas l'énergie de son épouse. Son père, Rory Senior, avait créé une société d'investissements qui, dans un premier temps, n'avait géré que l'argent familial. Rory Junior avait développé la firme pour inclure le type de patrimoines que son père aurait approuvés. C'était un type futé, aucun doute là-dessus, mais quand il s'attaquait au sujet de ses affaires, il n'en finissait plus.

— Je vous présente Harry Banks, dit Dolly en posant une main sur l'épaule de leur ami. Harry, voici Nick et Hughes Derringer.

— Harry nous aide à réaménager nos locaux, précisa Rory en tirant la chaise de sa femme.

— L'un des nouveaux esprits brillants de l'architecture, ajouta Dolly.

Harry Banks avait l'air un peu jeune pour être architecte, même pour un esprit brillant.

— Vous allez me faire rougir, Dolly, fit-il.

— Allons, Harry, vous ne trompez personne. Je doute que quoi que ce soit puisse vous faire rougir.

Hughes réprima un sourire. Nick, elle, s'esclaffa.

— Seigneur, monsieur Banks, ne me dites pas que vous avez dû supporter ça tout le week-end ?

— Je vous en prie, appelez-moi Harry, répondit-il, tout sourires, et Hughes le vit détailler sa femme, sa robe jaune, sans bretelles, les courbes de sa poitrine débordant légèrement de l'étoffe vaporeuse. Dolly a le don imparable de me remettre à ma place. Je la regarde faire avec ravissement.

— Délicat, Harry, commenta Dolly. À présent, que voulez-vous boire ?

Hughes commanda un gin tonic pour lui-même et une vodka-martini pour Nick en repensant au Thermos glacé qu'elle avait apporté au hangar. Il ne savait pas trop ce qu'il cherchait, une manière d'apologie, un signe d'intimité partagée. Il sonda son visage pour voir si elle avait relevé. Un petit sourire étirait ses lèvres, dévoilant à peine ses dents blanches. Tandis qu'il l'observait, le regard de Nick glissa par-dessus son épaule et ses traits se durcirent.

En se retournant, il aperçut Frank Wilcox et son épouse, qu'il guidait à travers la salle à manger en la tenant par le coude. La bouche d'Etta Wilcox était figée en une ligne fine, stricte. Quant à Frank, la mine réjouie, il distribuait des œillades, à personne en particulier. On aurait dit qu'il jouait son propre rôle.

La tablée s'était tue. Tous les regards étaient fixés sur le couple. Tous, sauf celui de Harry Banks qui affichait l'air ahuri de quelqu'un qui serait passé à côté d'une blague.

Hughes sentit une main se poser sur son épaule.

— Bonsoir, Hughes, Rory.

Hughes leva les yeux vers Frank et ébaucha péniblement un sourire.

— Frank.

— Mesdames, ajouta Wilcox, et son sourire s'épanouit.

Nick le dévisagea sans rien dire.

— Bonsoir, Frank. Etta, fit Dolly.

— Bonsoir.

Etta avait la voix un peu enrouée, comme s'il y avait un bout de temps qu'elle n'avait pas parlé.

Personne ne prit la peine de présenter Harry Banks. Frank resta planté là, dans un silence de plus en plus profond. Finalement, il hocha la tête et continua son chemin jusqu'à sa table, comme si c'était la chose la plus naturelle au monde. Il se pencha pour chuchoter quelque chose à l'oreille de sa femme dont l'expression demeura indéchiffrable.

Hughes se plongea dans le menu.

— La sole m'a l'air bonne.

— Eh bien, eh bien…, susurra Dolly.

— Dolly, je t'en conjure, l'interrompit Rory. Je n'ai jamais aimé ce poisson, je ne sais pas pourquoi.

Un petit sourire aux lèvres, Banks promena son regard autour de la table.

— J'ai raté quelque chose de terriblement excitant, me semble-t-il.

— Pas du tout, lui assura Hughes.

— Vous êtes tellement coincés, tous les deux, lança Dolly avant de se tourner vers Harry. On a retrouvé leur bonne assassinée récemment. Cela a provoqué pas mal de remous, comme vous pouvez l'imaginer.

— Dolly, siffla son mari, sur le ton de la mise en garde.

— Ce n'est pas un sujet de conversation approprié pour un dîner, je présume. C'est assommant à la fin, conclut-elle avant d'étudier le menu à son tour.

Nick n'avait pas ouvert la bouche. Son attention était toujours braquée sur les Wilcox, à quelques tables derrière eux. Elle sortit une cigarette de son sac ; Hughes se pencha pour l'allumer. Elle tremblait ; il calma sa main en posant la sienne dessus.

Elle se dégagea pour attraper le menu.

— Le Chateaubriand est toujours bon ici, lança-t-elle d'un ton joyeux qui lui fendit le cœur.

Après le repas, la conversation s'orienta, comme on pouvait s'y attendre, vers le temps.

— Cette chaleur ! geignit Dolly.

— Et pas de ventilateurs, renchérit Rory.

— Il paraît qu'il y a eu une vague de suicides à Washington à cause de la canicule, déclara Harry en allumant une cigarette. Un homme aurait couru de chez lui au Key Bridge en pestant contre la chaleur, avant de sauter. En pleine heure de pointe.

— Vraiment ? s'exclama Dolly. Doux Jésus ! J'ai lu Dieu sait où que la plupart des suicides ont lieu le lundi.

— À cause du travail, expliqua Rory. Les gens n'ont pas envie d'y retourner.

— À moins que ce ne soit simplement la monotonie, renchérit Hughes. Tous les lundis se ressemblent, de sorte que chaque semaine, chaque mois, chaque année seront analogues aux autres.

Il sentit le regard de Nick posé sur lui.

— Il faudrait qu'ils s'endurcissent un peu si la monotonie est leur principal problème, lança Rory.

— Toute la question est là, à mon avis.

— Je ne sais pas, intervint Dolly. Je ne peux pas dire que la monotonie m'enchante, mais nous devons tous nous y résoudre. L'existence n'est pas faite uniquement d'aventures et d'excitation, si ? (Elle se tourna vers son mari.) Pardon, mon chéri.

Rory lui envoya un baiser.

— Chacun sa vie, déclara Harry. À nous d'en faire quelque chose d'excitant. Ou pas.

— Un vrai discours de célibataire, souligna Rory.

— Honte à toi, Rory. Ce n'est pas le mariage qui engendre l'ennui. Pas que ça, en tout cas. Ce sont toutes ces petites choses qu'on est contraints de se coltiner jour après jour.

— Je pense que c'est une question de solitude, dit Nick. Et de désir.

— Certes, lança Dolly. Mais expliquez-nous ça.

Nick s'esclaffa.

— Non, vraiment. Tout le monde pense que le désir est une ânerie propre à la jeunesse. Mais qu'en sait-on ? Je veux dire, sans cela... C'est ce qui pousse les gens à se jeter des ponts, je vous assure.

— Je ne m'étais pas rendu compte que vous étiez romantique à ce point, ma chère, dit Dolly. (Se tournant vers son invité, elle ajouta :) Et vous, Harry, qu'en pensez-vous ?

— Je ne parlais pas du mariage, quoique... Vous avez raison, Rory, je n'y connais pas grand-chose. (Harry sourit à la ronde.) Mais ces obligations assommantes auxquelles vous faites allusion m'amènent à m'interroger : pourquoi s'y plier ? Pourquoi faire ce que tout le monde attend de vous ? Qui nous surveille ?

Hughes éclata de rire.

Dolly l'imita.

— Regardez autour de vous, dit-elle en désignant la salle à manger d'un grand geste. Tout le monde nous a à l'œil.

À la fin du dîner, Harry alla prendre l'air pendant que Rory essayait d'attirer l'attention du serveur pour avoir l'addition. Nick s'était éclipsée aux toilettes. Comme elle ne revenait pas, Hughes partit à sa recherche. Il faisait toujours aussi lourd dehors, mais l'air était plus doux. Il vit un couple en train de boire du vin près de la grande ancre qui trônait au milieu de la terrasse. Il se dirigea vers la jetée. Dans la pénombre, il distingua deux formes humaines, tête contre tête. Il reconnut la silhouette de Nick, sa posture. Elle était légèrement adossée au bâtiment, Harry Banks se penchait sur elle, une main posée sur les bardeaux.

Il lui racontait quelque chose mais Hughes n'en saisit pas un mot. Nick éclata de rire. Harry se rapprocha un peu d'elle. Elle ne se déroba pas. Cela lui transperça le cœur. Non qu'il fût vraiment surpris. Il était responsable de la situation, il l'avait forcée à rechercher l'intimité avec des étrangers dans des coins sombres. Il aurait dû en être tout autrement. Elle était trop bien pour ça.

— Nick, appela-t-il doucement.

Elle se borna à le regarder avant de reporter son attention sur Harry.

Il les observa encore un instant, puis il retourna dans le club et attendit que sa femme revienne.

Il ne la toucha pas pendant le trajet du retour, bien qu'elle marchât avec aisance à côté de lui, si près qu'il humait l'odeur de son savon aux senteurs florales, mêlée à la transpiration. Ses talons raclaient le trottoir. Il enfonça les mains dans ses poches. Dans Simpson's Lane, elle s'arrêta pour cueillir une rose qui dépassait d'une clôture.

Au moment de s'engager dans North Summer Street, Hughes vit la lune suspendue, rouge et basse, dans le ciel. C'était à cause de la chaleur qu'elle avait cette couleur. Une question d'atmosphère, il ne savait plus très bien, mais il repensa au vieil adage : « Ciel rouge le soir laisse bon espoir. Ciel rouge le matin, pluie en chemin. »

Dans l'allée derrière la maison, Nick se coinça le talon en descendant du trottoir et trébucha. Instinctivement il tendit la main pour la rattraper et sentit son corps contre le sien, un sein s'écrasant dans sa paume.

— Nick, souffla-t-il.

— Désolée, chéri. Je crois que les cocktails m'ont rendue un peu maladroite.

— Je me fiche des cocktails.

— Oh ?

Elle se remit en marche en essayant de se dégager.

— Arrête-toi.

— Qu'est-ce qu'il y a ?

— Je veux… Je veux te parler, bredouilla-t-il, la retenant.

— Lâche-moi. Tu vas me faire perdre l'équilibre.

Il la fit pivoter vers lui.

— Hughes !

Elle refusait de le regarder en face.

— Regarde-moi.

— S'il te plaît.

Elle leva une main pour le repousser. Il l'attrapa au vol et sentit la rose qu'elle avait gardée dans sa main se casser mollement sous sa poigne.

— Nick…

— Quoi que tu aies à dire…

— Je te demande pardon.

— Je ne vois pas de quoi tu veux parler.

— Tu vois très bien. Je suis désolé. Pour tout.

— Ça m'est égal.

— Ce n'est pas vrai. Je ne te crois pas.

— Si.

Ils se toisèrent et Hughes eut la certitude qu'elle allait céder, le laisser venir à elle. Elle était sur le point de craquer. Il attendit, mais elle garda obstinément le silence.

— Ça suffit, s'écria-t-il, n'y tenant plus, avant de presser sa bouche sur la sienne. Ça suffit maintenant, chuchota-t-il dans l'obscurité.

Mais aussi subitement qu'elle avait capitulé, elle se libéra et courut dans l'allée, lui échappant tel un filet d'eau.

Juillet 1959

IV

Hughes se réveilla le lendemain matin avec une migraine. Plein de détermination aussi. Il était encore tôt, pourtant Nick était déjà levée. Il ôta le bas de son pyjama, enfila sa robe de chambre et sortit de la maison pour aller prendre une douche dehors, près du hangar.

Il glissait de temps à autre sur le gazon trempé de rosée. L'air était légèrement plus frais. La vague de chaleur se poursuivait, mais il faisait un peu moins lourd.

Après avoir pendu son peignoir à l'encadrement, il tourna le robinet, laissant l'eau couler sur son crâne et ses épaules jusqu'à ce qu'elle tourbillonne à ses pieds. Il inclina la tête en arrière en écartant ses cheveux de ses yeux et regarda le ciel d'un bleu clair que le soleil matinal commençait à foncer. Il huma l'odeur de l'herbe humide, celle des briques trempées sous lui. Il se sentait bien. Mais aussi triste.

Il repensa à Nick traversant la route dans son maillot rouge et se demanda si un peignoir valait beaucoup mieux. Ils semblaient tous considérer la bande de trottoir entre leur maison et la pelouse de l'autre côté de la chaussée comme privée, leur appartenant, alors qu'on risquait à tout moment de tomber sur Pierre, Paul ou Jacques. Nick avait au moins le bon sens de reconnaître que cela pouvait

être un tant soit peu choquant, même si elle n'en avait
que faire.

En remontant à la maison, il la trouva dans la cuisine. Il
avait prévu ce qu'il allait dire mais, dès qu'il apparut, avant
qu'il ne puisse ouvrir la bouche, elle prit la parole.

— Je te demande pardon, dit-elle. J'avais trop bu hier
soir, j'en ai peur.

Hughes sombra momentanément dans la confusion.
Nick lui faisait si rarement des excuses, et ses mots étaient
de nature à clore le débat. Elle regrettait, il fallait mettre
cela sur le compte de l'alcool, tout le monde savait ce qu'il
en était.

— C'est moi qui devrais faire amende honorable, répondit-il. Je me suis montré brutal. C'est juste… Je ne sais pas
ce qui m'arrive, ces temps-ci. Tout me semble tellement…
je ne sais pas… différent.

Elle ne réagit pas.

— Peu importe, reprit-il en s'approchant d'elle. Je ne
veux plus en parler. J'aimerais que nous allions faire du
bateau aujourd'hui. La coque devrait être sèche maintenant.

Elle prit son temps avant de répondre.

— D'accord. Le cours de Daisy finit à midi.

— Rien que toi et moi. C'est toi que j'invite.

Elle hocha la tête en regardant ses pieds. Il aurait juré
qu'elle s'était légèrement empourprée.

— Prépare le pique-nique. Je m'occupe du bateau.
Retrouve-moi au ponton dans une heure.

Avant qu'elle ne puisse changer d'avis, il quitta la pièce.
Il tomba sur Daisy qui descendait l'escalier. Ses yeux bleus
étaient tout ensommeillés, ses cheveux aplatis sur son crâne.

Il la souleva dans les airs à la dernière marche. Elle poussa
un cri.

— Pose-moi, papa.

— Désolé, ma chérie. J'ai été subjugué par cette Belle
au bois dormant dans l'escalier.

Nick avait raison, elle était en train de devenir une petite demoiselle sensible.

Elle fit mine d'être offusquée, mais il voyait bien qu'elle était ravie.

Il monta se changer. Au moment où il passait devant la chambre de Helena, celle-ci glissa la tête dans l'entrebâillement. Voyant que c'était lui, elle la rentra, telle une tortue, et ferma la porte avec un bruit sec.

De retour au hangar, il passa la main sur la coque du *Star* pour s'assurer qu'elle était tout à fait sèche. Satisfait, il tira le dériveur vers la petite plage où il entreprit de le gréer.

Il monta le mât, tendit la drisse et l'attacha à la poulie. Il mit la bôme en place et fixa la voile. Quand il eut fini de tout arrimer, il sortit les rames rutilantes de vernis et les installa. Ensuite il retourna chercher les coussins et deux serviettes de bain qu'il étala au soleil sur le ponton pour se débarrasser de l'odeur vague mais tenace de moisi.

Puis il s'assit sur les planches chaudes et attendit en regardant des bancs de vairons se faufiler à travers les algues en dessous de lui.

Il l'aperçut alors qu'elle descendait la pelouse en butant de temps en temps contre la pente. À cette distance, elle paraissait avoir vingt ans dans son maillot de bain blanc, sans bretelles, sur lequel elle avait enfilé un short rouge coquelicot. Ses cheveux étaient lissés en arrière. Le panier de pique-nique contre sa hanche, elle courbait légèrement la taille. Elle était un peu essoufflée en arrivant à sa hauteur.

Il se leva pour lui prendre le panier.

— Merci, dit-elle. Pouah ! Quelle chaleur !

— Ça va un peu mieux, je trouve.

— Je n'en suis pas si sûre.

Ils se dirigèrent vers la plage où le *Star* scintillait tel un gros coquillage vert. Hughes poussa l'embarcation dans l'eau, Nick la tint pendant qu'il logeait la dérive et le gouvernail, après quoi elle lui passa le panier, les coussins et les serviettes. Il hissa la voile et attacha la drisse, avant de lui tendre la main pour l'aider à monter à bord. Ses mollets mouillés glissèrent contre le flanc du bateau ; elle prit appui de ses deux paumes pour retrouver son équilibre.

Il faisait un temps radieux, le ciel était parfaitement dégagé. Tandis qu'ils voguaient vers le large, le soleil essaimait des petites étoiles sur les crêtes des vagues. Hughes sentit que l'arête de son nez commençait à griller ; il plissait les yeux derrière ses lunettes de soleil déjà collantes de sel. Sa main reposait légèrement sur la barre. C'était une journée parfaite pour faire de la voile. Calme, avec juste assez de brise.

Quelques baigneurs marchaient déjà le long de la plage de Chappy avec ses cabines à rayures rouges et bleues. La cloche de la jetée retentit à l'intention du skipper du *On Time* pour lui indiquer qu'il pouvait traverser.

— C'est idéal, dit Nick. Ici, sur le bateau avec la brise. J'ai emporté des œufs farcis. Tu en veux un maintenant ?

— Pas tout de suite, répondit Hughes, je garde le plaisir pour plus tard.

Nick éclata de rire.

— Comment se fait-il que ça ne me surprenne pas ? s'exclama-t-elle, puis elle s'inclina légèrement en arrière et glissa sa main dans l'eau. Je pense que c'est dans les gènes, l'eau salée, que ça nous plaise ou non.

— Vraiment ? fit-il en souriant.

— Helena m'a raconté qu'en Californie personne ne va dans la mer. Ils se baignent tous dans leur piscine. Tu te rends compte ? Cet océan magnifique, et chacun dans sa piscine.

Hughes ne dit rien. Il avait juste plaisir à l'écouter parler. Elle avait l'art de rajeunir de vieilles idées, de les interpréter autrement, comme si elle voyait les choses sous un angle différent que le reste du monde.

Elle tendit le bras pour lui prendre ses lunettes, souffla sur les verres avant de les frotter avec le bord de son short.

— Voilà qui est mieux, dit-elle en les reposant délicatement sur son nez. Tu vois où tu nous emmènes comme ça. (Elle l'observa en penchant la tête sur le côté.) Tu ressembles à William Holden, mon chéri. D'un chic !

Il orienta l'embarcation vers le chenal menant à Cape Poge Bay et mit le cap sur la plage.

Dès qu'ils furent proches du littoral, Nick sauta du bateau. Il la suivit dans l'eau, et ensemble ils remontèrent le *Star* sur le sable. Chaque fois qu'ils venaient là, ils choisissaient le même emplacement, là où il y avait rapidement du fond – les bains n'en étaient que plus agréables –, sans trop s'approcher du chenal afin que le courant ne les entraîne pas. Le short de Nick était trempé ; elle l'enleva avant de s'allonger sur une serviette.

— Voudrais-tu un coussin ?

— Non, répondit-il, je vais me servir de ma chemise.

Ils étaient couchés côte à côte, le panier de pique-nique au-dessus de leurs têtes. Hughes posa sa joue sur sa main et regarda sa femme. Elle avait les yeux fermés. Son maillot blanc mettait en valeur sa peau dorée. Au bout d'un moment, elle releva la tête.

— Tu veux un œuf maintenant ? demanda-t-elle.

— Qu'est-ce qu'on a d'autre dans ce panier ?

— Du vin blanc ?

— Ça me semble parfait.

Elle tendit le bras pour sortir la bouteille enveloppée dans un torchon rempli de glaçons.

— Ouvre-la. Je la mettrai dans l'eau ensuite, dit-elle en lui tendant un tire-bouchon.

Il servit deux verres avant de lui rendre la bouteille. Elle se leva, attacha un bout de ficelle à laquelle pendait une petite ancre autour du goulot. Elle enfouit l'ancre dans le sable et enfonça la bouteille dans l'eau où elle remonta rapidement dans le courant. Ensuite elle sortit un petit récipient contenant des olives au piment et en offrit une à Hughes.

La saumure explosa dans sa bouche. Il la fit descendre avec une gorgée de vin blanc frais.

— Le vin blanc et les olives ont le goût de la plage, tu ne trouves pas ? dit-elle.

— C'est le sel, répondit-il en fermant les yeux.

— Oui. Parce que ce sont des saveurs pures aussi.

Les criquets chantaient dans la chaleur. Les mouettes s'égosillaient derrière eux dans les dunes où elles nichaient. Il n'était que 11 heures du matin. Hughes se rendit compte qu'il avait sauté le petit déjeuner. Le vin lui donnait sommeil. Il s'assoupit et rêva d'une course entre un cheval blanc et un cheval noir. Le noir gagnait, ce qui, dans son rêve, lui fit plaisir. L'animal avait de gros naseaux et une queue tressée qu'il tenait serrée contre lui en courant. Hughes l'encourageait. Sentant Nick remuer près de lui, il se secoua pour s'extirper de sa torpeur.

Elle s'était mise sur son séant et contemplait l'océan.

Il suivit son regard et, pendant quelques instants, ils restèrent là, sans échanger un mot. Et puis il sentit que le moment était venu. Il prit une grande inspiration et se lança.

— Je t'ai écrit une lettre un jour. J'ai sans doute commis la plus grosse erreur de ma vie en décidant de ne pas te l'envoyer.

— Que disait-elle, cette lettre ? demanda Nick en évitant son regard.

— Des tas de choses.

Il secoua la tête. De l'autre côté du chenal, un pêcheur était en train d'accrocher un appât au bout de sa ligne.

— Des choses que j'aurais probablement dû te dire il y a longtemps.

Elle garda le silence.

— J'ignore comment tout est devenu aussi... confus. Et comment ça a fini par passer.

— Oh, Hughes, lâcha-t-elle en levant les yeux au ciel avec un soupir. Les choses passent, voilà tout. Il suffit d'avoir un peu vécu pour le savoir. Elles finissent toujours par se dissiper.

Elle avait un ton tellement triste.

— Dans cette lettre... je disais que je t'aimais. Depuis... Seigneur, je ne sais pas combien de temps. Dès que je t'ai vue, sans doute.

— Je... Je ne sais pas pourquoi tu parles de ça maintenant.

— Nick, écoute-moi...

— Mon Dieu, tu es tellement gamin ! coupa-t-elle en posant sur lui des yeux froids comme du silex. Tu t'imagines qu'il suffit de claquer des doigts, de me dire que tu m'aimes, d'imaginer une fin heureuse pour nous ?

— Je ne sais pas. Je ne vois pas comment faire autrement. Tu saurais, toi ? Dis-moi comment font les gens pour connaître une fin heureuse ?

Elle le dévisagea longuement.

— Tout ce temps-là...

Elle secoua la tête et détourna le regard.

— Oui ?

Quand elle reporta son attention sur lui, ses yeux étaient baignés de larmes.

— Pendant tout ce temps-là, tu as vécu auprès de moi en somnambule. Tu me prends pour une imbécile ? À propos de lettres, que dire des « Le monde n'est plus en feu, Hughes », « Reviens-moi » ? Et de la chambre 201 du Claridge ? (Elle tremblait.) Tu étais censé m'aimer. À la place, tu as tout rendu... je ne sais pas... terne. Tu m'as fait une vie toute grise.

Il n'était pas vraiment surpris qu'elle fût au courant. Peut-être Ed l'avait-elle renseignée, à moins qu'elle n'eût trouvé les lettres toute seule. En revanche, il ne voyait pas très bien comment elle pouvait savoir pour la chambre. Quelle importance maintenant ?

— Tout ça, c'est vrai, dit-il. Tu as toutes les raisons de me haïr. Et si c'est le cas, si tu n'arrives plus à m'aimer, je m'en irai. Ou je resterai. Comme tu veux.

Il s'interrompit.

Elle sondait son visage. Les larmes avaient dépouillé le sien de sa beauté un peu dure. Il y détectait quelque chose d'autre, mélange d'incertitude et de nostalgie.

— Ne me laisse pas tout seul, Nick.

Elle garda le silence un moment avant de murmurer :

— Que Dieu te maudisse, Hughes.

Puis elle lui saisit l'arrière du crâne, sa main descendit vers la nuque. Elle était si près de lui, il sentit l'odeur du vin dans son haleine, la chaleur qui émanait de ses épaules nues. Et puis il y eut le sable sous eux, la clarté du soleil, le contact de leurs peaux.

— Dis-moi que tu m'aimes, souffla-t-il contre sa bouche, et je réussirai à rectifier la situation. Je le jure devant Dieu, j'arrangerai ça.

— Je t'aime, chuchota-t-elle. Tu ne sauras jamais à quel point. Mais je ne suis pas sûre que tu puisses rectifier la situation.

Elle ajouta quelque chose qu'il ne saisit pas. Il n'entendait plus que le bourdonnement de son pouls dans ses oreilles. Il sentit les palpitations au creux du cou de Nick s'accélérer sous sa paume, à la cadence brutale de son propre souffle. Elle bougea sous lui, le visage détourné. Et puis il cessa de la regarder. Aveugle, il ne sentait plus que la force le parcourir, la parcourir.

Après, Nick se leva et plongea dans la mer. Il la suivit, tendit les bras pour l'atteindre sous la surface, mais elle s'était aventurée un peu trop au large. Elle se retourna, face au rivage, en battant des pieds. Il nagea dans sa direction, lentement cette fois-ci, et lorsqu'il la rejoignit, elle noua les bras autour de son cou et l'embrassa. Elle avait un goût d'olive.

— J'aime bien la teinte que tu as choisie pour la coque, dit-elle en pointant le menton vers le dériveur.

— Je l'ai choisie à cause de tes yeux, répondit-il en effleurant sa paupière du pouce. C'est la couleur des couleuvres.

Elle rit avant de replonger sous les vagues. Quand elle refit surface, elle avait la tête toute ronde, lisse, foncée.

— Je crois bien que c'est la première fois qu'on me compare à une couleuvre. Ça me plaît assez.

Alors qu'elle regagnait le rivage, elle l'interpella par-dessus son épaule.

— Les veux-tu maintenant, ces fichus œufs, Hughes Derringer ? Ou faut-il que je les mange tous moi-même ?

C'était le genre de journée qui reste gravée dans la mémoire. La baie était calme. Seules des mouettes surgissant des hautes herbes sur les dunes qui surplombaient la plage venaient de temps à autre perturber la quiétude pour dissuader d'éventuels intrus de déranger leurs oisillons.

Plus tard, après le déjeuner et une sieste, Nick sortit un livre. Hughes vit son alliance en diamants étinceler à son doigt quand elle l'ouvrit.

— Que lis-tu ?

— Des poèmes. De Wallace Stevens.

— Fais-moi la lecture.

— Tu n'as pas apporté ton bouquin ? demanda-t-elle avec une moue désapprobatrice.

— J'étais trop occupé. Je n'y ai pas pensé.

— Dommage pour toi, mon chéri.

— Sois sympa.

Elle feuilleta quelques pages.

— Tu souviens-tu de celui-ci ? Ça s'appelle *Dépression d'avant-printemps*. « Le coq coquerique mais nulle reine ne se lève. La chevelure de ma blonde est éblouissante comme la bave des vaches qui s'enfile au vent. »

— De la bave de vache ?

— Tu trouves que couleuvre, c'est mieux ?

— Je ne sais pas, mais un serpent est… une créature plus sexy, de mon point de vue. Une vache, eh bien…

— Tu n'es pas poète, mon chéri ! Songe à toute cette salive translucide sortant de ces lèvres roses. Comme une toile d'araignée, quelque chose comme ça.

— D'accord, d'accord. Pitié !

— Ho, ho !

— Tu l'as dit. Ho, ho !

Elle pouffa de rire.

— Bon, ça suffit comme ça. Je ne m'occupe plus de toi.

— Je me débrouillerai, va. D'une manière ou d'une autre.

— Sers-nous encore du vin et tais-toi.

Il se leva pour aller récupérer la bouteille et versa ce qui restait dans le verre de Nick. Puis il inspecta l'horizon.

— On devrait y aller sans tarder.

— Oui. Les enfants doivent être rentrés. Et Helena… (Elle laissa sa phrase en suspens.) Hughes, j'oublie constamment de te demander : es-tu allé voir le shérif ? À propos d'Ed ?

— Non.

— Le feras-tu ?

— Oui.

— Aujourd'hui ? Dès que nous serons de retour.

En la regardant ranger soigneusement les affaires de pique-nique et son livre dans le panier, il éprouva le besoin de la protéger, de tout, de tout le monde. Il tendit la main pour épousseter le sable resté collé derrière son genou. Elle sourit.

— Viens, dit-elle en lui tendant la main.

Il s'en saisit et, ensemble, ils quittèrent leur plage.

En descendant Main Street pour se rendre au bureau du shérif, Hughes essaya de déterminer ce qu'il allait dire. Cela lui semblait un peu ridicule, d'aller le trouver à propos d'Ed, et il se sentait nerveux sans trop savoir pourquoi.

Après avoir poussé la lourde porte, il se dirigea vers le bureau en désordre au fond du hall. Un policier qui ne devait pas avoir plus de dix-huit ans griffonnait sur le sous-main, l'air de s'ennuyer à mourir.

— Bonjour.

— Bonjour, monsieur, lui répondit-il, pas le moins perturbé du monde qu'on l'ait surpris en train de dessiner des coquillages en plein service. En quoi puis-je vous être utile ?

— Je souhaiterais m'entretenir avec le shérif Mello, s'il est disponible.

— Votre nom, s'il vous plaît ?

— Hughes Derringer.

— Je vais lui demander s'il peut vous recevoir.

Derrière une vitre, on apercevait le shérif, assis à sa table en train de feuilleter des papiers.

— Entendu. Merci.

Le jeune homme fit irruption dans la pièce, referma la porte derrière lui. Ses lèvres remuèrent. Mello leva les yeux vers son visiteur et lui adressa un petit signe avant de sortir dans le hall.

— Monsieur Derringer.

— Sherif Mello.

— Que puis-je pour vous ?

Hughes reporta son attention sur le jeune policier. Il avait un petit bout de papier collé au menton, à l'endroit où il s'était coupé en se rasant.

— Pourrions-nous aller dans votre bureau pour parler ?

— Bien sûr, répondit Mello. Après vous.

Les fenêtres donnaient sur une pelouse brûlée, mal entretenue.

— Asseyez-vous, monsieur Derringer, fit le shérif en désignant une chaise face à lui.

Le siège était étroit, Hughes gigota un peu avant de trouver une position confortable.

— Écoutez, je suis navré de vous embêter avec ça. J'étais réticent à l'idée de venir, je suis sûr que vous avez des choses plus importantes à faire...

Le shérif riva ses yeux bleus sur lui, sans ciller. Il avait des auréoles de transpiration sous les bras de son uniforme bleu, ce qui mit Hughes vaguement mal à l'aise.

— Il s'agit du fils de ma cousine, Ed Lewis. Sa mère se fait du souci... à cause de cette affaire avec la domestique.

— Je vois. Les enfants tiennent-ils le coup ?

— Ça va. C'est presque comme s'il ne s'était rien passé, en fait.

— Ah, les gosses ! Ils sont plus durs que des noix de coco.

— Oui, fit Hughes en s'agitant de nouveau sur sa chaise. Voilà, je pense que ce que Mme Lewis souhaiterait savoir... eh bien, il semblerait qu'Ed vous ait aidé, et elle se demande, s'inquiète, de ce qu'il risque d'avoir vu.

— Vraiment ?

Hughes avait l'impression d'avoir quatorze ans et d'être en présence de son maître d'école.

— Oui. Alors si, enfin, si vous pouviez la rassurer sur ce point, j'imagine...

— Je comprends que Mme Lewis s'inquiète pour son fils, répondit Mello d'un ton morne. Seulement, je suis... comment avez-vous dit ? Réticent ? Oui, c'est ça. Réticent à aborder certaines questions, surtout s'il s'agit de commérages infondés.

— Bien sûr, en convint Hughes, se demandant s'il fallait en conclure que le shérif allait se mettre à table ou pas.

— Cependant, vu que vous faites partie de la famille..., ajouta Mello en s'adossant à son fauteuil. C'est drôle, j'ai vécu ici toute ma vie, mais j'ai pris conscience que ça ne signifie pas forcément la même chose pour tout le monde.

Hughes ne comprenait goutte à ce qu'il était en train de lui raconter, mais il s'aperçut qu'il se cramponnait à sa chaise.

— Vraiment ?

— Absolument. (Le shérif ne bougeait pas un muscle.) Quoi qu'il en soit, monsieur Derringer, reprit-il finalement, quand j'ai demandé à Ed s'il avait déjà vu quelqu'un d'autre rôder à l'endroit où on a trouvé la fille, il m'a expliqué qu'il vous arrivait souvent de vous promener dans le coin tous les deux.

— Je vois.

Hughes sentit son cœur palpiter dans sa poitrine.

— Du coup, je suis content que vous soyez venu. Ça m'évite d'avoir à me déplacer moi-même.

— Oh.

— Voudriez-vous m'en dire un peu plus long ?

— À propos de nos balades ? (Hughes leva les yeux vers le plafond, comme s'il faisait un effort de mémoire.) Ce n'est pas tout à fait exact. Nous avons effectivement traversé Sheriff's Meadow une fois, au début de l'été. Pour un petit entretien entre hommes. Le père du garçon est… enfin, disons qu'il n'est pas tout à fait… net. Vous me comprenez ?

— Ah bon ! Vraiment ? Qu'est-ce qui ne va pas chez lui ?

— Il est juste, je ne sais pas, pas un très bon père.

Le shérif l'observa un moment, prit à l'évidence une décision, hocha la tête.

— D'accord, acquiesça-t-il en se radossant. Ed nous a également confié qu'il avait peut-être vu Frank Wilcox là-bas un jour. Il n'en était pas certain, je précise. Il n'arrivait pas bien à se souvenir.

Hughes retint son souffle, attendant que Mello lui en dise un peu plus long. Voyant qu'il n'ajoutait rien, il bredouilla :

— Et alors ?

— Alors quoi ?

Le shérif sourit.

— Que vous a dit Frank à ce sujet ? Enfin, si vous pouvez m'en faire part. Cela ne me regarde pas...

— Eh bien, monsieur Derringer, il semble que M. Wilcox ait passé toute la soirée chez lui avec sa femme. D'après Mme Wilcox, bien sûr...

Cette ultime assertion resta suspendue en l'air tel un point d'interrogation.

— Je vois.

— La situation se résume à peu près à ça. Les informations fournies par Ed ne nous ont pas menés bien loin, comme vous pouvez le constater. (Le shérif inclina la tête sur le côté.) À moins que vous ne sachiez quelque chose qui puisse nous être utile, bien sûr.

— Euh, non. J'aimerais pouvoir vous aider. Mais non.

— Peut-être êtes-vous au courant de quelque chose touchant à la vie privée de M. Wilcox que nous ignorons ? Ne serait-ce qu'un petit détail ? Ou avez-vous un élément intéressant à nous transmettre à propos de votre neveu ?

Hughes garda le silence. Il n'était pas question qu'il s'implique davantage que nécessaire dans cet imbroglio.

— Voyez-vous, monsieur Derringer, une communauté s'apparente à une famille. Comme je vous l'ai dit tout à l'heure, chacun a sa propre définition de la chose. De mon point de vue, lorsque quelqu'un au sein d'une famille fait quelque chose de vraiment mal, cela ne sert à rien de le cacher. Ça ne fait qu'aggraver les choses pour tout le monde.

— J'aimerais vraiment pouvoir vous aider.

— Bon, eh bien voilà.

Sur le point de se lever, Hughes se ravisa. Il était conscient qu'il aurait mieux fait de se taire, mais ne put tenir sa langue.

— Et ses amis, sa famille ? À la bonne, je veux dire.
Elena Nunes. Ils n'avaient rien à dire non plus, à propos
de tout ça, je suppose.

— Nous n'avons rien pu en tirer.

— Une communauté avare d'informations, hein !

— Avare d'informations. (Cette fois-ci, Mello éclata de
rire, un son sec.) À laquelle faites-vous référence ?

Hughes battit en retraite dans l'air étouffant de l'après-
midi. Il avait les nerfs à vif. Il aurait dû parler de Frank
au shérif tout de suite après la découverte du corps. Cela
lui paraissait évident, maintenant. Mais il avait eu l'esprit
ailleurs. De toute façon, Frank avait un alibi, semblait-il.
C'est ce que Mello avait dit. Bien qu'il eût l'air d'en douter
sérieusement. Hughes n'était pas certain de le croire non
plus.

Hughes repensa au shérif. Il le connaissait depuis sa
petite enfance, à l'époque où Rick Mello emballait encore
les courses des clients au supermarché du coin. Rick avait
pourtant réussi à le faire culpabiliser. Ce n'était pas sa faute
si la police n'avait strictement rien fait concernant Frank
Wilcox. Il les avait peut-être vus se diriger ensemble vers les
courts de tennis, mais ça ne prouvait rien. Et si Etta était
disposée à répondre de son mari, alors… Et Ed dans tout
ça. Il avait cherché à leur faire croire qu'ils avaient battu la
campagne ensemble. Était-ce possible qu'il ait exagéré les
choses en essayant sincèrement de se rendre utile ? Non. En
son for intérieur, Hughes avait la conviction que le gamin
avait l'esprit tordu. Très tordu. Le shérif lui-même semblait
se poser des questions à son sujet. Hughes repensa à la
souris avec le cure-dents planté dans l'œil. Il avait besoin
d'un verre.

Il avala deux gin tonic coup sur coup au Reading Room
avant de rentrer. Le soleil n'avait pas tout à fait entamé sa

descente, striant le ciel de traits rose vif, pareils à un dessin d'enfant fait avec les doigts.

Alors qu'il approchait de la maison, il vit Nick, toujours en maillot de bain et short, sur la terrasse de devant, penchée sur un garçon auquel elle chuchotait quelque chose à l'oreille. La chevelure du gamin, tout hérissée, comme s'il s'était passé de l'amidon sur le crâne, avait un côté comique. Un ami de Daisy, devina-t-il. Il sourit de l'adoration qui se lisait sur ce jeune visage levé vers sa femme. Il comprenait parfaitement ce qu'il ressentait.

Rechignant à l'interrogatoire auquel il ne manquerait pas d'être soumis, il fit le tour par-derrière et monta directement à l'étage. Après s'être douché et rasé, il s'arma de courage avant de rejoindre Nick et Helena en train de prendre l'apéritif.

— Bonjour, mon chéri, lança Nick. Comment ça s'est passé avec le shérif Mello ?

Helena leva les yeux elle aussi, une attente dans son regard doux. De l'anxiété aussi, remarqua-t-il.

— Très bien, répondit-il en se dirigeant vers le bar.

— Allons, ne sois pas si évasif. Que t'a-t-il dit ?

— Rien, dit-il en déposant trois glaçons dans un verre.

— Comment ça, rien ? Ça fait presque deux heures que tu es parti.

— Ed n'a rien vu. Il ne sait rien. Le shérif voulait lui faire plaisir en le laissant jouer aux détectives.

Helena appuya sa tête contre le dossier de son fauteuil, l'air soulagée apparemment.

— Tout va bien, alors, cria Nick, l'incitant à revenir dans le salon.

— Oui, répondit-il. Tout va bien.

Août 1959

À mesure que la date de la réception approchait, Nick parut se perdre dans le détail des préparatifs tels que les lanternes chinoises, l'argenterie, les hortensias blancs. Hughes la trouvait réveillée au milieu de la nuit, sa petite lampe de lecture allumée, en train de recomposer son menu pour la énième fois.

Son rôle à lui consistait à garder son calme et à assurer les arrières. La veille de la réception, cependant, il éprouva le besoin de se préserver de la tempête.

Nick était dans la salle à manger en train d'astiquer l'argenterie, une fois de plus, en prévision du souper. Elle venait de réprimander Daisy à propos de l'état de sa chambre. Hughes en profita pour faire une descente dans la cuisine et le bar avant d'aller se réfugier au hangar pour s'enivrer de whiskys-citron. Il y trouva Helena, aux abris elle aussi.

— Qu'est-ce que tu as là ? chuchota-t-elle en désignant la bouteille d'alcool et le bol de sucre qu'il avait apportés.

Il éclata de rire.

— Inutile de chuchoter, Helena. Elle ne peut pas nous entendre ici.

— J'aime Nick très fort, mais je ne supporte pas tout ce remue-ménage. Bref, qu'est-ce que c'est ?

— De quoi faire des whiskys-citron.

— J'adore ça, dit Helena d'un ton presque nostalgique.

— Moi aussi, répondit Hughes en extirpant deux citrons de la poche de son pantalon. Mince, ajouta-t-il en regardant autour de lui, j'ai oublié la glace.

— Et le shaker.

Helena leva les deux mains, paumes tournées vers le ciel, les sourcils en circonflexe. L'image même de la catastrophe.

— Non, répondit-il avec un clin d'œil. J'en garde toujours un ici, derrière la vieille ancre, pour les urgences. Mais la glace pose un problème.

— Je pourrais aller en mission, suggéra Helena en lui souriant.

— Faut-il prendre le risque ?

— Attends ici.

Elle se leva et s'éloigna sur la pointe des pieds en faisant des simagrées, sa robe à motifs tourbillonnant derrière elle.

Hughes souffla dans le shaker pour le dépoussiérer. Il y mit le sucre, le whisky, le citron et attendit.

Helena finit par revenir avec le petit seau à glace en argent que Nick avait prévu d'utiliser pour le souper. Hughes l'avait vue le briquer un peu plus tôt.

— Je sais, je sais, fit-elle, mais j'étais bien obligée. L'autre était trop volumineux.

Hughes ajouta quelques glaçons dans le shaker avant de le secouer vigoureusement. Il servit les cocktails dans deux gobelets en plastique.

— Madame, fit-il en en tendant un à Helena.

Elle but une gorgée.

— Tu manies le shaker mieux que personne.

Ils gardèrent le silence une minute, savourant le calme et leurs cocktails acidulés.

— Alors, Helena, reprit Hughes au bout d'un moment, comment va la vie ?

— De quoi parles-tu ?

— Je ne sais pas. De tout. De rien.

— De tout. De rien, répéta-t-elle. Je suis contente que tout se soit bien terminé dans cette affaire avec la bonne. Pour ce qui est d'Ed, j'entends. Je sais que ça n'a pas été le cas pour elle.

— Je comprends ce que tu veux dire.

— Je me fais du souci pour lui quelquefois.

Elle éclusa son verre. Hughes emplit à nouveau le shaker.

— Je suis sûre que les scouts lui feront du bien. (Il avait envie de changer de sujet.) Que ça le remettra un peu sur le droit chemin.

Helena releva brusquement les yeux.

— Je ne pense pas qu'il ait besoin d'être remis sur le droit chemin.

— Non ? Bon.

— Il se distingue peut-être des gens de son âge, mais qu'est-ce que ça peut faire ? Il est libre.

— Libre de quoi ?

Seigneur, elle était vraiment dingue parfois !

— Libre de... je ne sais pas... Par rapport à ce que les autres voudraient qu'il soit. Avery dit... (Elle n'acheva pas sa phrase.) Peu importe. (En tendant son verre vide, elle ajouta :) De toute façon, nous n'avons pas les moyens.

— Oh, fit Hughes en pressant avec application l'autre citron.

— Nous avons vraiment besoin d'argent, Hughes, reprit Helena d'une voix adoucie. Penses-tu pouvoir intercéder en ma faveur auprès de Nick ?

— Je lui parlerai, promit-il en lui tapotant la main alors qu'une idée prenait forme dans son esprit. À présent, donne-moi ce verre vide.

Le lendemain matin fut pénible. Nick, levée à l'aube, ordonna aux enfants de libérer leurs chambres tandis que Hughes descendait aider à préparer le petit déjeuner. Il voulait lui faire part de son idée mais, lorsqu'elle le rejoignit dans la cuisine, il se rendit compte qu'elle n'était pas d'humeur à l'écouter.

Finalement, il prit la voiture pour aller chercher les musiciens à Vineyard Haven. C'était un orchestre de ragtime que Dolly leur avait recommandé, les Top Liners, quelque chose comme ça. Il attendit sur le trottoir en regardant l'*Islander* se mettre à quai pendant que les employés du port se précipitaient vers le débarcadère pour descendre la passerelle à la manivelle.

Plusieurs automobiles débarquèrent avant les passagers à pied. Hughes n'eut aucun mal à distinguer les musiciens parmi la petite foule. Ils portaient des salopettes et traînaient leurs instruments dans de vieux étuis déglingués. Ils avaient l'air d'avoir autant la gueule de bois que lui.

— Salut, les gars ! lança-t-il en s'approchant d'eux.

Ils se tournèrent vers lui en plissant les yeux, presque à l'unisson.

— Vous êtes M. Derringer ? demanda le porteur de banjo.

— Exactement. La voiture est par là.

Ils rangèrent leurs instruments dans le coffre et s'entassèrent dans la voiture, trois à l'arrière, deux à l'avant avec Hughes. Il mit le contact.

— Eh ben dis donc, lâcha l'un des types à l'arrière en un long soupir.

— Chaud, chaud, chaud, renchérit le joueur de banjo en tambourinant un petit rythme sur son genou.

Ils semblaient tous assez jeunes. Dans les vingt-cinq ans. Celui assis à côté de Hughes avait l'air de dormir, sa tête hirsute à l'équerre contre le dossier. L'autre, brun, le regard songeur, passa sa main sur la garniture de la portière.

— D'où venez-vous ? demanda Hughes en jetant un coup d'œil à l'arrière dans son rétroviseur.

— D'un peu partout, répondit le brun en continuant à caresser le tissu.

— Ouais, fit le joueur de banjo. D'ici et là, de partout.

Nouveau tambourinage sur son genou.

Ils se tordirent tous de rire. Hughes garda les yeux sur la route. Bon sang, Nick allait le tuer s'ils débarquaient dans cet état !

— Ça vous dirait qu'on fasse une petite halte pour boire un Coca ?

— Un Coca ? s'esclaffa le brun. Non merci.

Au moment de s'engager dans l'allée derrière Tiger House, Hughes aperçut Nick qui faisait le guet derrière la porte moustiquaire. À croire qu'elle les attendait.

— Jolie baraque, commenta le joueur de banjo en sifflant.

— Bonjour, lança Nick en traversant la pelouse pour venir les accueillir alors que les musiciens jaillissaient de la voiture.

Ils la dévisagèrent avec des yeux de merlan frit. Hughes se couvrit le visage d'une main.

— Nick Derringer. Lequel d'entre vous est Tom ?

— C'est moi, répondit le joueur de banjo, piqué sur place.

— Bonjour, fit le brun en se balançant sur ses talons, son étui de trompette oscillant dans sa main.

Nick les détailla du regard avant de reporter son attention sur Hughes.

— Restez ici pour le moment, ordonna-t-elle. Chéri, puis-je te parler un instant ?

Dès qu'ils furent dans la maison, elle se tourna vers lui, les mains sur les hanches.

— Ils sont complètement bourrés ! s'écria-t-elle avec
virulence, comme s'il était responsable.

— J'aimerais bien pouvoir en dire autant, rétorqua-t-il.
Ce n'est pas toi qui as dû te farcir le trajet.

— Ce n'est pas drôle, nom d'un chien !

— Je ne ris pas, répondit-il en réprimant un sourire.

— Tu peux toujours te trouver une bouteille de gin et
l'attaquer si ça te chante, riposta-t-elle d'un ton acerbe.

— C'est eux, les musiciens ?

La petite tête de Daisy apparut dans le couloir.

— Daisy Derringer, va balayer l'allée de devant, comme
je t'ai demandé de le faire, lança Nick. (Après quoi elle
pénétra dans la cuisine où les jeunes Portugaises préparaient
le repas.) Pouvez-vous apporter du thé glacé à ces messieurs
là-bas dehors, mesdemoiselles ? Ainsi que des sandwiches.
Pas les canapés. Il y a du jambon fumé dans la réserve.
Vous n'avez qu'à leur donner ça. Et, pour l'amour du ciel,
ne les laissez pas entrer dans la maison !

Hughes pressa ses doigts contre ses tempes. Ça cognait
toujours dans sa tête.

— En quoi puis-je me rendre utile ? demanda-t-il, espérant que cela inclurait un sac de glace et une chambre
plongée dans la pénombre.

Nick se tourna vers lui.

— Tu pourrais aider les hommes à monter l'estrade.
T'assurer qu'ils ne l'installent pas de travers, comme l'année
dernière.

Hughes hocha la tête. En sortant sur la terrasse, il trouva
une glacière remplie de bière. Le livreur avait dû la laisser
là, sans prendre la peine de prévenir qui que ce soit. Il
plongea la main à l'intérieur, sortit une bouteille, fit sauter
la capsule à l'aide de son couteau suisse. Puis il s'assit et
entreprit de ruminer le plan qu'il avait échafaudé pour Ed.
La remarque faite par Helena la veille au soir à propos de
la liberté de son fils l'avait fait réfléchir.

Il fallait le mettre en pension. Il n'y avait pas d'autre solution. Hughes couvrirait les frais de scolarité. C'était le seul moyen d'exercer un certain contrôle sur lui. On lui ferait des rapports sur lui, il pourrait l'avoir à l'œil. Si ce n'était qu'un sale morveux, il ne s'en tirerait pas longtemps dans un tel environnement. Si c'était pire que ça, si ce n'était pas uniquement une question de mauvaise conduite, la vérité éclaterait au grand jour. Ce projet rassérénait Hughes. La vie était plus agréable quand on avait un projet.

Il aperçut Daisy qui traînassait près de la clôture. Elle n'était manifestement pas en train de balayer l'allée. Cela le fit sourire.

— Salut, ma chérie, cria-t-il. Où est passé ton cousin ?

— Je n'en sais rien, répondit-elle en levant les yeux. Il s'est volatilisé. Il a dit qu'il allait vérifier les pièges à souris.

Hughes chassa l'image de la souris mutilée de son esprit. Ça suffisait comme ça : à propos de liberté, il allait donner une leçon à ce garnement. Après avoir caché la bouteille de bière vide dans un rosier, il descendit la pelouse pour aller voir où en étaient les musiciens.

Alors que l'après-midi touchait à sa fin et qu'un silence total avait remplacé l'effervescence et le vacarme qui avaient régné toute la journée dans la maison, Hughes monta prendre un bain et se changer pour le souper. Il était dans sa chambre en train de lisser ses cheveux humides quand Nick apparut, sortant à son tour du bain.

— Attends de voir ma robe, fanfaronna-t-elle en se glissant dans sa combinaison. Elle est divine.

— Peux-tu m'aider à mettre ça ? demanda-t-il en lui déposant ses boutons de manchettes dans le creux de la main.

Elle tira sur une manche et rapprocha les deux extrémités du poignet.

— J'ai réfléchi, dit-il. À propos d'Ed. De ton commentaire concernant son besoin de structure.

— J'ai dit ça ? Je voulais sans doute parler du fait qu'il lui fallait un père. Un vrai.

— Nous n'y pouvons pas grand-chose. Mais j'ai pensé l'envoyer en pension. Ça l'éloignerait de chez lui, d'Avery.

— Ils n'ont pas les moyens, Hughes ! s'exclama-t-elle en attachant le second bouton de manchette.

— Mais nous, si. (Il prit sa main dans la sienne et Nick leva les yeux vers lui.) On pourrait faire ça pour Helena, lui faciliter la vie, sans avoir à donner d'argent à Avery pour autant.

— Pouvons-nous nous le permettre ?

— On se débrouillera.

— Je ne sais pas, dit-elle en secouant un peu la tête. Je me demande ce que Helena en penserait.

— Elle a dit elle-même qu'elle se faisait du souci pour son fils.

Hughes lui lâcha la main pour mettre son nœud papillon.

— Elle s'est beaucoup inquiétée, c'est vrai.

— Elle fait partie de la famille, Nick. C'est le moins que l'on puisse faire pour elle. En outre, sans la présence d'Ed, la situation avec Avery serait peut-être plus simple.

— Tu crois ?

— C'est possible, répondit Hughes en l'observant.

— C'est très généreux de ta part, mon chéri.

— Je sais que tu tiens beaucoup à elle.

— Oui, dit Nick, je tiens à elle. Oh, Hughes, imagine qu'elle ait véritablement une chance de trouver le bonheur.

— Commençons par le commencement.

— Tu as raison, c'est un excellent plan. Je te trouve diablement futé, parfois !

— J'essaie, répondit-il en lui décochant un grand sourire.

— Je lui parlerai ce soir. Avant le souper.

Hughes alla trouver les musiciens pour les informer qu'ils pouvaient se changer dans le hangar. Il n'aurait pas été surpris de les trouver en train de folâtrer en sous-vêtements sur la pelouse. Ils devaient repartir par le dernier ferry. Il avait pris des dispositions pour qu'un type en ville les reconduise.

— Quand vous aurez fini, rapportez vos affaires ici. Je les chargerai dans la voiture.

— Entendu, monsieur Derringer, répondit le brun sans lever les yeux de sa trompette.

Hughes avait une furieuse envie de lui coller une bonne gifle mais, affichant une expression neutre, il attendit patiemment qu'ils aient débarrassé le plancher. Puis il ramassa les bouteilles de bière et les mégots éparpillés un peu partout et alla les jeter à la cuisine.

L'une des cuisinières le regarda faire en secouant la tête.

— Je suis bien d'accord avec vous, dit-il. Une sale équipe.

Elle se borna à lui sourire.

Il restait quelques minutes avant que les convives n'arrivent pour le dîner. Hughes en profita pour aller se préparer un cocktail dans le salon bleu.

— Bonsoir, dit-il en approchant à grands pas de sa femme et de sa cousine déjà installées là. (Il leur déposa un baiser sur la joue.) Vous êtes ravissantes, toutes les deux.

Nick portait une robe bleu nuit, parsemée de fils dorés. Elle étincelait.

— Bonsoir, mon chéri.

— Tu avais raison. C'est quelque chose, cette robe !

Helena se leva et s'approcha du bar.

— Je m'en occupe, dit Hughes, mais elle l'écarta d'un geste.

Il alla donc s'asseoir à côté de sa femme qui le gratifia d'un sourire radieux.

— Je te trouve..., lui chuchota-t-elle à l'oreille.

— Oui ?

— Je ne sais pas... Beau à fendre le cœur.

Elle inclina légèrement la tête en arrière et ses lèvres s'entrouvrirent. Il aurait voulu que Helena s'en aille, que la réception n'ait pas lieu, qu'il puisse simplement rester assis là auprès de sa femme à s'imprégner de sa douceur jusqu'à ce que les pendules s'arrêtent.

Les Pritchard arrivèrent, puis les Smith-Thompson, et Hughes avait beaucoup de mal à se concentrer sur la conversation. Au bout d'un moment, toutefois, il se rendit compte que sa béatitude ne se limitait pas à lui. Elle commença à se propager pour inclure Helena, leurs amis, la chaude soirée d'été, la fête en perspective. Nick avait mis un disque de Count Basie ; les flux et reflux du jazz emplissaient le salon, ponctués par le tintement joyeux des glaçons dans les verres.

Hughes regarda sa femme évoluer parmi ses invités, posant une main sur le bras de Dolly, la taille de Caro, penchant la tête pour prêter attention à une remarque d'Arthur, riant aux éclats quand Rory renversa son verre sur le tapis oriental. Tout semblait parfait, idyllique, à croire que ce bonheur n'aurait pas de fin.

Cela tourna court pendant le souper lorsque la discussion s'orienta vers Frank Wilcox et ce fichu meurtre. Dolly avait mis la question sur le tapis et Caro avait fait un commentaire idiot à propos de l'envie de cette fille d'attraper un gros poisson. Nick avait sombré dans une humeur saumâtre, allant pratiquement jusqu'à accuser ses convives d'être complices du meurtre.

Hughes avait tenté de rectifier le tir en resservant du vin à tout le monde, multipliant les traits d'esprit, mais il voyait bien qu'ils avaient perdu Nick pour la soirée. Cela le mit en colère. Caro n'était pas méchante, mais c'était une gourde et il n'y avait aucune raison que Nick gâche tout à cause d'une remarque déplacée.

À la fin du repas, alors que leurs invités avaient rejoint la troupe qui commençait à s'agglutiner sur la pelouse pour écouter l'orchestre sur le point d'entamer son premier morceau, Hughes coinça sa femme sur la terrasse.

— Que se passe-t-il, Nick ?

— Que veux-tu dire ? riposta-t-elle en regardant ailleurs.

— Au dîner...

— Je suis désolée, dit-elle en tordant le tissu de sa robe entre ses doigts. Je n'y peux rien. Chaque fois que je pense à cette pauvre fille, je... je n'arrive plus à respirer.

Elle était au bord des larmes.

— D'accord. D'accord. Seigneur ! Ce n'est pas grave. Ne te mets pas dans cet état-là.

— Je suis dans tous mes états, bon sang ! (Elle pivota vers lui.) Pourquoi n'arrives-tu pas à comprendre ? Tu ne le sens donc pas ? On dirait que tout ce qu'il y avait de bien est... Ça ne veut plus rien dire. Tout est contaminé. Pourquoi est-ce que tu refuses d'ouvrir les yeux ?

— Écoute, Nick, tu ne peux pas, comment dire, tu ne peux pas être obnubilée par tout ça. Ce type est un salopard et ce qui est arrivé à cette fille est une tragédie. Mais ça s'arrête là. Ni plus ni moins.

Nick le dévisagea comme s'il lui parlait chinois, puis secoua lentement la tête.

— Tu as raison, mon chéri, bien sûr. Je suis sotte.

Il la sentit dériver encore plus loin de lui, sans qu'il puisse faire quoi que ce soit pour la rattraper.

— Nous devrions rejoindre nos amis, dit-elle d'un ton cassant, en lissant un pli invisible sur sa robe. Ce n'est pas une soirée très réussie quand l'hôtesse a une crise de larmes sur la terrasse, hein ?

— L'hôtesse est parfaite, répondit-il. Elle a peut-être juste besoin d'une coupe de champagne.

Il lui offrit son bras et l'escorta vers la pelouse. Il alla au bar chercher deux coupes mais, lorsqu'il retourna à l'endroit où il l'avait laissée, elle avait disparu.

En la cherchant des yeux dans l'océan humain, il repéra Arthur Smith-Thompson qui marchait droit sur lui.

— Bonsoir bonsoir.

— Vous avez trouvé le bar, hein ? s'exclama Hughes en lui administrant une tape dans le dos.

— Sans problème.

Ils promenèrent leurs regards sur la foule, puis Arthur lança :

— Je la connaissais, cette fille, vous savez. La bonne.

Quand Hughes se tourna vers lui, Arthur porta son attention ailleurs.

— Elle a travaillé pour nous l'été dernier.

— Vraiment ? Je l'ignorais.

Arthur hocha la tête.

— Oui. Elena. C'était... (Il s'interrompit avant d'ajouter à voix basse :) ... le genre de fille dont on n'arrivait pas à détacher les yeux.

Les accents de la musique flottaient vers eux.

— Je ne serais pas surpris que ce soit Frank. Le coupable, je veux dire.

Arthur éclusa son verre.

Hughes le dévisagea, incrédule.

— Elle était comme ça. Une allumeuse, comme on dit. Elle vous attirait vers elle et puis vous rejetait.

Son ton amer souleva le cœur de Hughes.

— Vous voyez ce que je veux dire ?

— Je n'en suis pas certain.

— J'espère juste que Frank n'est pas tombé dans le panneau. Ce serait sacrément regrettable. Caro n'avait pas tort. Ce n'était qu'une question de temps avant qu'il y ait du grabuge avec cette fille qui courait après les hommes mariés. Ça me rend dingue, ces individus qui s'ingénient à tout bousiller. Ils ne pensent qu'à assouvir leurs caprices sans jamais prendre les autres en compte. Ils se croient tout seuls, vous voyez.

— Je ne vois pas très bien comment on pourrait blâmer cette pauvre fille de s'être fait assassiner, commenta Hughes.

— Elles sont comme ça, ces filles-là, riposta Arthur avec véhémence. Elles ne se rendent pas compte de ce qu'elles ont. Il leur faut toujours plus.

Hughes regarda son ami dont le visage avait brusquement enlaidi. Il pensa à Eva, puis à Nick. Soudain il comprit ce que sa femme avait voulu dire. Il devait à tout prix la trouver sur-le-champ.

— Excusez-moi, Arthur, dit-il. Je ferais bien d'aller voir si Nick a besoin d'un coup de main.

— Certainement, répondit Arthur, mais il n'écoutait plus.

La fête battait son plein. Il lui fallut un temps fou pour traverser la pelouse d'un bout à l'autre en s'arrêtant toutes les quelques secondes pour saluer les convives. L'orchestre jouait un air de Noël Coward et Hughes se demanda, un peu tardivement, comment ils prévoyaient de jouer du ragtime sans piano. Il rit. Ils s'étaient fait avoir. Cela n'avait pas d'importance, apparemment. Un brouhaha enthousiaste montait de la foule, la file d'attente au bar était longue – mais pas trop –, et des couples avaient commencé à danser gaiement sur la musique que les Top Liners jugeaient bon d'interpréter.

Il chercha la tête brune de Nick, sa robe bleue parmi les smokings et les soies aux tons pastel. En vain. Au bar, il trouva Daisy et son amie à la frange. Elles traînaient aux abords, cherchant sans doute un moyen de chiper un peu de champagne.

— Bonjour, les filles.

L'amie de Daisy était curieuse, charmante et théâtrale à la fois, répondant à toutes ses questions comme si elle jouait dans une pièce. Cela le fit sourire. Daisy avait l'air gênée.

Prenant pitié d'elles, il pria le barman de leur mettre quelques gouttes de vin dans un peu d'eau avant de les envoyer écouter l'orchestre.

Il continua à serrer des mains, à embrasser des joues à la hâte, de plus en plus empressé de trouver Nick. À un moment donné, il l'aperçut près de l'estrade en train de parler avec Daisy et ce garçon qui avait le béguin pour elle. Le temps qu'il descende jusque-là, ils avaient tous émigré ailleurs. C'était comme dans un rêve, lorsqu'on essaie de courir mais que l'on arrive seulement à se mouvoir au ralenti.

Il était en train de parcourir la pelouse des yeux pour la énième fois quand Dolly Pritchard lui mit le grappin dessus.

— Bonjour, dit-il. Je cherche ma femme partout, mais elle n'arrête pas de m'échapper.

— Seigneur ! répondit-elle. Ça ne me semble pas du tout satisfaisant.

— Je ne vous le fais pas dire.

— Elle a dit qu'elle descendait au hangar se rafraîchir, je crois bien.

Les musiciens faisaient une pause. Seul le brouhaha des conversations ponctué d'éclats de rire emplissait la nuit. Hughes regarda dans la direction du ponton et de l'étroite bande de plage pour voir si Nick n'était pas en train de se tremper les pieds dans l'eau. Cela lui arrivait parfois quand elle avait abusé de l'alcool, sous prétexte que ça avait un effet dégrisant.

— Les orteils sont très sensibles, affirmait-elle. La plupart des gens n'en font pas cas, mais c'est le premier contact que nous avons chaque jour avec le sol. De vraies antennes.

Hughes songea à toutes ses lubies, des centaines, des milliers, assez pour emplir les journées. Comment avait-il pu passer à côté de tout ça ? Il repensa au commentaire qu'elle avait fait au sujet de ce meurtre qui avait tout gâché. Il comprenait ce qu'elle avait voulu dire, mais elle se trompait. Rien n'avait changé, pas vraiment. C'était juste que, dans ce genre de circonstances, il fallait prendre parti. Vis-à-vis des amis, on se devait de faire semblant d'être d'accord avec tout le monde en souriant à tout va. C'est ce qui compliquait les choses, toute la tension provoquée par la nécessité de feindre de comprendre. Hughes commençait à se rendre compte que choisir son camp n'était pas son fort. Il avait utilisé Eva comme une armure, face à Nick, à sa crainte de ne pas être celui qu'il aurait voulu être. Et, pendant tout ce temps-là, Nick était restée là, à attendre, comme un objet figé dans l'ambre.

Sentant quelqu'un le tirer vivement par la manche, il fit volte-face. Daisy était là à le regarder, les yeux écarquillés.

— Où est maman ? fit-elle d'une voix aiguë, désespérée.

— Daisy. (Il la prit par l'épaule, sentant la panique le gagner.) Que se passe-t-il ?

— Où est maman ? J'ai besoin d'elle.

— Je ne sais pas, mon cœur. (Il porta son regard vers la pelouse.) Je crois qu'elle est descendue se rafraîchir au hangar.

Daisy s'arracha à lui et s'élança à toutes jambes en direction du port. Il la rappela, mais elle ne se retourna même pas. Il repensa à la sonnerie du téléphone dans la maison de Traill Street, à la sensation du combiné froid contre son oreille. Il hésita un instant avant d'emboîter le pas à sa fille, en écartant les grappes d'invités qui l'interpellaient au passage.

Il contourna le hangar. De là, la douche extérieure se détachait sur le ciel. Il entendit l'eau couler dans les canalisations. Nick devait être sous la douche, ce qui signifiait qu'elle était ivre.

Quand ses yeux s'accommodèrent, il vit quelqu'un d'autre : Ed, plaqué contre les lattes, reluquant à l'intérieur. Il se raidit. Il sentait les fluides de son système sanguin, lui entravant les membres, bloquant sa respiration. Soudain, Daisy surgit du côté du ponton. Elle s'arrêta net et se mit à marmonner comme si elle révisait sa leçon de catéchisme. En entendant sa voix, Ed se retourna vivement. Hughes savait qu'il devait réagir, faire quelque chose, mais il avait des jambes de plomb.

Les deux enfants se dévisageaient sans rien dire, comme s'ils communiquaient dans un langage tacite, secret. On entendait Nick chantonner sous la douche, un air doux que les musiciens avaient joué plus tôt dans la soirée.

Daisy appela sa mère.

— La curiosité est un vilain défaut, fit Ed.

Hughes sentit ses muscles se crisper, se tordre.

— Mais le jeu en vaut la chandelle, répondit Daisy à voix basse.

Il vit Ed pencher la tête sur le côté, comme il l'avait fait lorsqu'il l'avait giflé.

— Qu'est-ce que tu fais là à épier ma mère, Ed Lewis ? Serais-tu un pervers sexuel ? Comme M. Wilcox ?

— Ne me parle pas de Wilcox, riposta-t-il d'une voix blanche, dénuée de la dérision qu'il avait manifestée à l'égard de Hughes.

Il avait un ton plus... Défensif ? Meurtri ? Hughes n'arrivait pas à mettre précisément le doigt dessus.

— Ces allumettes, reprit Daisy, celles du Hideaway...

Le Hideaway, les allumettes, le shérif. Comme un loquet qui s'ouvre. Hughes sentit qu'il se détendait. Il s'élança.

— Écarte-toi de lui, Daisy. Tout de suite.

Il la vit reculer prestement au son de sa voix. Ed se tourna pour lui faire face, l'air presque content de le voir, comme s'il l'avait attendu. Hughes l'attrapa par le bras, l'entraînant avec lui sur la plage dans son élan. Il lui tordit le bras sans ménagement. Sentant les jeunes muscles, les os, les tendons résister à la pression, il envisagea un instant de

le briser. Il imaginait le craquement satisfaisant, l'étonnement qui se lirait sur le visage du garnement. Son propre
sentiment de triomphe. Mais, en entendant la rumeur des
invités au loin, il relâcha légèrement sa poigne tout en
rapprochant son visage de celui de son neveu. Il détecta
sa propre haleine, chargée d'alcool, dans le petit espace
entre les deux.

— Écoute-moi, dit-il, pantelant. (Son crâne le déman-
geait à cause de la sueur.) Je te connais. Je sais qui tu es.
(Il essaya de calmer sa respiration.) Oui, je te connais,
répéta-t-il en lui tirant à nouveau brutalement le bras. Alors
voilà ce qui va se passer. Si jamais je te vois t'approcher
de ma femme, si tu t'avises de regarder ma fille comme
tu l'as fait ce soir, si tu fais ne serait-ce que respirer dans
leur direction d'une manière qui me déplaît, j'attendrai
que tu t'endormes un soir, je viendrai dans ta chambre
et je te briserai la nuque. Je ferai ça et je dirai à tout le
monde que tu es tombé dans l'escalier dans une crise de
somnambulisme.

Hughes crut voir une lueur de doute passer dans le regard
du garçon qui jeta un rapide coup d'œil de côté, comme
s'il ne croyait pas à cette menace.

— On s'est bien compris ?

Ed esquissa une grimace, un tressaillement presque imperceptible entre la commissure de la bouche et le coin de l'œil.
Il devait lui faire mal. Hughes se redressa peu à peu, prêt à
le lâcher maintenant qu'il lui avait livré son message, mais
Ed se pencha vers lui et colla ses lèvres contre son oreille.

— C'était de la recherche, chuchota-t-il. Frank Wilcox et
la fille. Ma mère et M. Fox. Tante Nick et le trompettiste.
Je les ai vus.

Hughes sentit toute son énergie le quitter. Il avait des
picotements partout. Il entendit le garçon respirer fort pendant que lui-même digérait l'information.

— Je te l'ai déjà expliqué, poursuivit Ed, personne ne dit vraiment ce qu'il pense. Rien de tout ça n'est réel.

Il s'écarta un peu et dévisagea son oncle comme s'il cherchait véritablement à comprendre.

— Je pense, je ne sais pas encore, mais je pense qu'ils s'y prennent de travers, tous autant qu'ils sont.

Le cerveau de Hughes se ferma. Il lâcha prise. Ed se redressa en se frottant le bras. Il fouilla intensément son visage, hocha un peu la tête puis s'éloigna pas à pas, à reculons, en direction de la fête. Hughes resta cloué sur place. Il entendait les rires fuser. Les lumières des bateaux dans le port lui faisaient des clins d'œil, les mâts cliquetaient au loin. La trompette gémit dans la nuit. Il ferma les yeux.

Il n'aurait pas su dire combien de temps il était resté là à ne penser à rien, l'esprit lisse, vide. Pour finir, il se détourna de l'eau. Une lanterne brillait dans le hangar. En s'approchant, il vit Daisy assise par terre, la tête sur les genoux de sa mère. Les cheveux de Nick étaient encore humides, mais elle avait remis sa robe de soirée dont les fils d'or scintillaient dans la lueur.

Restant hors de leur vue, il s'adossa au mur et tendit l'oreille.

— Je m'en fiche, disait Daisy. Je les déteste tous.

— Ma chérie. (La voix de Nick était plus douce, plus tendre que lorsqu'elle s'adressait d'ordinaire à sa fille.) Je veux que tu m'écoutes. Je vais te dire quelque chose dont il sera peut-être important que tu te souviennes un jour. S'il y a une chose dont tu peux être sûre dans la vie, c'est que tu n'embrasseras pas toujours la bonne personne.

Hughes leva les yeux vers le ciel et laissa échapper un son étrange, triste, qu'il ne se savait pas capable de produire. Il se passa la main sur les yeux puis, se redressant, il s'écarta du hangar en repoussant la surface rugueuse des deux paumes.

Il se dirigea vers la porte et entra, sentant la lueur de la lanterne sur sa peau moite. Le petit visage maculé de larmes

de Daisy se leva vers lui. Nick lui sourit avec douceur,
d'un air de conspiratrice.

— Vous voilà, dit-il. J'étais sûr de vous trouver là. Mes
deux filles préférées. Je suis si content de vous voir.

ED

Juin 1964

J'ai cette image de Daisy dans la tête. C'est le début de l'été, nous sommes sur le porche de Tiger House. La nuit tombe. Je reviens d'une visite chez ma mère à l'hôpital. Elle y a séjourné plus longtemps que quiconque ne s'y attendait, plus longtemps, j'en suis sûr, que tante Nick et oncle Hughes ne pouvaient se le permettre. L'hôpital est un drôle d'endroit. Je vis un de ces instants où il ne semble plus y avoir de rapport entre le lieu où j'étais plus tôt et celui où je me trouve maintenant. Je me demande : comment se fait-il que j'aie été là-bas tout à l'heure, qu'à présent, je sois ici ? Tout cela n'a aucun sens. Et puis je regarde Daisy et j'ai la sensation que, en ce moment même, sous mes yeux, elle se déploie. Elle *devient,* comme aurait dit mon père. Elle ne dit pas un mot à propos de ma mère à l'hôpital. Elle me regarde à son tour et dit : Reading Room ? Je meurs d'envie de boire un verre. Je réponds : D'accord. Quelque chose comme ça. Alors elle glisse son bras sous le mien, je sens son bracelet à travers la manche de ma chemise. J'en ai des frissons tout le long de la colonne vertébrale. Nous descendons les marches du perron dans l'obscurité. Voilà comment tout commence.

— J'ai toujours eu la sensation étrange que tous les gens ici sont les mêmes, disait la femme aux yeux mauves.

Nous étions au Reading Room. Thomas attendait de prendre notre commande. Daisy se borna à rire, mais j'avais trouvé cette remarque intéressante, si bien que je me rapprochai de la dame.

— Gin tonic pour moi, dit Daisy. Ed ?

Je n'arrivais pas à me concentrer parce que je continuais à ruminer l'idée que nous étions tous les mêmes. La pièce était remplie d'hommes et de femmes qui donnaient l'impression qu'ils auraient tous pu voir le jour la même seconde de la même année. Blazers bleu marine, ou jaunes, pantalons verts, jupes roses ornées de baleines jaunes, ceintures jaunes à motifs de homards roses. Baskets Nantucket, cravates en reps bleues et blanches, jaunes et violettes, roses et bleu marine. Ça donnait mal à la tête.

— Ed ?

En levant les yeux, je vis Thomas qui tambourinait du bout des doigts sur le comptoir ciré.

— Taratata ! s'exclama Daisy en se détournant. Il prendra un gin tonic lui aussi.

— Taratata, répétai-je en souriant.

Elle me rendit mon sourire en m'assénant un coup de coude. Elle était la seule à faire ce genre de choses.

— Olivia, ajouta-t-elle en se tournant vers la femme aux yeux mauves, vous connaissez mon cousin, Ed ?

— Je n'en suis pas sûre.

Pour ma part, je ne me souvenais même pas de l'avoir croisée. Elle était jolie, bien qu'un peu trop âgée pour être vraiment séduisante. Elle devait avoir un peu moins de la quarantaine, mais, plus jeune, elle avait dû avoir du succès.

— Ed va partir étudier à Princeton cet automne, déclara Daisy.

Je trouvais toujours bizarre d'insister là-dessus mais, au pensionnat, j'avais appris, entre autres, que l'université était une sorte de référence. Cela paraissait aller de soi. La pension avait été extrêmement formatrice à cet égard ; désormais, je savais décoder ces subtilités que tout le monde semblait comprendre naturellement. Je remerciais mon oncle Hughes de m'y avoir envoyé, même si je soupçonnais qu'il ne leur aurait pas été particulièrement reconnaissant de m'avoir enseigné ça.

— Princeton, vraiment ? Eh bien, c'est parfait. (Olivia semblait distraite mais, se ressaisissant, elle ajouta :) Vive les Tigres !

Elle me plaisait. Son jupon dépassait légèrement et ça aussi, ça me plaisait. Elle était vulnérable, un peu mal à l'aise. J'étais si près d'elle que son parfum me chatouillait les narines. Des senteurs de roses confites. J'avais envie de lui caresser les cheveux – d'un ton de roux singulier –, de sentir leur texture entre mes doigts.

Daisy était en train de signer la note, à la va-vite, comme toujours. Un gribouillis hâtif, après quoi elle la poussa prestement comme si elle ne supportait plus de l'avoir sous les yeux. Je la voyais faire ainsi depuis des années. Au Yacht Club, au Tennis Club, et dans ce bar, le saint des saints, où les femmes n'étaient admises qu'un dimanche sur deux.

J'aurais bien aimé bavarder un peu plus longtemps avec Olivia aux yeux mauves, mais Daisy me tendit mon verre en disant :

— Il faut qu'on aille rejoindre mes parents. C'est eux qui régalent, après tout.

— Au revoir, lançai-je à Olivia. Ce fut un plaisir de discuter avec vous.

Elle me sourit, mais déjà elle cherchait quelqu'un d'autre à qui se cramponner dans cet océan d'uniformité.

— Arrête de traînasser, Ed Lewis, me gronda Daisy en me prenant la main.

Nous nous frayâmes un chemin à travers la foule vers la terrasse où les femmes s'escrimaient à éviter que leurs talons se coincent entre les planches. Dehors, Daisy hésita un instant, relâchant un peu ma main, jusqu'à ce qu'elle aperçoive sa mère à l'autre bout, et non loin d'elle, oncle Hughes.

Tante Nick se distinguait de l'océan d'uniformité. D'une certaine manière, elle me fascinait – cela avait quelque chose à voir avec sa manière de se mouvoir –, mais je ne l'aimais pas particulièrement. À maints égards, sous sa singularité apparente, elle était exactement comme les autres. J'avais acquis la conviction que le monde se composait de deux camps : des gens comme Daisy et moi, qui menaient leur vie aussi honnêtement que possible, et le reste de l'humanité qui, pour diverses raisons, ne pouvait s'empêcher de se mentir à soi-même.

Lorsqu'il nous vit approcher, je remarquai dans les yeux de Hughes un mouvement de recul. C'était impressionnant, sa faculté à exprimer une chose avec son corps et une tout autre par la parole. Je savais qu'il ne pouvait pas me sentir, depuis l'épisode Frank Wilcox, mais le plus drôle c'est que je ne le trouvais pas antipathique. Je regrettais même un peu tout ça. Je n'avais pas cherché à le monter contre moi, seulement à l'époque je ne savais pas encore qu'il fallait garder certaines choses pour soi. Ni comment parler aux gens. Autre leçon que le pensionnat m'avait enseignée.

— Bonjour, ma chérie, dit Nick en se penchant pour embrasser sa fille, et je sentis son parfum floral flotter autour d'elle, allié à des relents d'alcool. Bonjour, Ed.

— Bonjour, répondis-je avant de serrer la main à Hughes.

— Comment va ta mère ? demanda Nick, l'air sincèrement préoccupée.

— Elle est à l'hôpital.

— Oui. Le docteur pense qu'elle pourra rentrer cet été. L'as-tu trouvée... bien ?

— Je crois.

Je n'avais jamais vraiment compris ce que les gens entendaient par ça, hormis qu'on était censé répondre par l'affirmative. Selon les normes de Nick, ma mère n'allait pas bien. Elle était très en colère et ne savait pas très bien dissimuler ses émotions, malgré ses efforts considérables.

Lors de ma dernière visite, j'avais bien vu qu'elle essayait de me communiquer quelque chose, à propos de ma tante. Mais, en toute franchise, je ne voyais pas pourquoi elle était aussi furax. Ce n'est pas comme si elle faisait grand-chose avant d'être à l'hôpital, à part dormir dans cette chambre sombre et se chamailler avec mon père.

— J'espère tellement...

Nick laissa sa phrase en suspens.

Hughes posa une main sur son bras.

— Ed vient d'arriver, maman, intervint Daisy. Il n'a pas envie de parler de l'hôpital.

— Désolée, répondit Nick en jetant des coups d'œil autour d'elle, sans doute pour voir si quelqu'un prêtait attention à notre conversation.

— Alors, Ed, reprit aimablement Hughes, quels sont tes projets pour l'été ?

— Il sera mon escorte, répondit Daisy en pressant ma main toute moite à force d'être serrée dans la sienne. Enfin, s'il veut bien arrêter de se pâmer devant des femmes plus vieilles. Vous auriez dû le voir ! (Elle sourit à ses parents.) Il a eu un mal de chien à s'arracher à Olivia Winston, ne serait-ce que le temps de commander un verre.

— C'est faux !

— Menteur.

Oncle Hughes me décocha un de ses regards perçants ; je pris un air dégagé.

— Oh ! fit tante Nick en jetant un coup d'œil par-dessus nos têtes. N'est-ce pas Tyler Pierce que je vois là-bas ?

Évidemment que c'était lui. Elle le savait pertinemment puisqu'elle avait les yeux rivés sur lui. Daisy se retourna malgré tout, rapidement.

— Qui est-ce, ce Tyler Pierce ? demanda Hughes.

— L'un des prétendants de ta fille, répondit Nick, arborant un de ses grands sourires un peu fous.

— Pas du tout, protesta Daisy.

Mais je voyais bien qu'elle n'était pas vraiment sincère. Je m'en apercevais toujours, parce que ça lui allait très mal de mentir.

— En tout cas, le voilà, annonça Hughes, qui souriait lui aussi maintenant, mais différemment de Nick, comme si le commentaire de Daisy l'avait amusé.

— Bonjour, Tyler, lança Nick.

— Bonjour, madame Derringer. Monsieur Derringer.

Il était juste à côté de Daisy, mais elle regardait ailleurs, ce qui était probablement une bonne chose dans la mesure où il ne quittait pas ma tante des yeux.

— Bonjour, Daisy, dit-il finalement, si bien qu'elle fut contrainte de se tourner vers lui.

— Bonjour, répondit-elle d'un ton désinvolte, mais il était évident qu'elle avait envie qu'il continue de lui parler. Tu te souviens de mon cousin, Ed ?

— Bien sûr.

Nous échangeâmes une poignée de main, mais j'eus la nette impression qu'il n'avait pas la moindre idée de qui j'étais.

— J'étais en route pour le bar, ajouta-t-il. Quelqu'un aimerait-il que je lui rapporte un verre ?

— Je t'accompagne, dit Nick. Chéri ? Veux-tu quelque chose ?

— Non, répondit Hughes. Je vais essayer de me trouver une huître avant qu'il n'y en ait plus. J'en prends une pour toi ?

— Oh oui, s'il te plaît, répondit Nick en l'enveloppant d'un regard enjôleur qui me fit frémir.

Daisy s'adossa à la balustrade et leva les yeux au ciel.

— Tu es toujours entichée de lui, hein ?

— Oui, Ed, je le suis toujours, répondit-elle à voix basse.

Je vis les muscles de ses avant-bras se contracter sous sa peau. Elle se retourna brusquement vers moi et lança d'un ton véhément :

— Mais je n'aime pas ses manières. Elles sont trop parfaites, trop affectées.

— Affectées, oui.

— Je sais, il y a des moments où je le déteste à cause de ça.

Elle racla sa semelle contre les planches. Elle portait des souliers jaunes. Plats.

— Il dévorait ta mère des yeux.

— Quoi ?

Elle me dévisagea comme si elle ne m'avait pas entendu.

— Ta mère, répétai-je, il n'arrêtait pas de la mater.

— C'est le cas de tout le monde, non ? Ça n'a rien à voir avec elle, de toute façon. C'est à cause de ce qui s'est passé entre nous. On a couché ensemble.

Ne sachant que répondre, je gardai le silence. Mais c'était un rebondissement intéressant.

— L'été dernier, si tu tiens à le savoir. Arrête de me dévisager comme ça.

— Je ne te dévisage pas.

— Il y a des moments où je déteste tout le monde.

Quand elle disait ce genre de choses, j'avais envie de poser ma main sur son épaule, son poignet. Pour voir si sa peau avait une autre texture dans ces moments-là. On ne se touchait presque jamais, seulement quand l'initiative venait d'elle, en fait. Je n'en éprouvais pas le désir. Sauf dans des instants comme celui-là, quand elle était de cette humeur. Je me demandais si j'arriverais à percevoir quelque chose

— un changement de température peut-être. Je savais pourtant qu'en aucun cas je ne devais ne serait-ce que l'effleurer quand je cogitais ainsi.

— J'ai envie d'un verre, déclara-t-elle.

— D'accord.

— Tu veux bien aller me chercher un autre gin tonic ?

Je retournai au bar où Thomas me fusilla du regard, mais me servit tout de même. Je pris une pistache dans un des bols et fis sauter la coquille. J'aime le fait que les pistaches, comme les cacahuètes, sont enveloppées d'une coquille très dure, mais aussi d'une peau à l'intérieur, autour de la noix elle-même, comme si la coquille ne suffisait pas.

Je regardai autour de moi.

La femme aux yeux mauves avait disparu, mais j'aperçus tante Nick sur la terrasse, en pleine conversation avec Tyler. Elle donnait l'impression d'être à moitié dans le Reading Room, à moitié dehors, comme si elle avait migré sans s'en rendre compte et tenté ensuite de faire marche arrière. Plus grand qu'elle, Tyler devait se pencher légèrement pour lui parler. Je pris le cocktail que me tendait Thomas et m'acheminai vers une fenêtre donnant sur la terrasse. En m'adossant au mur à proximité, j'allais pouvoir les écouter à leur insu. Le plus vieux stratagème du monde.

Je lorgnai le gin tonic que je tenais avant d'en boire une gorgée. J'irais en chercher un autre pour Daisy plus tard. Je mordis dans un glaçon et le sentis se fracasser entre mes dents.

— J'étais vraiment content de vous voir ici ce soir, disait Tyler, d'autant plus que j'ai fait de la limonade aujourd'hui. Vous souvenez-vous de la recette que vous m'avez donnée ?

Ma tante partit d'un grand éclat de rire, comme si elle n'en avait strictement rien à faire de ce qu'il était en train de lui raconter.

— Vraiment ? Mon Dieu ! Quand t'ai-je révélé ma recette secrète ?

— Il y a des siècles, mais je ne l'ai jamais oubliée.

— Eh bien, tant mieux.

Un silence suivit. J'imaginai Tyler en train de la contempler.

— Vous passez une bonne soirée ? demanda-t-il au bout d'un moment.

— Oui, répondit-elle en s'esclaffant à nouveau. Quelle drôle de question ! Évidemment.

— Parfait. Je n'arrive jamais à savoir ce que vous pensez. Vous faites partie de ces gens-là.

— Quels gens ?

— Je ne sais pas, ceux qui sont difficiles à cerner. Vous avez toujours l'air de vous amuser, mais j'ai parfois le sentiment que... comment dire, que vous jouez la comédie.

— C'est une conversation bien profonde, Tyler, que je ne suis pas sûre d'être capable de tenir après deux cocktails seulement, répondit Nick de ce ton qui mettait son interlocuteur en boîte.

— C'est précisément ce dont je parle.

— Que veux-tu dire ?

— Je pense que vous faites semblant. Là maintenant, tout de suite. Ça se voit.

— Seigneur ! Tout cela prend une tournure bien étrange.

— Je vois clairement en vous, affirma Tyler, l'air sûr de lui. Nick, ajouta-t-il.

Il y eut un autre silence, et je dus me faire violence pour ne pas leur jeter un coup d'œil.

— Lâche mon poignet, Tyler chéri. Tu te donnes en spectacle, là.

Elle franchit le seuil à cet instant, le dos très droit, et me vit, plaqué contre le mur.

— Ed ! s'exclama-t-elle. Où est Daisy ?

— Sur la terrasse.

Je scrutai son visage pour déchiffrer sa réaction. Elle devait savoir que je les avais épiés, mais elle n'ajouta rien et s'éloigna tranquillement.

Je pensais à tout ça, à ce que cela signifiait. Elle aurait pu dire un million de choses. Que Tyler Pierce avait trop bu, par exemple. Ou alors : Seigneur Jésus, ce Tyler Pierce est un cas. Ou encore : Je viens d'avoir la conversation la plus insolite qui soit avec Tyler Pierce. Mais elle s'abstint de tout commentaire. Je continuai donc à ruminer, après quoi je la suivis sur la terrasse où elle avait rejoint Daisy.

— Ed Lewis, quelle limace tu fais ! lança Daisy dès qu'elle me vit. Qu'est-il arrivé à mon drink ?

En baissant les yeux sur le gin tonic, je me rendis compte que je l'avais presque éclusé.

— J'ai été détourné, fis-je.

Nick tripotait son mouchoir dans son sac.

— Bon d'accord, dit Daisy. Je vais aller m'en chercher un autre.

Je la suivis des yeux. De l'endroit où je me tenais, je la vis passer sa commande à Thomas. Puis Tyler s'approcha d'elle et posa une main au creux de son dos. J'étais sur le point de les rejoindre à l'intérieur quand Nick m'arrêta.

— Ed, ton oncle et moi retournons dîner à la maison. Veux-tu bien t'assurer que Daisy rentre sans dommage ? Ne va pas courir après ces dames. Et ne la laisse pas trop boire. C'est inconvenant.

— Je ne cours pas après les dames.

— Bon, bon, très bien. (Elle ne m'écoutait pas vraiment.) Je vous laisserai quelque chose dans la cuisine. Des sandwiches ? Je ne sais pas. N'oubliez pas de manger en revenant.

Elle se pencha pour me déposer un baiser sur la joue et je sentis à nouveau son parfum qui me brûla légèrement les narines.

Elle se dirigea vers Hughes qui s'entretenait avec un homme en pantalon rouge vif et ceinture verte, tout aussi voyante, près du bar à huîtres, et posa une main sur son bras. Il se tourna vers elle et la regarda comme s'il avait attendu cet instant toute la nuit. Ils partirent aussitôt.

Je me dirigeai à l'intérieur, vers Daisy et Tyler. Il lui souriait. Je m'approchai d'eux, tout près, mais ils ne me remarquèrent pas. J'arrivais parfois à me tenir étonnamment près de quelqu'un sans que ma présence se fasse sentir. Je ne savais pas trop comment je me débrouillais. C'était une question d'immobilité, non seulement physique, mais aussi mentale. Il fallait que tout soit tranquille, vide. Dès lors, c'était presque comme si je n'existais plus.

— Je te dois des excuses, dit Tyler. Je comprendrais que tu me haïsses. Je ne t'en voudrais pas. Je me suis affreusement mal comporté l'été dernier.

En disant cela, il continuait à sourire jusqu'aux oreilles comme si c'était une bonne blague.

Daisy le dévisageait sans rien dire.

— J'ai eu vraiment honte. Je n'aurais pas dû te laisser partir comme ça.

— Oui, répondit-elle finalement. Tu as été ignoble.

— Je suis désolé. Peux-tu me pardonner ?

— Je ne sais pas.

— Laisse-moi me racheter.

Elle parut sur le point de répondre, mais quelque chose l'incita à se retourner et elle me vit. Elle parut interloquée.

— Pour l'amour du ciel, Ed, arrête d'espionner les gens comme ça !

— Je ne vous espionnais pas.

C'était vrai. J'étais resté planté là, en pleine vue.

— Enfin, tu vois très bien ce que je veux dire, fit-elle en tapant du pied.

— Ta mère m'a recommandé de ne pas te laisser trop boire.

— Je n'ai pas besoin d'un baby-sitter.

— Il veille sur toi, c'est tout, intervint Tyler. N'est-ce pas, Ed ?

Il me sourit. J'avais l'impression qu'il me considérait comme légèrement attardé.

— Je veille sur elle, oui.

Tyler plissa les yeux comme si j'avais dit quelque chose de désagréable. Il changea presque imperceptiblement de posture, relevant légèrement le menton pour m'envelopper du regard.

— Allons, tu n'as pas de raison de t'inquiéter, vieux, dit-il. Je m'occupe d'elle.

Je le fixai sans rien dire.

— Oh, Ed, voyons, s'exclama Daisy, cesse d'être aussi bizarre.

Il m'arrivait de penser qu'elle me comprenait, qu'elle était parfaitement au courant de la tâche que j'accomplissais, qu'elle approuvait, ou tout du moins la tolérait. Mais peut-être me faisais-je des illusions.

— On va se balader, déclara-t-elle. Et toi, qu'est-ce que tu vas faire ?

— Je n'en sais rien.

— Bon... (Elle hésita.) On se retrouve à la maison plus tard, alors.

Elle passa son bras sous celui de Tyler. Il me regarda, toujours le même sourire aux lèvres.

— Sympa de te revoir, Ed.

Mais il ne prit même pas la peine de me serrer la main, cette fois-ci.

— Au revoir.

Moi aussi je partis faire une promenade, le long du port, aussi loin que possible, avant de remonter vers Old Sculpin Gallery. Quelques cyclistes attendaient le dernier ferry pour Chappaquiddick. Dont une jeune femme avec un foulard sur la tête. Seule. Elle jouait avec la lanière de sa sandale, à l'évidence cassée, qui pendait mollement sur le côté, résistant aux efforts qu'elle déployait pour la boucler. Je sentis ma respiration s'accélérer un peu. Je songeai un bref instant à monter à bord avec eux, mais Chappy était un endroit si sauvage que je me perdrais sans doute dans l'obscurité et risquerais de me faire piquer par du sumac vénéneux.

Je remontai North Water Street, pris à gauche dans Morse Street. Les courts de tennis m'interpellaient, mais je les ignorai. J'avais appris que, à force de ressasser une chose, elle perdait toute sa magie. Je me rabattis sur Fuller Street avec ses petites maisons blanches immaculées aux terrasses enveloppantes. Soudain une femme surgit devant moi. Je marchais sans bruit, sur la pointe des pieds, comme M. Reading m'avait appris à le faire chez les scouts tant d'années auparavant. En me rapprochant d'elle, aux reflets roux de ses cheveux, à sa manière de marcher, ses épaules un peu voûtées, je reconnus Olivia aux yeux mauves.

Elle poussa un portail et entra. Je m'attardai un peu jusqu'à ce qu'une lumière s'allume dans une pièce à l'étage. Après quoi je franchis à mon tour le portail et avançai dans l'ombre sur le côté de la maison d'où la fenêtre était clairement visible.

Elle passa devant, souleva un peu plus le châssis tout en glissant une main sur sa nuque, comme si elle avait chaud. Puis elle ôta sa robe. Elle portait une combinaison rose coquillage. Elle disparut ensuite. Je redoutai qu'elle ne revienne pas. Mais, au moment où j'allai me résigner à m'en aller, elle ressurgit. Elle se planta toute droite devant la fenêtre, posa sa main sur ses yeux. Ses sanglots me parvinrent, non pas parce qu'ils étaient bruyants – ce n'était pas le cas –, mais parce que nous étions proches l'un de l'autre, bien qu'elle se trouvât à bien trois mètres au-dessus de moi.

J'avais une furieuse envie de pénétrer dans la maison. Je voulais la toucher, savoir ce qu'elle avait sous la peau. C'était une femme intéressante, mais elle avait ses fêlures.

Des fêlures qui m'attiraient parce qu'elles permettaient d'entrevoir l'intérieur. Un aperçu de ce qui se cachait sous la surface. Les bourrelets débordant sur les hanches ; la petite peau mordillée ; les bavures de rouge à lèvres, le bas filé. Il m'était impossible d'entrer. Si Frank Wilcox m'avait appris quelque chose, c'est que l'île était petite. Il avait eu de la chance ; Elena Nunes n'était qu'une bonne. Olivia, en revanche, faisait partie de notre communauté. Elle était intouchable.

En sortant du jardin, j'éprouvai une certaine satisfaction tout de même à la laisser sangloter seule dans sa chambre. Je me sentis léger, comme si tout était possible désormais, comme si le monde m'appartenait. Il n'était pas toujours nécessaire d'agir, il suffisait parfois d'y penser, seul dans le noir, et de s'avouer honnêtement ce qu'on voulait.

Tandis que je descendais North Water Street en direction de Tiger House, le silence autour de moi était presque palpable. Personne sur les trottoirs, seul le bruit de mes chaussures martelant le macadam m'accueillait. Je me disais que la soirée avait été bonne. Jusqu'à ce que je les voie.

La faible lueur du porche projetait des ombres autour d'eux et faisait scintiller les cheveux de Daisy comme une flambée. Ils étaient tout près l'un de l'autre, sans se toucher. Des papillons de nuit gris aux ailes poussiéreuses voltigeaient au-dessus de leurs têtes, et j'eus l'idée fantasque qu'ils étaient attirés par la lumière émanant de Daisy plutôt que par la lampe au-dessus. La main dans ses cheveux, il lui inclinait légèrement la tête en arrière. Elle était au bord du gouffre, ne se contrôlant plus tout à fait, comme si ce qui avait commencé plus tôt dans la soirée, sur ce même porche, était sur le point d'atteindre à son plein épanouissement. Puis il l'embrassa, et je sus alors que nous allions au-devant de gros ennuis.

Août 1967

Tyler vint me chercher à l'aéroport. Il tapotait impatiemment le volant de son auto vert olive quand je surgis dans l'atmosphère lourde de la côte Est. J'arrivais de Cedar Rapids et j'avais encore la tête pleine de l'Iowa, de ses vastes plaines et de la petite ferme près d'Elvira, si bien que l'apparence proprette, citadine de Tyler, sa chemise amidonnée, sans parler des sièges baquets en vinyle de sa voiture, furent un choc.

— Le coffre est ouvert, me lança-t-il et j'y rangeai ma valise et ma serviette. Il va falloir qu'on se dépêche si on veut avoir le dernier ferry, ajouta-t-il d'un ton courroucé quand je montai à côté de lui. Je ne voudrais pas me retrouver coincé à Wood's Hole.

Je me bornai à le dévisager ; ses yeux glissèrent sur moi avec gêne.

Quelques kilomètres plus tard, il revint à la charge.

— Alors, c'est l'anniversaire de ta mère.

— Oui.

— Je sais que Daisy est contente que tu viennes. Ça fait combien de temps que vous ne vous êtes pas vus, tous les deux ?

— Neuf mois, répondis-je. Un restaurant mexicain en ville, avant Noël.

Elle avait passé les fêtes en Floride avec ses parents. Moi j'étais à Tiger House avec ma mère, qui m'avait rebattu les oreilles à propos d'une affaire de couture qu'elle envisageait de monter de manière à pouvoir racheter notre ancienne maison. Je ne lui avais prêté qu'une oreille distraite. De tout façon, je préférais Tiger House.

— Eh bien, il s'est passé beaucoup de choses entre-temps. Le mariage et tout ça.

Daisy m'avait téléphoné un mois plus tôt pour m'informer qu'elle allait épouser Tyler. Je n'avais pas vraiment été surpris mais, au moment où elle me l'avait annoncé, mon esprit s'était vidé brusquement. Je n'avais plus rien entendu pendant quelques instants à part la friture sur la ligne.

— Et la fac ? avais-je finalement demandé.

— Oh, je ne sais pas. Je peux prendre un semestre de vacances et puis on verra. Je ne suis pas comme toi. Si je pouvais expédier mes études en trois ans, je le ferais. Seulement, j'en suis incapable, et je n'ai pas envie d'attendre. Je l'aime, Ed, et je veux me marier avec lui dès que possible.

— Je comprends, avais-je répondu, même si ce n'était pas vraiment ce que je voulais dire.

À côté de moi, Tyler alluma la radio.

J'inclinai la tête en arrière et humai le vinyle. Il avait cette odeur forte, un peu aigre, qui me donnait envie de grincer des dents.

— Elle est neuve, ta voiture ?

— Oui. Elle est belle, non ? Une Buick Riviera. De l'argent jeté par les fenêtres, mais tant pis. (Il sourit.) Nick trouve qu'on dirait un nénuphar.

— Et Daisy, qu'en pense-t-elle ?

Son sourire se dissipa un peu.

— C'est un véhicule pour salonnards, selon elle, dit-il en ricanant. Elle a raison, mais elle me plaisait vraiment.

— De quelle couleur est-elle, en fait ?

— Doré.

— J'aurais dit vert.

Le sourire disparut totalement.

— Je sais, bougonna-t-il avant de monter le son de la radio.

Je n'écoutais pas beaucoup la radio, mais la femme de la ferme en Iowa, Anna, en avait une, et nous avions dansé, même s'il fallait constamment tourner le bouton pour que le son soit clair. Celle de Tyler fonctionnait plutôt bien, mais tous les airs qui passaient me paraissaient criards et discordants.

— J'adore cette chanson, s'exclama Tyler alors que nous approchions de Wood's Hole. (Il me jeta un coup d'œil, dans l'espoir que j'acquiesce sans doute.) Les Doors, précisa-t-il en se mettant à chanter en rythme avec la mélodie. *C'mon, baby, light my fire.*

Je me pris à me demander à quoi ressemblait l'intérieur de son crâne. Heureusement pour nous deux, à la moitié du morceau, nous arrivâmes au ferry et nous dûmes nous hâter d'acheter nos billets et de monter la voiture à bord.

Il faisait presque nuit quand nous arrivâmes à Tiger House. Les phares dessinèrent un arc sur les bardeaux quand nous nous engageâmes dans l'allée. Je songeai aux granges dévastées que j'avais aperçues depuis Lincoln Highway. À cause des tornades. Ils en avaient essuyé toute une série dans la région durant l'hiver et au début du printemps. Les pires qu'on eût connues de mémoire d'homme. Elles avaient arraché des boutiques, des maisons, et tué une petite fille près d'Elvira.

La porte de derrière s'ouvrit et Daisy apparut.

— Tu es là ! s'exclama-t-elle, dévalant l'escalier pour venir à notre rencontre, pieds nus. Dieu merci ! J'étais inquiète. Je n'ai donné que d'horribles cadeaux à ta maman pour son anniversaire. Tu vas rétablir ma réputation, Ed Lewis.

Elle m'embrassa sur la joue. J'appréciais le fait qu'elle ne portât jamais de parfum. Elle sentait le savon Ivory et le shampooing pour bébé de la salle de bains à l'étage.

Elle se tourna vers Tyler, le visage animé, les joues en feu.

— Salut.

— Salut, répondit-il en souriant.

J'attendis pendant qu'elle l'embrassait. En regardant leurs bouches se mouvoir. Un muscle se crispa presque imperceptiblement le long de sa mâchoire. Je me demandai l'effet de ce que cela faisait d'être elle, ce qu'elle espérait trouver dans tous ces contacts humains. Cela dit, c'était quelqu'un de très intense, qui allait toujours de l'avant, et il me vint à l'esprit qu'elle ne cherchait peut-être rien. Elle traçait son chemin, voilà tout.

Je pensais à Anna, dans le salon de la petite ferme.

— J'ai vécu dans une telle solitude, m'avait-elle avoué quand je lui avais proposé de danser alors que les vestiges du repas encombraient toujours la table.

J'avais senti les petits muscles de son dos tressaillir sous ma main quand je l'avais tenue contre moi, mais il n'y avait aucun feu en elle, rien que de la tristesse. Tout au moins jusque plus tard, quand je lui avais mis le sac en plastique sur la tête. À cet instant, toute la vie contenue en elle avait surgi à la surface et son visage s'était illuminé comme un feu d'artifice.

J'étais en train de me demander si ce que je cherchais depuis toujours n'était pas en fait la véritable essence de l'esprit, quand Daisy se tourna vers moi en disant :

— Mince alors, Ed, tu es encore là ? Allez vite, il faut que tu montes voir ta mère.

Elle m'entraîna bras dessus, bras dessous vers la maison. Je me laissai faire.

— Ça t'a plu le trajet dans la *luuuuuxeuse* voiture de Ty ? dit-elle en riant.

Je ne voyais pas ce qu'il y avait de drôle là-dedans, aussi répondis-je :

— Il dit qu'elle est dorée, mais elle m'a semblé verte.

— Je sais. (Elle se tourna vers moi.) Tu ne lui as pas dit ça, j'espère. Ça le rend dingue. Même maman pense qu'elle est verte. C'est le *nec plus ultra*, de son point de vue.

— Il paraît qu'elle l'a comparée à un nénuphar.

— Vraiment ? Comme c'est poétique ! (Daisy s'arrêta à la porte.) Maman est un peu affolée, je te préviens. Figure-toi que le gâteau de Savoie a disparu. (Elle se pencha vers moi et chuchota en cachant sa bouche derrière sa main :) Elle croit que des gamins du voisinage l'ont chipé. En réalité, j'ai vu ta mère le refiler au chien du voisin. (Elle pouffa de rire ; un son cristallin.) Allez, viens.

Dès l'instant où je mis un pied dans la maison, je le perçus. Une sorte de tremblement de terre en sourdine. Je me tournai vers Daisy pour voir si elle l'avait remarqué aussi, mais elle me parut fidèle à elle-même.

J'avais constaté que chaque maison avait son atmosphère, comme un parfum particulier que l'on flaire en entrant. La ferme d'Anna sentait le défraîchi. Le délabrement. Tiger House, en revanche, exhalait les objets bien entretenus : bois ciré, amidon, pendules. *Ding dong*, heure après heure. Ce soir-là, quelque chose d'autre flottait dans l'air. J'avais des picotements dans les mains, comme chaque fois qu'un événement intéressant était sur le point de se produire.

Quand j'entrai dans la chambre de ma mère, mes soupçons se confirmèrent. C'était bien réel. Elle était coiffée très bizarrement. Une sorte de nid d'oiseau. Mais c'était son visage crispé, plein de tics, qui s'était métamorphosé.

Dès que Daisy nous laissa seuls, elle fit mine de s'affairer à se farder. Je voyais bien qu'elle était préoccupée. Depuis son séjour à l'hôpital, elle avait tendance à dire une chose alors qu'elle en pensait une autre. C'est ce qu'on lui avait

appris à faire, j'imagine, même si je n'étais pas convaincu
que ce fût un signe de santé mentale.

— Comment te sens-tu, maman ?

— Tout à fait bien, mon chéri, me répondit-elle.

J'attendis. Comme elle gardait le silence, j'ajoutai :

— Qu'est-il arrivé à tes cheveux ?

— J'ai eu un petit démêlé avec la coiffeuse, j'en ai peur.
Un cadeau de Daisy. Je me sentais un peu morose ce matin,
je dois dire.

Elle portait une robe bleue, mais ce furent les tigres qui
attirèrent mon attention. Ils scintillaient presque dans la
lumière. Elle tapota son énorme chevelure en me lorgnant
dans la glace.

Je lui rendis son regard, obligeant mes mains à rester
tranquilles. J'avais la tête qui tournait un peu.

— As-tu salué ta tante ?

— Je ne l'ai pas encore vue, répondis-je en pensant au
gâteau qu'elle avait fourgué au chien.

— C'est sympathique que Tyler ait pu venir pour le
dîner. (Elle tripotait un tube doré qu'elle avait sorti du
tiroir de la coiffeuse.) Il s'entend si bien avec la famille, ta
tante en particulier. Bien que…

Il y avait quelque chose dans sa voix, dans cet œil attentif,
l'électricité dans l'air.

— Je t'avoue, mon chéri, qu'il m'arrive de me demander
si cela ne met pas Daisy mal à l'aise. Il est gaga de Nick !

— Oui, marmonnai-je, il ne la quitte pas des yeux.

— Cela dit, Daisy est tellement gentille. Même si ça la
blesse, elle ne le dira jamais.

— Qu'essaies-tu de me dire, maman ?

Elle marqua une pause, se tourna vers moi, et je pensais :
ça y est, elle va cracher le morceau.

— Je ne voudrais pas voir Daisy souffrir, c'est tout. Toi
non plus, j'imagine.

C'était donc ça. Elle avait décidé que Nick était la méchante. D'où l'épisode du gâteau. Tout de même, c'était agréable de la voir essayer de reprendre un peu de contrôle sur sa vie. Peut-être avait-elle raison, finalement. Et si Nick était la méchante ? Elle manquait d'honnêteté, ça ne faisait aucun doute. Elle s'efforçait depuis toujours de contrôler sa fille. Daisy n'en était pas consciente, et elle n'y pouvait rien. En songeant aux souffrances que ma tante avait pu lui infliger, mon sang se glaça.

— Non, dis-je, je ne le permettrais pas.

— Évidemment, fit ma mère en tiraillant sur sa robe. C'est juste que ta tante, enfin, elle peut se montrer diablement têtue quand elle est persuadée d'avoir raison. Les gens comme ça ont parfois besoin qu'on les force à se rendre compte à quel point leur comportement peut être dangereux. Tu comprends ce que je veux dire ?

Je savais parfaitement où elle voulait en venir. Elle n'était pas très douée à ce petit jeu-là. Mon père s'y prenait nettement mieux qu'elle. Je l'avais regardé lui faire le coup encore et encore quand j'étais enfant. Une sorte de maître de l'arnaque sur le long terme. Lorsque j'avais compris qu'il s'était démené pour rien, j'avais perdu tout respect pour lui, je dois dire. Exhumer l'essence d'une actrice morte peut difficilement être l'œuvre de toute une vie.

Je décidai d'étudier le terrain avant de m'atteler au problème posé par ma tante. J'avais été trop absent, je n'avais pas observé ma famille d'assez près, je m'en rendais compte à présent. Ma mère semblait perdre les pédales, une fois de plus. Ça ne m'inquiétait pas outre mesure, mais la situation risquait de se compliquer dès lors qu'il faudrait quelqu'un pour s'occuper d'elle. Et si Nick était à l'origine de cette dégradation, eh bien, des mesures devraient sans doute être prises pour arranger ça. C'était ma mère, après tout.

Et puis, il y avait Daisy, bien sûr. Un souci supplémentaire.

J'entamai mes recherches à l'heure des cocktails. Je remarquai tout d'abord que ma mère buvait, et que Tyler était fidèle à lui-même.

— Je tiens à te remercier, Tyler, lui dit-elle. C'était vraiment très gentil à toi de nous amener Ed pour ma petite fête.

— Je l'ai fait avec plaisir, répondit-il, ce dont je doutais fort. Nick savait à quel point cela vous mettrait en joie. Où était-ce déjà ? L'Iowa ? Les ménagères et leurs Hoover.

Je dus réprimer un sourire à ce stade. S'il avait su !

— C'est cela, répondis-je. Les ménagères et leurs Hoover.

Je me demandai à quoi il ressemblerait avec un sac en plastique sur la figure. Quelque chose remonterait-il à la surface, ou laisserait-il échapper un soupir grotesque avant que tout ne soit fini ?

Quand Nick entra dans la pièce, je vis ses yeux attirés par elle comme deux aimants. Il observa le mouvement de ses jambes d'abord. Puis ses seins. Mais ce fut son visage surtout qu'il contempla.

Elle fit une remarque à propos de son aversion pour les dîners, ce qui était un mensonge. Le corps de Tyler tout entier oscilla en cadence avec ses paroles. Les mains dans les cheveux, un sourire flottant sur ses lèvres, il tourna les hanches vers elle.

— Je prends la défense de Nick, en ce qui me concerne, clama-t-il.

Daisy le regarda en plissant les yeux. Si seulement elle pouvait se laisser persuader de le haïr, mais il était trop tard, je le savais.

Au moment de passer à table, Nick disparut dans la cuisine. Tyler lui emboîta le pas en se proposant pour aider à porter les plats. Je traînassai un peu sur la terrasse en feignant de m'intéresser à quelque chose avant de me diriger à mon tour vers la cuisine, à pas feutrés, en veillant à ne pas me faire voir depuis la salle à manger.

— J'ai trouvé un bon orchestre pour la réception, disait Nick.

— Tant mieux, répondit Tyler, parce que je veux danser avec vous.

— Tyler...

— Nick.

— Il faut que ça cesse. Je suis sérieuse.

Je reconnais qu'elle n'avait pas l'air de plaisanter.

— J'ai essayé.

Moins de conviction de la part de Tyler.

— C'est cruel, Tyler, et je refuse de prendre part à ce petit jeu.

Sa voix s'était réduite à un chuchotement âpre.

Il y eut un silence, puis elle reprit d'un ton normal :

— Tiens, mon chéri, emporte ça.

Je n'avais pas bougé, et Tyler sursauta en me voyant adossé au mur près de la cuisine.

— Doux Jésus ! siffla-t-il avant de se ruer dans la salle à manger sans un mot de plus.

Je le suivis. La table était tapissée de fleurs roses. Ma mère trônait à un bout, coiffée d'une étrange couronne en papier qui lui donnait un air ridicule et, pour tout dire, un peu effrayant.

Je pris place à côté de Daisy, enveloppant du regard son visage, ses yeux brillants, ses petits pieds nus sous la table. J'avais une douleur bizarre à l'estomac. Je repensai à la flèche Wampanoag que j'avais trouvée l'été où Frank Wilcox avait assassiné Elena Nunes. Je venais d'intégrer les scouts ; nous avions passé la matinée à dépecer des lièvres à Gay Head avant d'aller creuser dans les falaises. C'est là que j'étais tombé sur la flèche. J'en avais fait cadeau à Daisy et je l'avais regardée la tourner dans sa main, son pouce effleurant la surface rugueuse. J'avais ressenti la même douleur alors, juste au-dessus de l'estomac, et ça m'avait mis sens dessus dessous. Du coup, je lui avais parlé des lièvres, et elle avait vomi dans les toilettes.

— Vous ne devinerez jamais qui j'ai vu à Morning Glory Farm ! s'exclama Nick. Cet horrible crapaud de Frank Wilcox.

Je traversai un de ces instants où mes ondes cérébrales semblaient sur le point de court-circuiter. Avait-elle lu dans mes pensées ou avais-je inconsciemment provoqué cette conversation ? Entendre son nom dans la bouche de quelqu'un d'autre me coupa un peu le souffle. J'avais du mal à croire qu'il puisse être réel pour autrui.

— J'ignorais qu'il était encore dans les parages, dis-je, alors qu'un millier de questions me brûlaient les lèvres.

Plus que je ne le vis, je sentis le regard d'oncle Hughes se poser sur moi.

— Moi aussi. Mais il était bel et bien là, en chair et en os. C'était bizarre, mais pour je ne sais quelle raison, le voir m'a mise hors de moi.

— Ça faisait des siècles que je n'avais pas pensé à ça, commenta Daisy.

Moi j'y pensais en permanence. À cette nuit-là, huit ans plus tôt. Le soir où tout avait commencé à se clarifier dans mon esprit. J'avais déjà une petite idée de ce que mon travail allait être à l'époque mais, lorsqu'il l'avait tuée, je n'en revenais pas. Une sorte de joie avait jailli en moi, je n'avais jamais ressenti quelque chose qui s'apparentât d'aussi près à l'amour.

Je les avais observés tout l'été. J'allais dans leur lieu secret la journée pendant que Daisy jouait au tennis. Juste pour être là, aux abords, et réfléchir. J'avais récupéré quelques objets sur place, un bracelet qu'elle avait apparemment perdu au cours d'un de leurs rendez-vous, ainsi qu'un paquet de cigarettes tombé de sa poche à lui. Ils me subjuguaient, tous les deux. Ils étaient comme des animaux, des animaux sans peau, grognant, gémissant, changeant de formes. À certains moments, on aurait presque dit qu'elle chantait. J'étais surtout fasciné par la violence qu'il manifestait à son égard. J'avais assisté à une scène similaire, peu de temps plus tôt, entre Bill Fox et ma mère, mais ma mère avait semblé passive, comme si les propos du Producteur ne l'atteignaient pas. *Tu es une vraie garce.* Dans le cas d'Elena, c'était différent. On aurait dit que c'était exactement ce qu'elle voulait entendre, comme si ça la libérait de quelque chose. Je buvais du petit lait. Évidemment, je déchantai un peu quand oncle Hughes me surprit en train de les espionner. Il était retourné en ville peu après, pour être seul, ce qu'il appréciait plus que tout, alors tout allait bien.

Ce soir-là, je les avais suivis jusqu'aux courts de tennis. Une fois de plus. Ils s'étaient disputés en chemin. Je les avais déjà entendus se quereller ainsi. Elle voulait qu'il quitte sa femme ; il répondait qu'il avait besoin de temps. Il mentait, bien évidemment. Elle devait le savoir. Elle s'était mise en colère et l'avait giflé. Il l'avait poussée sans ménagement le long du sentier jusqu'à la cabane.

Elle s'était alors mise à le supplier. Grave erreur. Cette fois-ci, il l'avait frappée violemment, elle s'était mise à pleurer, et lui à lui arracher ses vêtements. Je pensais que ça finirait comme cela finissait toujours, mais elle s'était défendue. J'étais à moins de cinq mètres, mais il faisait sombre, et bizarrement leur bagarre ne se distinguait pas tellement de leurs parties de jambes en l'air. Il était à terre, gémissant. Elle lui avait flanqué un coup de pied dans les parties intimes. Il avait commencé à ramper en jurant, et c'est sans doute à ce moment-là qu'il avait ramassé une pierre, parce qu'il s'était jeté sur elle en la tirant par les cheveux de sa main libre tout en la martelant de coups de l'autre.

Elle n'avait crié qu'une seule fois.

Mais il continuait à répéter : « Espèce de salope, putain de salope. » En la frappant encore et encore. Bang bang bang.

Brusquement, il s'arrêta et regarda la pierre dans sa main comme s'il se demandait d'où elle sortait. Il baissa les yeux sur la fille. Je l'entendais panteler. Il la secoua doucement, comme quand quelqu'un fait un cauchemar. Elle émit un petit son, mi-gargouillis, mi-grognement. Sans hésiter une seconde, il se mit à califourchon sur elle, plaqua ses mains sur sa gorge et serra, lui ôtant la vie.

Avant qu'il ne l'achève, je vis le torse de la fille se soulever une seconde. J'aurais juré qu'elle était sur le point de lui dire quelque chose. Et puis elle rendit l'âme.

J'avais envie de m'attarder, pour voir ce qu'il ferait ensuite, mais j'avais la tête qui tournait et j'avais peur de pousser un cri, de trahir ma présence. Aussi m'éloignai-je en chancelant, aussi discrètement que possible, en direction d'Ice Pond. Je tournai de l'œil avant d'aller bien loin.

Je me souviens de m'être réveillé au milieu des hautes herbes du marécage. Le sol était tout humide. J'aperçus la lune. Mes premières pensées furent pour Daisy.

Après le dîner, nous reprîmes des cocktails. Ma mère commençait à être ivre. Ensuite nous dansâmes tous au son d'un disque que Daisy avait acheté. Ma mère serrée contre Nick, une tristesse infinie dans le regard.

Puis, un par un, tout le monde alla se coucher, moi y compris. Après être resté allongé un moment, cependant, je me relevai, obnubilé par l'idée que Frank Wilcox était de retour sur l'île. Il avait une nouvelle femme. Je me demandais à quoi elle ressemblait. Je m'habillai et m'assis à la fenêtre en repensant à ce que tante Nick avait dit plus tôt au sujet de l'automne qu'elle flairait dans l'air, qui sentait la mort, le changement.

Je décidai de me lancer à la recherche de Frank. De toute façon, je n'arrivais pas à dormir. Je descendis l'escalier à pas de loup en songeant à Hughes patrouillant dans la maison des années plus tôt. Cela me fit sourire. Je comptais aller chercher l'adresse de Frank dans le bottin et me dirigeais donc vers le bureau de mon oncle quand je les entendis chuchoter.

Ils étaient dans le salon bleu, unique accès au bureau. Je fus contraint de m'arrêter dans le couloir près de la porte.

— Je te l'ai déjà dit clairement, lança Nick.

— J'ai bien entendu ce que vous m'avez dit, mais ce n'est pas ce que vous pensez. Ni ce que vous voulez. Nous sommes faits l'un pour l'autre. Cessez de prétendre le contraire.

En bas, toutes les lumières étaient éteintes. Je m'avançai un peu pour les voir, en veillant à figer le cours de mes pensées. Tante Nick était adossée à la bergère ; Tyler se tenait debout tout près d'elle ; il lui avait saisi le haut du bras.

— Non, protesta-t-elle, sans le regarder.

— Vous ne me ferez pas croire que cela vous suffit. Que vous y trouvez votre compte. Je ne suis pas aveugle, Nick.

— Il faut que tu arrêtes, Tyler. Je suis navrée de t'avoir donné une fausse impression...

— Mon Dieu, j'ai tellement envie de vous embrasser !

— Ne m'oblige pas à faire souffrir Daisy, répondit Nick d'un ton suppliant. Si tu tiens à l'une ou l'autre d'entre nous...

— Vous croyez que j'ai envie de lui faire mal ? Elle n'est pas comme nous, que voulez-vous. Ce n'est la faute de personne. C'est comme ça !

— Quelqu'un est responsable, rétorqua Nick avec véhémence. Moi ! Oh mon Dieu, tout est ma faute !

Tyler se pencha pour l'embrasser, mais je n'attendis pas d'assister à ce baiser. J'en avais vu assez pour comprendre ce qui se passait. Il en était toujours ainsi avec ma tante.

Il me fallut patienter jusqu'au lendemain soir, mais j'allai bel et bien voir Frank Wilcox. J'avais trouvé son adresse dans le bottin. Il vivait à Katama. Je dus y aller en vélo. C'était aux alentours de minuit, et il n'y avait pas de lune, si bien qu'il faisait très sombre en chemin. Je réussis néanmoins à trouver son allée.

C'était une maison simple, à l'écart de la route. De construction récente. Ses moyens s'étaient manifestement restreints. Je fis un petit travail de reconnaissance et découvris ainsi que le rez-de-chaussée n'était qu'une grande pièce, avec une petite cuisine au fond. Les nuits étaient plus fraîches désormais, mais ils avaient laissé les fenêtres ouvertes. Je sortis mon vieux couteau suisse, celui qu'oncle Hughes m'avait donné, pour découper le grillage autour du cadre de la porte-moustiquaire. Après avoir ôté mes mocassins, je me glissai à l'intérieur.

Le plancher était froid sous mes pieds. Je me sentais bien. Calme. Le mobilier avait à l'évidence été loué, mais il y avait des photographies encadrées sur le manteau de la cheminée. Un mariage, une photo de vacances. Au Mexique, peut-être. Difficile à dire dans l'obscurité, mais la femme semblait jeune. L'âge de Daisy.

Il n'y avait pas grand-chose à voir, mais je fis une brève halte dans la cuisine pour prendre un sac poubelle, au cas où.

Les marches étaient tapissées, si bien que je n'eus aucun mal à rester discret quand je montai à l'étage. Sur le palier, je regardai autour de moi. Il y avait trois portes, dont deux fermées. Une salle de bains, sans doute, et leur chambre à coucher ? Mystère. Je pressai mon oreille contre un battant, mais aucun son ne me parvint. Idem pour l'autre. Celle du milieu avait plus de chances d'être la salle de bains. Je choisis donc celle du fond.

Je tournai au maximum le bouton de porte en verre et poussai le battant avec précaution. Heureusement que la maison était neuve. Pas de gonds grinçants ni de bois gonflé. Néanmoins, je pris conscience que j'avais commis une erreur en débarquant là sous le coup d'une impulsion, sans faire le moindre repérage.

Le lit était à moins d'un mètre de moi. La femme était le plus proche ; sa chevelure noire s'étalait tel un éventail sur l'oreiller. Elle avait les mains jointes sous sa joue ; une épaule nue émergeait du duvet. Elle semblait jeune, mais pas particulièrement jolie. Je tendis la main, très doucement, et effleurai une mèche. Douce, comme une souris.

Même dans la pénombre, je vis à quel point Wilcox avait vieilli. Il paraissait fragile. Des cheveux gris épars lui tombaient sur le front. Il ronflait légèrement, la bouche ouverte. Je remarquai une ombre sur son oreiller où sa bave avait coulé.

J'éprouvais une étrange sensation. De la déception, un peu de colère aussi. Il était plus mon père que quiconque, et je l'avais toujours imaginé infiniment fort, inébranlable. Je repensais à ses mains enserrant la gorge d'Elena à cet instant, sans la moindre hésitation. Or, j'avais devant moi un vieillard ronflant dans sa bicoque remplie de meubles loués, ignorant totalement qu'un intrus s'était introduit chez lui et le regardait dormir.

Je baissai les yeux sur le sac plastique. Ça ne valait même pas la peine. J'avais besoin de lui parler, pour savoir ce qui s'était passé et comprendre comment il était devenu cet être brisé, inoffensif. Un moins-que-rien. Mais c'était impossible. À la place, je sortis mon portefeuille de la poche de mon pantalon et en extirpai la boîte d'allumettes du Hideaway, toute déchirée, qui ne me quittait jamais.

Je la posai délicatement sur la table de chevet, puis je quittai la chambre après avoir jeté un dernier coup d'œil à l'homme qui m'avait fait.

Octobre 1969

Je me souvenais d'avoir interrogé Daisy au sujet de l'amour une fois, de l'effet que cela faisait. Elle m'avait répondu que c'était comme le tennis. Je pense qu'elle voulait dire que les émotions se ressemblaient mais, pendant longtemps, j'avais imaginé deux joueurs se mesurant l'un à l'autre, chacun essayant de marquer davantage de points que son rival. Au cours de l'année qui vient de s'écouler, tandis que je transitais d'un hôpital à un autre, écoutant les médecins psalmodier d'une voix monocorde et les infirmières jacasser comme on tentait de me remettre sur pied, j'avais eu tout le temps de réfléchir et de me remémorer le passé. Dans la chambre où je me trouve actuellement, aux murs couleur de glace à la menthe, une vision claire s'est imposée à mon esprit. Je vois un homme et une femme dans un escalier sombre. Et ce qui se passe entre eux est l'amour dans ce qu'il a de plus sincère car, comme je le soupçonne depuis longtemps, il est soudain, brutal, et les ravages sont permanents.

C'était l'été dernier, après ma visite chez Frank Wilcox. J'étais retourné à Tiger House début juin. Daisy et Tyler

n'étaient pas encore mariés. « De longues fiançailles »,
comme elle disait. « Ty est trop occupé », m'avait-elle
affirmé quand je l'avais questionnée le Noël précédent.
Du coup, je m'étais laissé aller à penser que ça ne se
ferait peut-être pas, après tout. Mais la date avait été fixée
en août et, en juin, rien n'indiquait qu'une rupture fût
imminente. Aussi, je me remis à cogiter le problème Nick-
Tyler.

Pendant la traversée sur le ferry, je me creusai les méninges
pour essayer de trouver une solution. Je commandai un café
que j'emportai sur le pont. C'était le début de l'après-midi,
un samedi, et le *Island Queen* était rempli d'excursionnistes
d'un jour et de hippies. Je chaussai mes Ray-Ban pour
ne pas avoir à plisser les yeux et me plongeai dans mes
réflexions.

Se débarrasser de Tyler semblait l'option la plus séduisante. Mais c'était risqué. Pour commencer, c'était un
homme, costaud qui plus est, ce qui m'obligerait à l'attaquer
par surprise. Les choses avaient de fortes chances de mal
tourner. En outre, Daisy tenait à lui. Je ne comprenais pas
pourquoi, mais je savais ce que ça faisait de désirer quelque
chose, et je me refusais à l'en priver.

Tante Nick serait plus facile à isoler. Elle pourrait très
bien décider d'aller se promener sur le port un soir, dans
le noir, sur la jetée du Yacht Club. Ou alors une noyade,
aux abords du ponton. Tout le monde savait qu'elle prenait
des bains de minuit quand elle avait trop bu.

Mais je n'avais pas envie de la tuer. Non pas parce que
je l'aimais. Cela tenait peut-être davantage à la force qu'elle
incarnait. Ou bien au fait que, en dépit de sa fourberie, elle
rendait nos vies plus exaltantes. Je ne sais pas. En tout état
de cause, mon esprit écartait cette option.

Je me souvenais de l'avoir regardée faire l'amour avec
ce musicien, tant d'années auparavant. Elle avait noué
une jambe autour de sa taille et lui caressait tendrement

la nuque. Mais son expression. L'image de la haine, ou du dégoût. Tellement barbare que, l'espace d'un instant, j'avais cru qu'elle allait le mettre en pièces.

Je pensai à ça quand une fille à côté de moi sur le pont du ferry se pencha pour me demander du feu.

Je plongeai la main dans ma poche. J'avais toujours un briquet sur moi en prévision de ce genre de situations. Tout en allumant sa cigarette, je l'observai. Elle avait les cheveux très clairs et portait un grand chapeau de paille qui jetait une ombre sur ses épaules. Des taches de rousseur.

Elle m'intriguait. Elle tenait une carte de l'île, de celles qu'on donne à l'office du tourisme de Woods Hole.

— Est-ce votre première visite sur l'île ? demandai-je.

— Oui.

Elle me regarda de dessous son chapeau. Un coup d'œil rapide avant de détourner les yeux.

— Où logez-vous ?

— Dans une chambre d'hôtes, à Oak Bluffs.

Elle fit mine d'étudier sa carte. Je me gardai de lui poser d'autres questions et attendis. Au bout d'un moment, je sortis mon fidèle recueil de poèmes et entrepris de le feuilleter. Je sentis qu'elle reportait son attention sur moi.

— Oh, fit-elle au bout d'un moment. William Blake.

— Oui, répondis-je en levant les yeux.

— Je l'adore. Ginsberg pense que c'est un prophète.

Je la dévisageais sans rien dire.

— Enfin, c'est ce qu'il dit en tout cas.

— Pourquoi un prophète ?

— Je ne sais pas exactement, avoua-t-elle en riant.

Je lui souris.

— Je suis désolée. Je vous dérange.

— Pas du tout.

— Je m'appelle Penny.

— Ed.

— Dites-moi, cela vous ennuierait-il de surveiller mon sac pendant que je vais aux toilettes ? me demanda-t-elle, en redressant un peu son chapeau pour mieux me voir.

— Pas de problème.

Je la suivis des yeux tandis qu'elle se dirigeait vers la porte menant au pont inférieur. Elle marchait les pieds en dedans. Je rapprochai son sac de moi, défis la fermeture Éclair d'un centimètre de manière à glisser la main à l'intérieur. Je sentis quelque chose de soyeux, tirai dessus. C'était un foulard orné de petites roses, comme en portent les grands-mères. Je le fourrai dans la poche de mon blazer. Pour plus tard.

J'inclinai la tête en arrière et sentis le soleil sur mon visage. Je songeai au nombre de chambres d'hôtes qu'il devait y avoir à Oak Bluffs et entrepris de faire la liste de celles qui me venaient à l'esprit. Puis la sirène du bateau retentit, annonçant que nous approchions du port. Je me rendis compte alors que je n'avais toujours pas de plan précis pour régler le problème qui m'attendait à la maison.

J'entends les semelles de l'infirmière sur le linoléum avant de la voir. *Swish swish.* Tout à coup, sa figure surgit devant mon nez. Elle sourit en voyant que j'ai les yeux ouverts.

— C'est un grand jour aujourd'hui, dit-elle en lissant mon drap. Vous avez de la visite.

Elle vérifie mes perfusions.

— Vous avez de la chance, vous savez.

J'aurais ri, si j'avais pu.

— Tout le monde n'a pas une mère comme la vôtre. Certains patients n'ont jamais de visite. Jamais. C'est une honte !

Elle soupira avant de disparaître de ma vue.

Puis j'entends sa voix quelque part près de la porte. Désincarnée.

— Ce n'est pas votre cas, heureusement. Tous les jeudis, sans faute.

Nous avions cette conversation tous les jeudis, sans faute. Même si j'avais eu l'usage de la parole, je n'aurais sans doute pas eu besoin de dire quoi que ce soit. Son visage plane à nouveau au-dessus du mien, tel un ballon.

— Voudriez-vous écouter la radio ?

Elle l'allume, quitte la pièce.

Bienvenue sur fréquence Ten Ten Wins. Accordez-nous vingt-deux minutes. Nous vous offrirons le monde.

Les policiers enquêtant sur le meurtre d'un chauffeur de taxi à San Francisco il y a quelques jours ont désormais la preuve que l'assassin pourrait être responsable de quatre autres crimes non éclaircis survenus dans la Bay Area au cours de cette année.

Le San Francisco Chronicle a reçu une lettre d'un certain Zodiac ainsi qu'un bout de tissu taché de sang qui semblerait avoir été découpé dans la chemise de la dernière victime. Des analyses en laboratoire sont en cours afin de déterminer si l'échantillon correspond au type sanguin de la victime.

Dans son message, qui fait froid dans le dos, l'auteur nargue la police en disant : « Ici le Zodiac. Je suis l'assassin du chauffeur de taxi tué à l'intersection de Washington Street et de Maple Street. Les policiers de San Francisco auraient pu m'attraper hier soir s'ils avaient fouillé le parc correctement. »

L'enquête se poursuit.

Quel démagogue. Voilà des mois qu'on parle de cette histoire, et je n'en reviens pas qu'ils n'aient pas encore arrêté ce type. Il n'est pas très prudent. Franchement, je le trouve un peu fatigant. Son travail manque de rigueur.

Tout de même, cela vaut mieux que de fixer le plafond. J'aimerais bien qu'ils ouvrent la fenêtre. Je voudrais sentir l'air du dehors.

Tige House était tranquille quand j'arrivai. Ils devaient tous être à la plage. Je montai mon sac dans ma chambre et rangeai mes affaires. Je pliai le foulard de Penny que je glissai sous mon oreiller. J'étais en train de consulter l'horaire des bus pour Oak Bluffs quand je crus entendre un bruit venant de la chambre de Daisy, au bout du couloir. Je la trouvai en train de sortir tout un bazar de sa penderie et de le disposer sur son lit. Ses trésors. Le gros animal en peluche qu'elle avait gagné à West Tisbury Fair, du vieux maquillage, des bandes dessinées. Il y avait un carton brun par terre.

Des senteurs fraîches flottaient dans l'air, provenant de l'arbre en fleur devant sa fenêtre.

Elle leva les yeux. En me voyant, elle tressaillit et posa une main sur son cœur.

— Oh, Ed, fit-elle avant de se précipiter pour m'embrasser sur la joue. Quand es-tu arrivé ? Je serais venue te chercher au ferry si j'avais su.

— J'ai pris un taxi. Où sont les autres ?

— J'ai demandé à maman d'emmener Tyler faire un tour en bateau pour ne plus l'avoir dans les pattes. Papa est parti jouer aux cartes au Reading Room. Quant à ta mère… (Elle s'interrompit.) À vrai dire, je ne sais pas où elle est. Il n'y a que toi et moi.

— Oui.

Elle fouilla à nouveau dans sa penderie pour réapparaître aussitôt avec d'autres babioles.

— Qu'est-ce que tu fais ?

— Juste un peu de ménage. Pour faire de la place pour Tyler. On va se débarrasser de ces deux vieux lits jumeaux et s'acheter un bon lit double pour quand on sera mariés. (Elle sourit.) Il est grand temps de débarrasser tout ce fourbi, de toute façon.

J'approchai du lit et contemplai sa collection. Je me souvenais de la colère qu'elle avait piquée quand je lui avais avoué avoir trouvé sa cachette. En attrapant un vieux flacon de vernis à ongles, j'aperçus la pointe de flèche dont je lui avais fait cadeau, parmi les objets destinés au carton. Ma vision se troubla un peu.

— Tout de même, cette chambre me plaît telle qu'elle est, reprit-elle en regardant autour d'elle. Le vieux papier peint, l'albizia dehors. C'est ridicule, je sais, mais ça me rend un peu triste de changer.

— Ça n'a rien de ridicule.

Elle soupira.

— Qu'est-ce que tu vas faire de ce bric-à-brac ?

— Oh, je ne sais pas. Tout jeter, je suppose.

Elle retourna dans la penderie avant de ressortir la tête.

— Te rends-tu compte que dans deux mois je serai une vieille femme mariée ? Je devrais peut-être inviter Peaches au mariage.

— Tu vas le faire, alors ?

— Faire quoi ?

— L'épouser.

— Qu'est-ce que tu racontes ? Évidemment que je vais l'épouser.

Je pris la flèche et la frottai entre mes doigts.

— Tu as tort, à mon avis.

Elle s'assit sur le lit en me jetant un regard perçant.

— Je sais que Ty n'est pas la personne que tu préfères au monde, Ed. Mais je l'aime.

— Oui.

— Bref, ça ne changera rien. Enfin, pas vraiment.

— Il n'empêche que tu ne devrais pas l'épouser.

— Donne-moi une bonne raison, en dehors du fait que tu ne l'aimes pas.

Son ton était monté d'un cran.

Le moment était venu de dire la vérité, mais je n'étais pas sûr qu'elle soit prête.

— Alors ? J'attends.

— Il aime ta mère.

— Ed, franchement ! Tu vas ressasser cette vieille rengaine encore longtemps ? s'écria-t-elle en éclatant de rire.

Je la dévisageai.

— T'ai-je jamais menti ?

Elle me rendit mon regard et son expression changea. J'avais déjà assisté à ce genre de revirement, quand les gens prennent conscience subitement que ce qui est sur le point de se passer diffère totalement de ce à quoi ils s'attendaient.

— Pourquoi me racontes-tu des choses pareilles ? demanda-t-elle, presque en un murmure.

— Parce que c'est vrai. Je les ai vus.

— Ferme-la, Ed Lewis, aboya-t-elle.

Elle se leva du lit, s'approcha de la fenêtre et glissa la main sur la moustiquaire. Je sus alors qu'elle avait compris que je disais vrai. En réalité, elle l'avait toujours su.

Au bout d'une minute, elle se retourna vers moi.

— Je ne comprends vraiment pas, dit-elle en pesant ses mots. Pourquoi cherches-tu à me faire mal ?

Comme je ne répondais pas, elle m'écarta de son chemin et sortit précipitamment de la chambre. Je baissai les yeux sur la flèche que je tenais toujours. J'étais sur le point de la jeter dans le carton mais, à cet instant, ma main se mit à trembler. Je finis par la fourrer dans ma poche.

En sortant de la chambre, je tombai sur ma mère près de la porte. Elle avait écouté aux portes, ça se voyait.

Elle souriait.

— Bonjour, Ed, mon chéri.

— Va boire un cocktail, maman, répondis-je, la laissant là, bouche bée.

— Regardez qui est là, dit l'infirmière. Je vous l'avais bien dit !

Je vois le visage de ma mère. Son regard est doux. Elle a l'air vieille, encore plus que la semaine dernière.

— Bonjour, mon chéri, fait-elle en écartant mes cheveux de mon front.

Je ne supporte pas qu'elle me touche.

— Comment va-t-il ? demande-t-elle à l'infirmière.

— Oh, bien. Le docteur sera là sans tarder.

Elle nous laisse seuls. Ma mère éteint la radio, rapproche une chaise de mon lit.

— Bon. Voyons. La semaine a été chargée. J'ai aidé Carl à installer ses bureaux dans la maison de Oak Bluffs. Je t'en ai déjà parlé, n'est-ce pas, mon chéri ? Je sais que je t'ai parlé de Carl. Eh bien, il a trouvé un local à Oak Bluffs, où il va pouvoir ouvrir une sorte d'avant-poste pour son Église. Selon lui, depuis que Teddy Kennedy a tué cette pauvre fille à Chappy, l'Église a pris conscience qu'un tas de gens sur l'île ont besoin d'aide. C'est lui qu'ils ont choisi pour tout organiser. Nous nous sommes rencontrés à la quincaillerie, tout comme avec ton père. J'allais acheter une ampoule, et lui avait besoin de détergents. Mais ça aussi je te l'ai déjà raconté.

Ma mère soupire. Elle se lève et se dirige vers la fenêtre.

— Il est engagé à fond, poursuit-elle, et il m'a appris des choses passionnantes sur moi, la valorisation de soi, en me faisant comprendre que des tas d'événements de mon passé, et même de mes vies passées, m'ont empêchée de me hisser à l'échelon supérieur. Je ne vais pas tarder à entamer mes séances. Oh Ed, mon chéri, il est tellement intelligent, si tu savais.

Elle me rebat les oreilles avec ce Carl depuis qu'elle l'a rencontré en août. Nick traitait mon père de charlatan quand elle pensait qu'on n'écoutait pas. Je me demande ce qu'elle dirait de la nouvelle conquête de ma mère.

Il semble que l'île ait attiré de drôles de gens à cause de l'épisode Kennedy. Des journalistes, des amateurs de sensations fortes, des fanatiques aussi. J'ai entendu son laïus à la radio, celui de Teddy Kennedy. Il a déclaré que, après avoir laissé cette fille se noyer dans la voiture, il s'était demandé si une terrible malédiction ne planait pas sur sa famille. Ça m'a fait penser à Daisy qui elle aussi nous avait crus maudits après la découverte du corps d'Elena Nunes. Ironiquement, ma mère m'a raconté que Teddy s'était même planqué au Hideaway, jusqu'à ce qu'il se rende compte qu'il n'avait pas d'autre solution que d'aller se rendre à la police. Je me demande ce que le shérif Mello avait pensé de ça.

Ma mère me serine toujours à propos de Carl quand le médecin arrive.

— Bonjour, madame Lewis.

— Docteur Christiansen, bonjour.

Je perçois la rigidité de son ton. Elle n'aime pas les médecins.

— Bonjour, Ed. (Le docteur s'approche du lit.) Comment vous sentez-vous aujourd'hui ?

Je le regarde.

Il se tourne vers ma mère.

— Je suis navré que nous n'ayons pas eu la possibilité de nous parler la semaine dernière. J'étais en déplacement pour une conférence.

— Ce que je voudrais savoir, docteur, c'est pourquoi il n'arrive toujours pas à parler. Vous m'aviez dit qu'une fois qu'il serait ici, ce ne serait plus qu'une question de temps.

— J'avoue que cela reste un mystère. Comme je vous l'ai dit la première fois que nous nous sommes entretenus, les lésions subies par les première et deuxième vertèbres ne devraient pas affecter ses cordes vocales de façon permanente. Certes, le choc initial, ainsi que l'absence de progrès dans l'établissement où il était hospitalisé précédemment, pourrait expliquer qu'elles soient affaiblies. Tout comme pour ses doigts, s'il veut reprendre des forces, il doit se donner un peu de mal.

— Seriez-vous en train de me dire que la rééducation ne se passe pas bien ?

— Pour être honnête, il ne réagit pas aussi bien que nous le souhaiterions.

Ma mère s'approche de moi.

— Il faut vraiment que tu fasses un effort, mon chéri.

Elle a raison, bien sûr. Mais cela semble inutile. Je n'ai envie de parler à personne.

Après notre altercation, je ne revis pas Daisy jusqu'au dîner. Je la cherchai, j'allai même jusqu'aux courts de tennis, mais elle n'y était pas.

Ma tante et Tyler revinrent les premiers. Ils avaient les cheveux en bataille, le visage rougi par le soleil.

— Quel vent ! commenta Nick. Ça soufflait vraiment fort.

Tyler portait son sac de bateau. Il lui effleura le bras en passant à côté d'elle pour descendre à la cave. Je la vis tressaillir. Elle n'appréciait guère qu'il fasse ça devant moi, je suppose.

— Bonjour, Ed, me lança-t-il.

Nick me donna un baiser, lissa ses cheveux, mais elle regardait obstinément ailleurs.

— J'espère que tu n'as pas été trop secoué sur le ferry.

— Non, ça allait.

— Où est ta mère ?

— Dans sa chambre.

— Et ton oncle ? Toujours pas de retour ?

— Non.

— Bon, je vais prendre une douche et me changer. Ensuite nous boirons un cocktail et tu me raconteras ce que tu fais en ce moment.

Elle commença à monter les marches.

— Daisy n'est pas là non plus, dis-je.

— Comment ? Oh.

Elle s'arrêta, se retourna, l'air perplexe.

— Elle est perturbée.

Sa main serrait la rampe ; je vis ses jointures blanchir légèrement.

— Elle te l'a dit ?

— Non, mais j'ai deviné.

— Eh bien, elle se marie dans deux mois. Elle a le trac, je présume, lança-t-elle d'un ton désinvolte, mais elle continua à agripper la balustrade à mesure qu'elle gravissait les marches.

Hughes revint du Reading Room un peu plus tard. Nous étions tous réunis dans le salon bleu quand Daisy arriva.

— Bonjour.

— Te voilà, mon chou, répondit mon oncle. Où étais-tu passé ?

— Je suis juste allée faire une promenade.

— Que puis-je t'offrir ?

— Rien merci, papa. Je crois que je vais aller boire un verre d'eau. J'ai soif.

— Il y a de la limonade au bar, intervint ma mère.

Elle ne buvait pas et me lorgnait nerveusement depuis un quart d'heure.

— Merci, dit Daisy en allant prendre un verre.

Je suivis le regard de Nick, rivé sur elle. Ses doigts enlaçaient le pied de son verre à martini.

— Nous avons croisé ce bon révérend en mer cet après-midi, dit Tyler en souriant. Des pains, des poissons, tout ça.

— Vraiment ? C'est sympa.

Daisy semblait avoir l'esprit ailleurs.

Tyler se leva et s'approcha d'elle.

— Ça va ?

Il tenta de glisser sa main dans son cou, mais elle l'écarta d'un haussement d'épaules.

— Bien. J'ai eu chaud en marchant, ça m'a fatiguée.

— Je suis passé du côté des courts de tennis, dis-je.

Daisy me regarda pour la première fois depuis qu'elle était entrée dans la pièce. Sans dire un mot.

Hughes lui aussi me décocha un regard pénétrant.

— Que faisais-tu près des courts de tennis ?

— Je cherchais Daisy.

— Elle ne joue plus au tennis en ce moment, coupa ma mère. Comment ça se fait d'ailleurs, ma chérie ?

— Elle est occupée à organiser son mariage, pour l'amour du ciel ! lança Nick.

— Vous voudriez bien arrêter de parler de moi comme si je n'étais pas là ?

Daisy posa son verre avec vigueur sur le plateau en marbre du bar.

— Elle a raison, intervint Hughes. C'est l'heure des cocktails, pas de l'Inquisition espagnole.

Plus personne ne pipa mot pendant quelques instants. Puis Hughes se tourna vers sa femme et demanda :

— Qu'est-ce qu'on mange ?

Des rires nerveux fusèrent dans la pièce.

Nick se leva et posa une main sur celle de son mari.

— J'ai trouvé de beaux flétans chez mon petit pêcheur.

Il se tourna vers elle et posa son autre main sur son crâne, comme une casquette.

— Ça me semble parfait.

Tyler les dévisageait tous les deux avec des yeux froids comme du métal. Daisy remarqua son expression, je vis ses traits se crisper. Elle détourna le regard.

— Je vais me changer, annonça-t-elle.

— Entendu, ma chérie, fit sa mère, mais elle avait déjà quitté la pièce.

Nick avait raison. Le poisson était délicieux. J'aimais bien le fait qu'elle a laissé la peau, que je pouvais ainsi ôter avec ma fourchette afin de dévoiler la chair blanche.

J'en grignotai même un bout. Salée, croustillante, elle avait absorbé toute la saveur de l'assaisonnement.

Ma tante évoqua le 4 Juillet, suggérant un pique-nique familial. Hughes raconta une histoire à propos d'avions allemands qu'il avait entendus bombarder Londres un 31 décembre et qu'il avait pris pour des feux d'artifice. Ma mère était particulièrement silencieuse. Quant à Tyler, il semblait tout à son assiette.

Après le dîner, Daisy s'excusa. Les pieds de sa chaise raclèrent le parquet quand elle se leva.

— Je vais voir si ça va, annonça Nick au bout de quelques instants.

Tyler fit mine de se lever lui aussi mais, se tournant vers lui, elle lança d'un ton sans appel :

— Toi, tu restes ici.

Ma mère se leva et commença à débarrasser la table.

— Laisse-moi te donner un coup de main, dit Hughes en lui tapotant le dos.

Tyler et moi échangeâmes un regard. Il savait que je savais. Je le lus sur son visage. Mes mains me démangeaient. Pour m'empêcher de céder à une pulsion, je quittai rapidement la table et suivis la direction que Nick et Daisy avaient prise.

Depuis le porche, je vis ma tante traverser la rue et, au-delà, la silhouette plus menue de Daisy descendant la pelouse dans l'obscurité. Je gardai mes distances en collant à la clôture du côté le plus éloigné. Elles se dirigeaient vers le hangar à bateaux. Je fis le tour en passant devant la douche extérieure.

Sur ce flanc-là de la bâtisse, l'air était humide à cause de l'écoulement. Le robinet gouttait ; l'herbe était boueuse sous mes chaussures. Mes semelles produisaient des bruits de succion, ce dont je me serais bien passé. Devant le hangar, je m'immobilisai, dressai l'oreille. En apercevant une lueur, je compris que Daisy avait dû allumer une des lampes à kérosène.

Elle était assise sur les petites marches, Nick à côté d'elle. Silencieuses toutes les deux.

Je me plaquai contre le mur, sentant les bardeaux s'enfoncer dans mes omoplates.

Au bout d'un moment, la voix de ma tante se fit entendre.

— Que t'arrive-t-il, ma chérie ?

Daisy ne répondit pas.

— Quoi que ce soit, tu devrais me le dire. C'est à cause du mariage ?

Daisy sortit finalement de son mutisme.

— Te souviens-tu quand tu m'as dit que, s'il y avait une chose dont je pouvais être sûre, c'est que je n'embrasserais pas toujours la bonne personne ?

— Je m'en souviens très bien.

— Nous étions assises ici et tu me caressais les cheveux.

— Oui.

— C'est de toi que tu parlais, n'est-ce pas ? Ça n'avait rien à voir avec moi, en fait.

— Daisy !

— Non, non, ne dis rien, maman. Je comprends maintenant. Il a toujours été question de toi, pas vrai ? Tout. Je n'existe pas réellement à tes yeux. Aucun de nous n'existe.

— Voyons, Daisy ! Je sais que je n'ai pas été la meilleure mère qui soit. Je ne suis probablement même pas une bonne personne. Mais tu existes réellement à mes yeux et je t'aime. Qu'est-ce qui t'arrive ?

— Seigneur, maman ! Comment peux-tu dire ça sans sourciller !

— De quoi parles-tu, Daisy ? Dis-le-moi franchement, répondit Nick d'une voix limpide.

— De quoi je parle ? De tout. Tu n'en as rien à faire de qui que ce soit à part toi. Il en a toujours été ainsi. (Daisy s'exprimait par petits halètements, pareille à un animal essoufflé.) De toute ma vie, tu n'as jamais été de mon côté. Tu étais jalouse, dure, glaciale... la moindre petite parcelle d'amour venant de papa... Et comme tu n'arrives pas à obtenir ça de lui, tu as...

— J'ai quoi ? J'ai fait quoi, Daisy ?

Daisy ne répondit pas.

Au bout d'un moment, Nick reprit la parole, d'une voix adoucie.

— Je serais bien en peine de tout t'expliquer, ma chérie. Comment évoquer en peu de mots toute une vie faite d'erreurs, d'opportunités ratées... Je n'ai jamais voulu être ordinaire. C'est peut-être ce qui m'a rendue différente, plus dure. Mais une famille, eh bien, c'est compliqué. J'ignore ce qui a provoqué ça, mais je sais que je t'ai blessée, à maints égards. J'en suis consciente. Et je te demande pardon.

Daisy se mura à nouveau dans le silence, comme si elle réfléchissait.

— Tu ne vois vraiment pas de quoi je parle ? dit-elle finalement. Tu es sincère ?

— Non, je ne vois pas. S'il te plaît, dis-le-moi.

— Je ne sais pas, articula lentement Daisy, je ne sais pas à quoi j'ai pensé.

— Ma chérie...

Je m'avançai un peu pour leur jeter un rapide coup d'œil.

La main de Nick reposait sur l'escalier entre elles deux, comme si elle avait envie de toucher sa fille, mais hésitait. La tête penchée, Daisy regardait ses pieds.

— Je me demande si je suis en train de perdre la tête, ou si tu... C'est peut-être à cause du mariage, ma fébrilité. Si c'est ça, je suis désolée. Désolée d'avoir dit toutes ces choses. (Elle se leva, s'éloigna de quelques pas, s'arrêta.) Mais juste au cas, au cas où ça ne vient pas de moi, s'il avait raison... (Elle laissa sa phrase en suspens en portant son regard vers le port.) Je veux que ça s'arrête, maman. Il faut que tu cesses.

Nick la regarda en secouant la tête. Quelque part entre la confusion et l'acquiescement.

Mais je savais qu'elle n'en ferait rien. Même si elle l'avait voulu, elle en était incapable.

Le cœur lourd, je regagnai Tiger House. Au moment d'ouvrir le portail, j'aperçus ma mère sur le porche. Comme je m'approchai d'elle, elle m'attrapa la main. Je sursautai. Elle me touchait si rarement.

— Je t'attendais, dit-elle. Je voulais te dire quelque chose au sujet de tout à l'heure, de Daisy et de ta tante Nick.

J'étudiai son visage. Elle avait l'air d'avoir peur.

— J'ai entendu ce que tu as dit à Daisy à propos de Tyler. Je t'ai peut-être donné une fausse impression, je ne sais pas. Je ne voudrais pas que tu te mettes dans une situation…

Elle s'interrompit.

Je dégageai ma main et lui tapotai l'épaule, comme Hughes l'avait fait plus tôt.

— Tout va bien, maman. Ne t'inquiète pas. Ça va bien se passer.

Mais je ne me sentais pas bien du tout. L'atmosphère était suffocante dans la maison. Je décidai d'aller me promener pour m'aérer l'esprit. Je marchai le long de notre plage en réfléchissant. Je savais ce qu'il me restait à faire mais, pour la première fois de ma vie, je ne me sentais pas préparé. J'hésitais donc. C'était risqué. Comme la fois où j'étais allé chez Frank Wilcox sans repérage préalable.

En entendant les plaintes des sirènes de brume, je pensai à Daisy. Je la revis debout, la main sur le cœur, surprise de me voir. Je songeai à cette habitude qu'elle avait de toujours m'appeler Ed Lewis, à sa façon de taper du pied quand elle était fâchée. Durant toute notre enfance, elle avait été la seule à me parler vraiment, à remarquer ma présence.

J'ignore combien de temps j'étais resté là à méditer tout ça. En regagnant la maison, je vis mon oncle et ma tante dans le salon, un verre à la main. Ils étaient blottis l'un contre l'autre sur le canapé. Leur lampe était la seule encore allumée, ce qui signifiait que tous les autres avaient dû aller se coucher.

Je sautai par-dessus le portail et montai rapidement les marches du perron. Je comptais les rejoindre histoire de prendre la température, mais leur conversation m'en dissuada.

— Que t'a-t-elle dit ? demanda Hughes.

— Elle…, hésita-t-elle. Elle pense que j'ai fait quelque chose.

— Quoi donc ?

— Il faut que je te fasse un aveu, Hughes.

— Bonté divine, de quoi s'agit-il ?

— Ça m'a presque fait perdre la tête. Je ne veux pas blesser Daisy, ni toi, ni qui que ce soit. Je n'ai pas été honnête…

Hughes la regarda, puis baissa les yeux sur ses mains. Il garda le silence un instant avant de reprendre :

— Tu n'as pas à m'expliquer quoi que ce soit, Nick.

— Tu ne sais même pas de quoi je parle, répondit-elle, sondant son visage incliné.

— Peut-être que si. Ou peut-être pas. Ça n'a pas d'importance. Je te connais. Je sais de quoi tu es capable, ce dont tu es incapable. Et la cruauté en fait partie.

— Chéri…

— Je t'aime, Nick, dit-il simplement, et je doute que tu puisses dire ou faire quoi que ce soit qui y changera grand-chose. (Il releva les yeux.) Par conséquent, tu n'as aucune explication à me fournir. Je sais déjà tout ce que j'ai besoin de savoir.

— Oh, Hughes. (Elle enfouit son visage dans ses mains.) Tu n'as aucune idée. J'ai fait un tel gâchis de nous tous.

— Nous sommes tous responsables de ce gâchis, répondit-il. Mais il va falloir que tu me fasses confiance maintenant. Comprends-tu ?

— Oui, dit-elle en secouant la tête. J'ai toujours pensé que notre vie était... Mon Dieu, je me suis fourvoyée du tout au tout. J'ignore si cela aura un sens pour toi, mais j'ai surveillé quelqu'un, quelqu'un qui me rappelle à quel point j'ai été sotte. (Elle rit doucement, comme si on venait de lui raconter la blague la plus subtile du monde.) Je suppose que le mariage, comme les sauts de falaise, exige que l'on garde son sang-froid.

Cette conversation ne me plaisait pas. Quelque chose dans l'attitude de Nick, sa voix, me troublait, comme si j'étais en train de passer à côté de quelque chose d'important. Cela me perturbait. Il fallait que j'arrête de penser. Je devais en finir avec tout ça et régler le problème une fois pour toutes. Après avoir pris une grande inspiration, j'entrai dans la maison en laissant la porte se refermer bruyamment derrière moi.

En pénétrant dans le salon, j'aperçus une carafe de vodka-martini fraîchement préparée sur le bar. Tant mieux. Cela faciliterait les choses si elle était ivre.

— Je suis juste allé faire une promenade, dis-je. Je voulais vous souhaiter bonne nuit.

— Bonne nuit, Ed, répondit mon oncle qui, à l'évidence, se demandait si je les avais espionnés.

— Bonne nuit, dit à son tour Nick, l'air énervée.

Je m'approchai d'elle pour lui déposer un baiser sur la joue. Une joue douce et fraîche. Je sentis son parfum et son haleine chargée de vodka.

— Bonne nuit, tante Nick, lançai-je avant de monter dans ma chambre.

Je m'allongeai sur mon lit et contemplai le plafond. Une heure passa, peut-être moins, avant que je n'entende Hughes gravir les marches. Suffisamment longtemps pour qu'ils aient éclusé la carafe. Avec un peu de chance, Nick irait se baigner. Ce serait le plus simple. Mais ça ne marcherait peut-être pas ce soir ; je risquais de devoir attendre le moment propice. N'entendant pas les pas de ma tante dans l'escalier, cependant, je me levai et commençai à me préparer.

Je sortis mes souliers du sac plastique obligeamment fourni par le cireur de chaussures. Je l'étirai un peu avec les doigts pour m'assurer qu'il était assez grand. Le moindre détail comptait. Il fallait faire les choses avec soin. Que ça ait l'air d'un accident.

Je descendis sur le palier du premier et regardai par la fenêtre. Ne la voyant pas, je poursuivis mon chemin. Je jetai un coup d'œil dans le salon, plongé dans le noir, vide. Puis je l'aperçus sur le porche, en train de finir son cocktail. Elle posa délicatement son verre vide sur la balustrade et couvrit son visage des deux mains. Je l'entendis sangloter. On dit parfois que les gens pleurent amèrement. Je comprenais à présent ce que cela signifiait. On aurait dit le crissement de gravier expulsé d'un tuyau.

Au bout d'un moment, elle s'essuya les yeux et redressa le dos pour se retrouver droite comme un piquet. D'une certaine manière, à cet instant, je l'admirais. Mais je pensai à Daisy, et ce sentiment se dissipa aussitôt. Elle récupéra son verre et se dirigea vers la porte. Je battis en retraite dans l'ombre du salon.

Elle passa devant moi sur le chemin de la cuisine. Je m'empressai de remonter l'escalier à pas de loup, deux marches à la fois, jusqu'au premier. Les portes des chambres étaient toutes fermées, pareilles à des yeux endormis. Je me réfugiai dans un coin, derrière la vieille pendule. Je sortis le sac en plastique de ma poche et attendis.

Je le lui mettrais sur la tête par-derrière quand elle franchirait l'angle pour gagner sa chambre. Dès qu'elle cesserait de respirer, je la ferais glisser dans l'escalier. Cela ferait du bruit, mais pas beaucoup, et j'aurais assez de temps pour atteindre le milieu de la volée de marches avant que Hughes ou ma mère ne surgissent de leurs chambres. On aurait l'impression que j'avais dévalé l'escalier pour voir ce qui s'était passé. Ayant bu trop de vodka-martini, Nick avait trébuché et perdu l'équilibre.

J'eus la sensation que des heures s'étaient écoulées avant qu'elle ne se décide enfin à monter d'un pas vacillant. Je m'entendais respirer et m'ingéniais à faire taire mon esprit, comme je l'avais déjà fait tant de fois auparavant. Au moment où elle passa devant moi dans le couloir, je m'approchai d'elle. Elle se retourna. À ce jour, je ne sais toujours pas pourquoi. Elle n'avait pas pu m'entendre. Quoi qu'il en soit, nous étions là, face à face. Moi brandissant le sac à deux mains, elle, les sourcils froncés, s'efforçant de comprendre.

J'étais si près d'elle.

— Qu'est-ce que tu fais, Ed ?

Bizarrement, elle chuchotait, comme si nous partagions un secret.

Maintenant, maintenant, pensai-je. Elle n'a pas fait de bruit. Mais à la place, je dis :

— Toi. Et Tyler.

Elle écarquilla un peu les yeux alors. Elle avait compris. Elle s'écarta de moi, à reculons. Je fis un pas vers elle. Les choses ne se déroulaient pas du tout comme prévu. En fait, ça n'allait pas du tout. C'était beaucoup trop risqué. Mais je n'avais pas d'autre solution que de continuer.

Je m'emparai d'elle et nouai un bras autour de son cou pour la plaquer contre moi. Elle se débattit, avec plus de vigueur que je ne m'y attendais. Cela dit, je ne m'étais pas attendu à une confrontation directe.

Dès qu'elle me tourna le dos, je plaquai une main sur sa bouche. Elle me griffa le bras. De l'autre main, je secouai le sac en plastique. Mon pouls battait dans mes oreilles.

Ses talons raclèrent le plancher alors que je la traînais vers l'escalier. La panique m'envahit. Je devais agir vite. Je lui inclinai la nuque avec le coude pour pouvoir lui mettre le sac sur la tête. Elle émettait des bruits de succion contre ma paume.

Je parvins à enfiler le sac et à refermer l'ouverture autour de son cou. Je l'entendis inhaler le plastique. J'y étais presque.

Soudain, je sentis quelque chose autour de mon propre cou. Une main. M'écrasant la trachée. Je fus contraint de la lâcher. Je compris alors que tout était fini. J'avais échoué.

Nick m'échappa. Je l'entendis tousser quelque part à mes pieds. Le froissement du sac.

— Nick.

C'était la voix de Hughes derrière moi.

Impossible de voir ma tante. J'avais la tête inclinée en arrière à cause de la pression mais, au bout d'un moment, je l'entendis dire, ou plutôt croasser :

— Tout va bien.

Hughes me retourna brutalement face à lui. Inutile de me débattre ou d'implorer sa clémence. Je le lis sur son visage. Je pensais à Daisy, au moment où je lui avais montré l'endroit où la bonne avait été tuée, à la pointe de flèche, à Elena Nunes essayant de nous révéler ses secrets juste avant de mourir. C'était à mon tour maintenant.

— C'est Tyler, dis-je.

Hughes me regarda droit dans les yeux. Puis il me poussa dans l'escalier.

Maman m'a fait la lecture. Elle le fait toutes les semaines – la lecture des actualités dans le journal, comme si j'avais perdu la vue en plus d'être muet et paralysé.

Elle lit ainsi pendant une heure, et puis il est temps pour elle de s'en aller. Aujourd'hui, elle m'informe sur les manifestations contre la guerre à Chicago. Il a fallu faire appel à la Garde nationale, ce qui en coûtera apparemment cent cinquante mille dollars à la municipalité. La presse appelle ça les « Jours de rage ». Cela me barbe. Pour tout dire, je ne pense pas avoir appris quoi que ce soit d'intéressant depuis un an. Depuis cette nuit-là.

— J'ai presque oublié de te raconter, lance tout à coup ma mère, nous avons eu un petit drame à la maison.

Et là, je pense que la roue commence peut-être à tourner.

Elle pose son tas de coupures de journaux.

— Daisy nous a rendu visite ce week-end. Te l'ai-je dit ? Je crois t'avoir annoncé sa venue la semaine dernière. Bref, devine qui a débarqué ! Tyler. Il a fait tout le trajet en voiture depuis la ville apparemment. On ne l'avait pas vu depuis leur rupture, comme tu le sais.

Ma mère rapproche un peu sa chaise. Elle ne veut pas que les infirmières l'entendent parler de notre linge sale.

— J'ignore comment il a su qu'elle viendrait, mais il était là, plus grand que nature, assis devant la maison dans son automobile grotesque. Bien évidemment, j'en informe Daisy et, mon chéri, tu ne croiras jamais ce qu'elle a fait. Elle descend à la cave et revient avec sa raquette et un sac rempli de balles de tennis. Je haletai presque, impatiente de savoir ce qu'elle comptait faire.

Elle halète presque encore maintenant.

— Elle sort sur le porche et l'appelle. Au moment où il semble sur le point de jaillir de sa voiture, elle plonge la main dans le sac, en sort une balle. Avec des gestes précis, elle la fait rebondir à terre avant de l'expédier de toutes ses forces sur l'auto. Bonté divine, elle vise sacrément bien, permets-moi de te le dire.

Ses yeux s'emplissent de larmes de rire.

— Il pousse les hauts cris, évidemment, poursuit-elle, mais Daisy continue son manège, frappant des balles successives jusqu'à ce qu'il en soit réduit à filer de peur d'avoir son pare-brise en miettes. Oh, Ed, je pleurais presque à force de me bidonner.

« Ensuite, elle entre et là, elle me voit. J'ai eu un peu pitié d'elle. Je ne voulais pas qu'elle s'imagine que son chagrin m'amusait. Je t'ai expliqué qu'elle a été affreusement malheureuse longtemps après qu'il l'eut quitté, la pauvre ! Mais elle m'a regardée dans les yeux en disant : "Eh bien, tante Helena, je pense qu'il aura compris la leçon." Après quoi, elle a éclaté de rire et ajouté : "Taratata", comme elle le fait toujours. Je dois t'avouer, mon chéri, je ne l'ai jamais aimée autant qu'à cet instant.

Pendant qu'elle me raconte tout ça, je sens les muscles de mes joues s'étirer, et je me rends compte que je souris. Ma mère s'essuie les yeux et elle s'en aperçoit à son tour.

— Oh, un sourire. Eh bien, c'est un jour à marquer d'une pierre blanche.

Après quoi elle rassemble ses affaires, me gratifie d'un baiser et je me dis que, au fond, ça ne m'ennuie pas tant que ça d'écouter les nouvelles.

Affalé de tout mon long au pied de l'escalier dans l'obscurité, je les entendais. J'avais dû tourner de l'œil mais, à un moment donné, je repris conscience de ce qui se passait autour de moi.

— Oh, Hughes, souffla Nick d'une voix râpeuse. (J'imaginai que sa gorge avait dû souffrir quand je lui avais serré le cou.) Oh mon Dieu !

Elle pleurait. J'avais affreusement froid.

— Il faut qu'on appelle une ambulance, ajouta-t-elle.

Je la vis alors, assise à côté de moi. Je crois bien qu'elle me touchait, mais je ne sentais pas sa main.

— Ed ? Ed, peux-tu bouger ? Hughes, va chercher une couverture.

— Je crains…

Il n'acheva pas sa phrase. Il devait être parti.

Et puis, quelque part dans l'ombre, je le vis soulever quelque chose au-dessus de moi et j'eus l'étrange impression d'être enterré.

— Je ne crois pas qu'il m'entende. As-tu appelé ?

— Oui.

— Doux Jésus, qu'allons-nous dire à Helena ? chuchota Nick.

— Écoute-moi attentivement, répondit mon oncle en articulant bien. Il a eu une crise de somnambulisme et il a fait une chute dans l'escalier. Nous étions couchés tous les deux, nous avons entendu du bruit et nous sommes venus voir ce qui se passait. Tu comprends ?

— Oui, répondit-elle.

Je n'entendis plus rien pendant quelques instants mais, du coin de l'œil, j'aperçus un petit mouvement. Je clignai des paupières.

Nick finit par reprendre la parole, d'un ton pressant :

— Hughes, écoute-moi, j'ai essayé de te parler.

— Je sais.

— Non, tu ne comprends pas. Il ne s'est rien passé. Avec Tyler... Ce n'est pas comme... il ne voulait pas lâcher. Je crois qu'il a pensé que comme...

— Je sais, Nick.

J'essayai de bouger. Impossible. J'avais un peu mal, mais seulement à la tête. J'avais la sensation que mon crâne allait s'affaisser. Nick se pencha sur moi, prit ma nuque dans le creux de sa main.

— Où est cette foutue ambulance ?

— Elle arrive.

Silence. Puis :

— Hughes ?

— Oui ?

— C'est très bizarre, mais j'ai l'impression... (Je dus tendre l'oreille pour l'entendre.) Que tout...

Elle s'interrompit.

— Oui, répondit oncle Hughes. C'est ça.

À ces mots, des étoiles explosèrent sous mes yeux et le monde plongea dans le noir.

— Eh bien, c'est un grand jour, annonce l'infirmière. Vous avez une autre visite.

— Bonjour, Ed.

C'est Daisy. Je ne la vois pas, mais j'entends sa voix. Je me concentre sur mon cou, qui refuse de bouger. J'ai du mal à croire qu'elle est là. Elle n'est venue me voir qu'une seule fois, au tout début. Je m'étais demandé si elle était au courant pour l'escalier et tout le reste et avait décidé qu'elle n'arrivait pas à me pardonner, comme ma tante l'avait prédit.

Mais elle est là devant moi, un sourire sur les lèvres, et j'en conclus qu'elle ne me déteste pas, après tout. Elle est pâle mais, on est maintenant en octobre, son hâle a eu le temps de se dissiper depuis l'été. Je plante mon regard sur elle et j'essaie de lui communiquer avec les yeux ce que ma bouche ne peut lui dire.

— Mon Dieu ! s'exclame-t-elle. Pourquoi ce regard agité ?

Elle se penche, pose une main sur ma joue et m'embrasse sur la bouche. Un baiser léger comme une aile de papillon.

— Je suis désolée de ne pas être venue te voir. J'étais tellement triste. Mais je me sens mieux maintenant.

Elle a les cheveux plus courts. Comme un halo blond. Elle regarde autour d'elle.

— On étouffe ici. Pourquoi n'ouvrent-ils pas la fenêtre ?

Elle s'assied sur la chaise à côté de mon lit.

— Alors, Ed Lewis, on me dit que tu ne nous parles plus. Qu'est-ce qui se passe ? Tu as perdu ta langue ?

Je souris.

— Ça ne suffit pas, dit-elle. Je ne me contente plus de si peu.

Elle ouvre le sac de toile qu'elle a apporté avec elle. Ça me fait penser à l'épisode des balles de tennis.

— Comme je suis sûre que tu as déjà entendu toute ma sordide histoire de la bouche de ta mère et, vu que tu n'as pas l'intention de parler, je suis venue avec des poèmes. J'ai pensé que je pourrais te faire la lecture, si ça te fait plaisir. À moins que ça ne t'assomme ?

Je me borne à la regarder.

— Non ? Tant mieux.

Au moment où elle sort le livre, l'infirmière revient.

— Je suis navrée, mademoiselle Derringer, mais, en temps normal, nous lavons les cheveux d'Ed le jeudi. Après le départ de sa mère.

— Oh ! fait Daisy. Bon d'accord. Je peux peut-être vous aider.

— Il en serait ravi, j'en suis sûre. N'est-ce pas ?

— Oh, c'est certain.

Daisy me décoche un clin d'œil.

Me sortir du lit pour me mettre dans un fauteuil exige tout un déploiement de forces. Cela m'agace un peu parce que c'est du temps que j'aurais pu passer en compagnie de Daisy. Puis l'infirmière me pousse dans la salle de bains. Daisy la suit. L'infirmière m'attache un plateau autour des épaules et du cou pour empêcher l'eau de dégouliner.

— Bon, je vais lui mouiller les cheveux. Ensuite nous pourrons le shampouiner, dit-elle.

Pourquoi n'ai-je jamais remarqué ses poignets auparavant ? Tellement translucides, ils sont presque bleus. Je me rends compte que je ne connais même pas son nom. Je devrais faire davantage attention à elle.

Je sens l'eau tiède me couler sur la tête et je regarde Daisy. Elle sourit, tend sa paume, et l'infirmière lui verse une giclée de savon rose dans le creux de la main. Après quoi Daisy entreprend de me masser le crâne. Je sens ses mains, chaudes, sur ma tête ; le bout de ses doigts me provoque des picotements jusqu'aux épaules. Quelques bulles de savon glissent de mon front, dans mon œil. Ça pique, mon index droit tressaille. Le docteur a raison. Il faut que je fasse un peu plus d'efforts.

— Désolée, s'exclame Daisy en riant. Je ne suis pas très douée, hein ? Je ferais peut-être mieux de vous laisser faire et de lire à la place.

Elle nous laisse dans la salle de bains et revient avec son recueil.

— Wallace Stevens, dit-elle en me montrant la couverture. Bon, voyons, poursuit-elle, puis elle feuillette l'ouvrage, esquisse un sourire en tombant sur une page. Oh, j'adore celui-là, s'écrie-t-elle, puis elle s'adosse au mur et entame sa lecture : « Les maisons sont hantées / Par des chemises de nuit blanches. »

J'écoute le son de sa voix en songeant que c'est la plus belle chose que j'ai jamais entendue. Si limpide, si vraie, si constante. J'ai envie de prononcer les mots avec elle. Je tente de faire remonter de l'air dans ma gorge. Peine perdue.

— « Aucune n'est verte / Ni pourpre à cercles verts / Ni verte à cercles jaunes. / Aucune n'est étrange. »

Je fais une nouvelle tentative et cette fois-ci je réussis à émettre un petit gargouillis, mais personne ne l'entend à cause de l'eau qui s'écoule dans l'évier. Moi je l'entends.

— « Les gens ne vont pas / Rêver de babouins ni de pervenches. »

Je la regarde. Je l'entends.

— « De temps à l'autre, seul, un vieux marin / Ivre et dormant dans ses bottes / Capture des tigres / Par temps rouge[1]. »

Elle lève les yeux vers moi. Ils brillent un peu, mais c'est peut-être à cause de la vapeur d'eau. Je pense à l'amour,

---

1. *Désillusion de dix heures*, Wallace Stevens, traduction de Raymond Queneau.

aux chemises de nuit qui ne sont pas blanches. Je pense à Nick, et Frank Wilcox, et même à mon oncle Hughes. Je pense à Daisy et à son recueil de poèmes. Je pense à des tigres par un temps rouge. Ça me plaît.

Remerciements

Il y a un certain nombre de personnes, certaines à leur insu, qui ont conspiré avec moi pour la rédaction de ce livre. Je dois beaucoup à Wallace Stevens dont les poèmes m'ont fortement inspirée, ainsi qu'à mon grand-père dont les charmants Mémoires ont servi de point de départ.

Mes correcteurs : Kate Harvey, chez Picador, qui a toute ma gratitude et une promesse d'amitié éternelle au vu de sa contribution subtile et intelligente. De même que la brillante Judy Clain chez Little, Brown dont la vision et l'engagement continuent à me laisser pantoise.

Mes éditeurs : Michael Pietsch chez Little, Brown, et Paul Baggaley chez Picador. Je remercie aussi avec effusion toute l'équipe de gens talentueux au sein de l'une et l'autre maisons.

Caroline Wood, mon agent chez Felicity Bryan est, en un mot, incroyable. Elle m'a appris que parfois les dîners en ville sont un peu trop fréquents.

J'ai une dette colossale envers Andrew Motion qui m'a fait découvrir, entre autres innombrables choses, les délicieux bienfaits de l'avocat.

Ma reconnaissance et ma loyauté vont à jamais aux auteurs suivants : Emma Chapman, Tom Feltham, Liz Gifford, Carolina Gonzalez-Carvaja, Kat Gordon et Rebecca Lloyd James.

Enfin, j'ai une dette que je ne pourrai jamais rembourser envers ma famille aussi folle qu'étonnante à qui, je l'avoue, j'ai fait beaucoup subir. Ma mère, Betsy Chapin, et mon père, Eric Klaussmann, mon frère, Eric Klaussmann, ainsi que mon autre père, John Grummon.

Almudena Grandes, *Le Cœur glacé*, traduit de l'espagnol par Marianne Millon (prix Méditerranée 2009).

Almudena Grandes, *Le Lecteur de Jules Verne*, traduit de l'espagnol par Serge Mestre.

Almudena Grandes, *Inés et la joie*, traduit de l'espagnol par Serge Mestre.

Chad Harbach, *L'Art du jeu*, traduit de l'anglais (États-Unis) par Dominique Defert.

Gaute Heivoll, *Avant que je me consume*, traduit du norvégien par Jean-Baptiste Coursaud.

Kari Hotakainen, *Rue de la tranchée*, traduit du finnois par Anne Colin du Terrail.

Kari Hotakainen, *La Part de l'homme*, traduit du finnois par Anne Colin du Terrail.

Lars Husum, *Mon ami Jésus*, traduit du danois par Jean-Baptiste Coursaud.

M. Ann Jacoby, *Un génie ordinaire*, traduit de l'anglais (États-Unis) par Fabienne Gondrand.

Anna Jörgensdotter, *Discordance*, traduit du suédois par Martine Desbureaux.

Hari Kunzru, *Dieu sans les hommes*, traduit de l'anglais par Claude et Jean Demanuelli.

Emir Kusturica, *Étranger dans le mariage*, traduit du serbo-croate par Alain Cappon.

Vivian Lofiego, *Le Sang des papillons*, traduit de l'espagnol (Argentine) par Claude Bleton.

Naguib Mahfouz, *Impasse des deux palais*, traduit de l'arabe (Égypte) par Philippe Vigreux.

Naguib Mahfouz, *Le Palais du désir*, traduit de l'arabe (Égypte) par Philippe Vigreux.

Naguib Mahfouz, *Le Jardin du passé*, traduit de l'arabe (Égypte) par Philippe Vigreux.

Anthony Marra, *Une Constellation de phénomènes vitaux*, traduit de l'anglais (États-Unis) par Dominique Defert.

Anouk Markovits, *Je suis interdite*, traduit de l'anglais par Katia Wallesky avec le concours de l'auteur.

Adam Mars-Jones, *Pied-de-mouche*, traduit de l'anglais par Richard Cunningham.

Sue Miller, *Perdue dans la forêt*, traduit de l'anglais par Béatrice Roudet-Marçu.

Neel Mukherjee, *Le Passé continu*, traduit de l'anglais par Valérie Rosier.

William Ospina, *Ursúa*, traduit de l'espagnol (Colombie) par Claude Bleton.

William Ospina, *Le Pays de la cannelle*, traduit de l'espagnol (Colombie) par Claude Bleton.

Emily Perkins, *Les Forrest*, traduit de l'anglais (Nouvelle-Zélande) par Isabelle Chapman.

Jordi Puntí, *Bagages perdus*, traduit du catalan par Edmond Raillard.

Anna Qindlen, *Tous sans exception*, traduit de l'anglais (États-Unis) par Catherine Ludet.

Miguel Sandín, *Le Goût du mezcal*, traduit de l'espagnol par Claude Bleton.

Paul Torday, *Partie de pêche au Yémen*, traduit de l'anglais par Katia Holmes.

Paul Torday, *Descente aux grands crus*, traduit de l'anglais par Katia Holmes.

Giuseppina Torregrossa, *Les Tétins de sainte Agathe*, traduit de l'italien par Anaïs Bokobza.

Rose Tremain, *Les Silences*, traduit de l'anglais par Claude et Jean Demanuelli.

Rose Tremain, *Le Don du roi*, traduit de l'anglais par Gérard Clarence.

Rose Tremain, *L'Ami du roi*, traduit de l'anglais par Édith Soonckindt.

Helene Uri, *Trouble*, traduit du norvégien par Alex Fouillet.

Clara Usón, *Cœur de napalm*, traduit de l'espagnol par Anne Plantagenet.

Zoé Valdés, *Le Paradis du néant*, traduit de l'espagnol (Cuba) par Albert Bensoussan.

Zoé Valdés, *Le Roman de Yocandra*, traduit de l'espagnol (Cuba) par Carmen Val Julián et Albert Bensoussan.

Zoé Valdès, *La Chasseuse d'astres*, traduit de l'espagnol (Cuba) par Albert Bensoussan.

Carl-Johan Vallgren, *Les Aventures fantastiques d'Hercule Barfuss*, traduit du suédois par Martine Desbureaux.

Alexi Zentner, *Les Bois de Sawgamet*, traduit de l'anglais (États-Unis) par Marie-Hélène Dumas.

Alexi Zentner, *La Légende de Loosewood Island*, traduit de l'anglais (États-Unis) par Marie-Hélène Dumas.

CET OUVRAGE A ÉTÉ COMPOSÉ
PAR NORD COMPO
ET ACHEVÉ D'IMPRIMER
PAR CPI FIRMIN DIDOT
POUR LE COMPTE DES ÉDITIONS J.-C. LATTÈS
17, RUE JACOB — 75006 PARIS
EN AVRIL 2015

N° d'édition : 02
N° d'impression : 128117
Dépôt légal : avril 2015
Imprimé en France